Liefdeband

Maureen Lang

Liefdeband

Roman

Vertaald door Lia van Aken

 Voorhoeve

© Uitgeverij Voorhoeve – Kampen, 2008
Postbus 5018, 8260 GA Kampen
www.kok.nl

Oorspronkelijk verschenen onder de titel *On Sparrow Hill* bij Tyndale House Publishers, Inc., 351 Executive Drive, Carol Stream, IL 60188, USA
© Maureen Lang, 2008

Vertaling Lia van Aken
Omslagillustratie Tyndale House Publishers
Omslagontwerp Mark Hesseling
ISBN 978 90 297 1884 4
NUR 302

1

Hollinworth Hall, Northamptonshire, Engeland

Rebecca Seabrooke hoefde de brief in haar hand niet open te maken om te weten wat erin stond: het jaarlijkse aanbod van een baan bij de National Trust van Engeland. Meer geld dan ze ooit kon verdienen in het historische woonhuis waar ze nu werkte. Meer prestige. Misschien zelfs een keur aan locaties, want veel kostbare woonhuizen van het land waren eigendom van de Trust.

Ze moest toch echt haar vader e-mailen om hem te vragen geen postzegels meer aan zulke aanbiedingen te verspillen. Ondanks wat minstens één Hollinworth vond van het werk dat ze hier deed, was Rebecca ervan overtuigd dat de Hall de kostbaarste schat was van alle bezittingen op de aanzienlijke inventarislijst van de Trust.

Ze schoof de brief opzij en richtte haar aandacht op haar volle agenda. Nu haar educatiemanager op vakantie was, moest Rebecca, tussen de afspraken met zakenlieden en bruidjes die het huis wilden bespreken voor diners en bruiloften door, de rondleidingen in het huis en door de tuin verzorgen.

Maar vandaag had niets van dat alles prioriteit in Rebecca's hoofd, want vandaag zou de eigenaar van Hollinworth Hall terugkeren naar het privéverblijf dat hij aanhield in de noordelijke vleugel. En pas vanmorgen had ze gehoord dat zijn komst werd verwacht.

Niettemin had ze Helen al gevraagd te zorgen dat zijn kamers gelucht en schoongemaakt werden. Ieder hoekje werd opgefleurd met verse bloemen uit Rebecca's lievelingstuin, en Helen was zijn favoriete brood aan het bakken. Rebecca kon de geurige kruiden helemaal in haar kantoor op de tweede verdieping ruiken. Gezien het feit dat zijn moeder onlangs in een plaatselijke krant had gesuggereerd dat de Hall voor bezoek gesloten werd, wist Rebecca dat er strijd zou volgen en de zoon, de wettige eigenaar van de Hall, zou in de touwtrekkerij best eens het touw kunnen zijn.

Gelukkig was ze over de verliefdheid heen gegroeid die ze in haar tienerjaren voor hem gekoesterd had. Haar vader had haar erop geattendeerd dat hij de zoon was van de familie voor wie hij vroeger had gewerkt, en toen ze twaalf was en hij dertien, vond ze Quentin Hollinworth de meest perfecte en knappe man die er bestond. Knap was hij nog steeds – dat wist ze, hoewel ze hem maar een of twee keer per jaar zag – maar tijdens het opgroeien had ze een paar dingen geleerd, zoals dat standen niet goed met elkaar vermengden, zelfs niet in het Engeland van vandaag waarin bijna iedereen gelijk was. Hoewel hij geen relatie meer had met de dochter van een graaf, was daar nog steeds zijn moeder. Zij was het bewijs dat standen zich alleen moesten vermengen als beide partijen in dezelfde stand wilden zitten.

Rebecca had het veel te druk om bij zulke onbeduidende dingen stil te blijven staan. Ze concentreerde zich weer op haar computerscherm en haalde haar e-mail op. Het eerste mailtje was van een studiegenoot die voor het weekend wilde afspreken in een club in Londen, nog zoiets wat voor Rebecca niet hoefde. Vlug las ze het door. Een deel van haar bewonderde het drukke stadsleven dat haar vriendinnen hadden gekozen, een ander deel wist dat ze de juiste weg had gevolgd door hier op het platteland te blijven.

Het duurde niet lang of haar blik dwaalde weer naar het raam, toen ze het grind hoorde knerpen onder autobanden. Quentin Hollinworth was gearriveerd. In gedachten zag ze de huisbewaarders van het landgoed voor zich, Helen en William Risdon, die naar buiten gingen om hem te begroeten en welkom thuis te heten.

Onwillig keek ze naar de onderste lade van haar bureau, waar ze de societypagina's van de krant bewaarde waar ze maar geen weerstand aan kon bieden. Het was raar van haar dat ze zo veel knipsels bewaarde, alleen hadden ze allemaal betrekking op de familie die verbonden was met het landgoed dat ze leidde. Het bijhouden van een plakboek over hun leven hoorde bij haar baan als beheerder van hun nalatenschap. Het bewaren was eerder patriottisch dan persoonlijk. In die lade zat de recente geschiedenis van Quentin Hollinworth, van zijn politieke werk tot zijn niet bepaald geheim gebleven breuk met Caroline Norleigh. Rebecca kon niet aan Quentin denken zonder zich dat allemaal te herinneren.

Ze keerde terug naar haar e-mail en las een bericht van een leraar die kortgeleden op bezoek was geweest en Rebecca bedankte dat ze hun Victoriaanse erfgoed tot leven had gebracht voor de vierentwintig kinderen die ze die dag had rondgeleid. Dat vond Rebecca het mooiste – de berichten die bewezen dat haar werk iets betekende. Als de Featherby werd toegekend, kon ze meer energie steken in het boeken van zulke groepen. Ze betaalden niet zo goed als zakenbanketten of bruiloften, maar voor Rebecca was het onderwijzen van kinderen veel belangrijker.

'Goedemiddag, Rebecca.'

Quentin Hollinworth zag er groot en sterk uit, zelfs met een reusachtige deuropening achter zich. Zijn brede schouders vulden een nonchalant, enigszins verkreukt, beige linnen kostuum, een sterk contrast met zijn donkere haar.

'Welkom thuis.' Vlug wendde ze haar blik af en schoof de stoel dichter naar haar bureau. Haar verschansing, veilig achter het mahonie. Het was bijna drie maanden geleden dat ze hem gesproken had. Zo volkomen vertrouwde hij haar de leiding van de Hall toe, dat hij zich bijna nooit liet zien. Maar als zij haar zin kreeg, moest daar verandering in komen. Ze kon niet in haar eentje de waarde van de Hall bewijzen in zijn huidige publieke staat. Ze had zijn hulp nodig.

'Ik zie dat je alleen de boel draaiende hebt gehouden.'

'Niet bepaald alleen.' Rebecca dacht aan William en Helen, die in het huis op het landgoed woonden en toezicht hielden op het huishouden. En de personeelsleden die op rondleidingdagen kwamen om een authentieke Victoriaanse sfeer te creëren. En niet te vergeten de vele dienstmeisjes, de reparateurs die kwamen en gingen, de rentmeester die toezicht hield op de gewassen, noch de hoofdtuinman die in het dorp woonde, maar het grootste deel van zijn tijd bezig was te zorgen dat Hollinworth Hall zijn naam hoog hield als de plek met de mooiste tuinen van het Verenigd Koninkrijk.

'Zonder jou,' zei Quentin terwijl hij op het bureau toe liep, 'zou het huis tot een ruïne vervallen, hoeveel personeel er ook was.'

'En hoe gaat het met je moeder, Quentin?' Rebecca wilde het niet echt weten, tenzij lady Elise Hollinworth iets te maken had met zijn bezoek. Om de Hall te sluiten voor het publiek? 'Goed, hoop ik?'

'Ja, het gaat goed met haar,' antwoordde hij. 'Ze zit in de cottage voor de zomer.'

Rebecca knikte. Ondanks de knusse naam voor het Hollinworthlandgoed dat een erfenis was van zijn moeders aristocratische kant van de familie, was de zogenaamde cottage allesbehalve schilderachtig. Het naar alle kanten uitgebouwde herenhuis stond nog geen vijftien kilometer verderop en werd omringd door zeshonderd hectare weiland, meren en bossen. Het was het centrum van het landelijke sociale leven van de Hollinworths.

'Het bezichtigingsseizoen is fris van start gegaan,' zei Rebecca. 'We hebben meerdere telefoontjes gekregen van mensen die in de volgende vakantie op bezoek willen komen.'

'De agenda is in jouw handen, Rebecca. Ik ben van plan het grootste deel van de zomer hier te zijn, en niet in de cottage.'

Hier? Van de zomer? Om te bepalen of de Hall al dan niet open moet blijven? 'Ik zal zorgen dat niemand je in de weg loopt.' Wat klonk haar stem kalm ondanks het bonken van haar hart. 'De gasten hebben natuurlijk nog steeds alleen maar toegang tot de gewone plekken, afhankelijk van wat voor groep het is.' Terwijl ze het gesprek op gang probeerde te houden, tolden de gedachten in haar hoofd door elkaar heen. Als hij inderdaad hier was om in te schatten of het de moeite waard was om de Hall open te houden, dan moest ze hem overtuigen – hoe eerder, hoe beter. Als hij de Hall sloot voor publiek, raakte ze niet alleen de baan kwijt waar ze van hield. Erger was dat ze haar droom dan niet waar had kunnen maken.

Quentin ging blijkbaar volkomen op zijn gemak tegenover haar zitten. 'Ik twijfel er niet aan dat je me goed zult beschermen.'

Ze keek hem in de ogen en wendde toen haar blik af. Hem af te schermen van het algemene publiek hoorde bij haar baan. 'Ja, samen met een goed beveiligingssysteem moet dat te doen zijn, Quentin.'

Hij zei niets en Rebecca wist niet goed wat hij dacht. Ze mocht Quentin Hollinworth dan al kennen vanaf dat hij een kind was, in werkelijkheid was hij niet meer dan een kennis. Haar grootvader was de laatste geweest van een lang geslacht van lijfknechten van Quentins mannelijke voorouders, van wie de meesten Hamiltons waren geweest en van adel. Toen Rebecca's vader de leeftijd had gekregen om de positie aan te nemen, waren lijfknechten allang uit de mode geraakt. Daarom had haar vader de rol van huisknecht op zich genomen en zijn intrek genomen in het huis op het landgoed waar nu William en Helen woonden. Haar vader was net lang genoeg gebleven om zijn studie van de Victoriaanse tijd af te ronden. Toen hij besloot zijn baan bij de familie Hamilton-Hollinworth op te zeggen – en te breken met de traditie van de Seabrookes van niet minder dan twaalf generaties – had Quentins vader verstoord kunnen zijn. Maar hij had geen teleurstelling getoond, noch frustratie over het feit dat hij voor de huishouding iemand in dienst moest nemen die volkomen nieuw voor de familie was. Typerend voor de keurige Engelse heer die hij was geweest. Tegenslag kon je verwachten; hoe je ermee omging, bewees het ware karakter van een man.

'We zijn genomineerd voor een Featherby Educatieprijs,' zei Rebecca ten slotte. Haar sterkste wapen, weer een prijs die bewees dat het behoud van het historische Engelse leven gekoesterd moest worden, en niet verwaarloosd, vergeten, verkocht, of verborgen gehouden in het privéleven van de elite.

'Ja, dat heb ik gehoord. Ik heb bericht gekregen op het adres van mijn flat in Londen. Het is helemaal aan jou te danken, Rebecca. Gefeliciteerd.'

Ze glimlachte. 'We hebben nog niet gewonnen.'

'Het is al een eer om genomineerd te zijn, zoals ze zeggen.' Hij ving haar blik. 'Eigenlijk was dat een van de redenen dat ik van plan ben om van de zomer te blijven. Ik dacht dat ik misschien een handje kon helpen, met de juryleden praten, rechtstreeks beschikbaar zijn als je me ergens over wilt raadplegen.'

Er stroomden opluchting, verrassing en blijdschap door haar heen. Dus hij stond achter haar inspanningen om de Featherby te winnen? Als hij de Featherby wilde, kon hij nooit achter het idee van zijn moeder staan om de functie af te sluiten waarmee de nominatie in de eerste plaats gewonnen was. 'Dat zou heerlijk zijn. Ik wilde nog eens in de kluis gaan zoeken. Misschien kunnen we nieuwe kleding samenstellen voor het personeel.' Ze draaide zich om naar het scherm van haar computer. 'Hier is de inventarislijst van de kluis. Misschien wil je er een keer naar kijken als je tijd hebt.'

Hij schudde zijn hoofd. 'Ik hoor van Helen dat je deze week elke dag rondleidingen hebt gedaan en dat je je een slag in de rondte hebt gewerkt. Mag ik thee voor je laten brengen?'

Even dacht ze weer aan haar oude verliefdheid, vooral toen ze zijn blik ving terwijl hij op haar antwoord wachtte. Ze schudde haar hoofd. Dit was zeker niet het juiste moment om in die oude gewoonte terug te vallen. 'Nee, ga jij je gang. Ik ga even naar mijn e-mail kijken en een paar dingen regelen.'

Quentin stond op en liep naar de deur terwijl zij de onderwerpen van haar e-mails las. Haar oog viel op iets ongewoons.

'Quentin,' zei ze langzaam terwijl ze het bericht opende, 'heb jij wel eens gehoord van West World Genealogie?'

Hij bleef staan en draaide zich om. 'Nee, ik geloof van niet. Waarom?'

'Ik heb hier een e-mail van ze met jouw naam in het onderwerp. Zal ik hem voorlezen?'

Hij knikte.

'Geachte meneer Hollinworth, een Amerikaanse familie wenst contact te zoeken met Engelse neven zoals u. In ons onderzoek hebben we vastgesteld dat u van dezelfde afkomst bent. Ze hebben een dagboek in hun bezit van Cosima Hamilton-Escott, van wie u afstamt, en dat voor u van grote gevoelswaarde kan zijn.' Rebecca keek Quentin aan. 'Ben je bekend met een dagboek van Cosima Hamilton?'

Quentin schudde zijn hoofd.

'Ik ook niet.' Ze keek weer naar het scherm en zag dat er een bijlage was. 'Er zit een stamboom bij. Wil je hem zien?'

Zonder een woord liep Quentin om het bureau heen. Toen hij zich over haar heen boog, rook Rebecca een vaag spoor van de zeep met dennengeur die hij altijd gebruikte. Van het merk dat Helen in alle badkamers van de Hall op voorraad hield.

'De stamboom klopt,' zei hij. 'Dat geloof ik tenminste, van wat ik me herinner van die portretten die in de galerij hangen. Jij weet het waarschijnlijk beter dan ik; jij schrijft de teksten over mijn familiegeschiedenis voor de rondleidingen.'

'De namen kloppen, tot aan de eerste burggraaf. Maar sommige namen herken ik niet – Grayson, Martin. Dat zal wel van de Amerikaanse kant zijn. Buiten de directe lijn hebben we niet veel gegevens.'

'Jammer dat we allemaal zulke snobs zijn,' zei hij met een grijns. 'Dus wat denk je? Is het legitiem?'

Ze knikte. 'Cosima Hamiltons vier kinderen staan ook op de lijst. Ik vraag me af of er nog meer familiegeschiedenis is waar ik niets van weet.'

'Dat betwijfel ik,' zei Quentin, en ze glimlachte om zijn zekere toon, die blijk gaf van het volkomen vertrouwen dat ze meer wist dan ze eigenlijk deed.

'Ik zal wel eerst contact opnemen als je wilt. Voor de zekerheid.'

'Je bent mijn kampioen, Rebecca. Alweer bescherm je me.'

Ze bestudeerde de namen en vroeg zich af waarom hij dat woord opnieuw gebruikt had. Als hij het over beschermen had, hoefde er geen ondertoon in te zitten; daar werd ze voor betaald – door Quentin zelf. 'Ik denk niet dat het bedrog is. Daarvoor klopt de geslachtlijn te goed.'

'Ik heb een idee,' zei Quentin, die zich naar haar toe boog. 'Als je toch geen thee hoeft, zullen we dan nu naar de kluis gaan? Ik kan me niet voorstellen dat Amerikanen het *originele* dagboek van een van mijn voormoeders hebben.'

'Misschien had Kipp Hamilton het in bezit. Hij was Cosima's zoon, en hij is naar Amerika gegaan.' Ze keek hem aan. 'Maar het lijkt me leuk om te gaan kijken.'

Quentin liep naar de deur en hield hem voor haar open. 'Naar de kluis!'

★

Bijna drie uur later stopte Rebecca een irritante haarlok achter haar oor. Ze moest het tot schouderlengte laten knippen of tenminste naar boven gaan om een haarband te zoeken om het uit haar gezicht te houden.

'Ben je eindelijk klaar om een hapje te gaan eten?' vroeg Quentin uit een andere hoek.

Misschien had ze hardop gezucht om haar hinderlijke haar. 'Zo meteen.'

Hij kwam naar haar toe. Zijn lange witte mouwen waren bedekt met zwarte butleromslagen, zijn donkere haar zat in de war door het urenlang doorzoeken van kisten en dozen. 'Niet om ermee op te houden,' zei hij, 'alleen even pauze nemen.'

Ze richtte zich op van de doos waar ze gehurkt naast had gezeten en voelde haar spieren. 'Je moet weten dat ik besef hoe belachelijk dit is. Ik hoor te weten wat er allemaal in deze kluis is. Zou Cosima hier niet iets hebben achtergelaten als ze een dagboek bijgehouden had?'

'Misschien heeft ze maar één dagboek geschreven en heeft ze

het aan het kind gegeven dat naar Amerika ging, zoals je daarstraks zei. Hoe dan ook, het is jouw schuld niet als je niet precies weet wat er in deze ruimte aanwezig is, Rebecca. Als het iemand te verwijten valt, ben ik het.' Hij maakte een alomvattend gebaar door het hoge vertrek. 'Dit is allemaal van mij en toch heb ik geen idee wat er allemaal is.'

Rebecca keek naar het hoge plafond. Als onderdeel van een renovatie in 1920 was er een echte bankkluis gebouwd met stalen wanden, volkomen duisternis als hij afgesloten was en sinds kort gereguleerde temperaturen. 'Toen je vader me drie jaar geleden in dienst nam, heb ik beloofd het inventarissysteem te moderniseren.' Ze zag artikelen waarvan ze wist dat ze gecatalogiseerd waren. 'Ik snap echt niet hoe het kan dat ik zo weinig weet over Cosima Hamilton als tak van je familie – een tak die niet eens Engels is!'

Quentins vriendelijke lach schalde door de hoge stalen kluis.

'Ik heb je nog nooit zo verstoord gezien, Rebecca,' zei hij. 'Wat leuk.'

'Wat vind je leuk?'

'Dat je net zo gefrustreerd raakt als wij als je ergens naar op zoek bent.'

Ze trok een wenkbrauw op. 'Als wij?'

Hij knikte en bukte om het gebogen deksel te sluiten van de kist met porselein die hij had doorzocht. 'De rest van de mensheid, Rebecca. Ik dacht altijd dat niets jou kon irriteren en dat je daarom apart was.'

'Nooit geïrriteerd? Dat komt misschien omdat je niet thuis bent als de geiten door het hek breken en een van de tuinen overhoop halen, of als een zenuwachtige bruid twintig keer het menu voor haar diner verandert, of als een bedrijfsdirecteur verwacht dat een tweehonderd jaar oud landhuis met gemak de elektriciteit kan leveren die hij nodig heeft voor een online presentatie.'

'Misschien zal ik van de zomer het geluk hebben om van iets dergelijks getuige te zijn.'

Ze lachte terug. 'En mag ik zeggen dat ik hoop van niet?'

'Ik zal bellen om het diner op de veranda te laten serveren.'

Hij liep naar de telefoon bij de kluisdeur. Het toestel was een voorzorgsmaatregel, omdat de kluis aan de buitenkant afgesloten werd. Rebecca keerde terug naar de laatste hutkoffer en luisterde naar Quentins stem die Helen aanwijzingen gaf. Een licht diner. Op de veranda. Voor hen beiden.

Ze concentreerde zich op haar taak. De veersloten aan weerskanten van deze laatste kist gingen stroef, maar het lukte haar ze los te maken zonder de hutkoffer te beschadigen. Er zat een gequilte stofomslag in om de inhoud te beschermen.

Deze kist was een van de twee die ze pas kort geleden had gevonden, ze hadden uit het zicht gestaan achter een grote Chippendale-ladekast. De eerste van de twee kisten had niets meer bevat dan een porseleinen servies. Ze had meteen het ontwerp herkend; hoewel het een populaire negentiende-eeuwse stijl was en een groot aantal couverts bevatte, was het niet bijzonder opmerkelijk, behalve dat het Iers was. Het zou beslist een teleurstelling zijn als deze tweede kist nog meer van hetzelfde bevatte.

In plaats van serviesgoed vond ze twee kleine buideltjes, een stel boeken die met een leren bandje aan elkaar gebonden waren, en een houten doosje.

Achter zich hoorde Rebecca Quentin aankomen.

'Misschien hebben we het einde van de regenboog gevonden,' zei ze terwijl ze een van de boeken oppakte.

Maar het bleken Victoriaanse romans te zijn en geen dagboeken. Het ene was *Vanity Fair* van Thackeray, en het andere *John Halifax, Gentleman* van Craik. Geen pot met goud, hoewel het laatste boek een favoriete klassieker van Rebecca was. Beide boeken leken een eerste druk te zijn en waren waarschijnlijk wel wat waard, vooral de roman van Thackeray met originele illustraties van de auteur.

'Laten we eens kijken wat er in die buideltjes zit,' zei Quentin. Hij trok het koordje los van een buideltje en er viel een handvol gepolijste stenen in zijn handpalm. 'Aardige dingetjes.'

'Misschien moeten ze naar het natuurwetenschappenhuisje,' zei ze. 'Ik zal later wel eens kijken wat voor stenen het zijn.'

Ze haalde het doosje onder uit de kist. Het was gemaakt van glad hout, vlekkerig en glanzend gevernist, op de hoeken afgedekt met donkere metalen houdertjes. Op het deksel waren in uiterst nauwkeurig sierschrift woorden ingebrand: *Alles wat in de wereld wordt gedaan, wordt gedaan door hoop.*

'Heeft Luther dat niet gezegd?'

Rebecca knikte, ze kon de verleiding niet weerstaan en streek met haar vinger over de letters. 'Mooi, hè?'

'Laat eens zien wat er in zit,' zei hij.

Ze wrikte het deksel los. Het zat vast doordat het jaren niet gebruikt was. Eindelijk ging het piepend open.

'Papieren,' zei ze. 'Brieven, met een klein briefje erbovenop.'

'Staat er in van wie ze zijn?'

Rebecca schudde haar hoofd en las de krachtige woorden die boven aan het vergeelde vel papier geschreven waren. '*Want ik houde het daarvoor, dat het lijden dezes tegenwoordigen tijds niet is te waarderen tegen de heerlijkheid, die aan ons zal geopenbaard worden.*' Ze keek Quentin aan. 'Dat is uit de brief van Paulus aan de Romeinen.'

'Staat er nog meer in?'

Ze las de rest van het briefje. '*Het leven van mijn lieve Berrie kan samengevat worden door hoop en aanbidding, samen met een flink deel lijden om haar gericht te houden op de eeuwigheid. Ingesloten zijn de brieven die ze me zo lang geleden heeft gestuurd, toen we allebei nog jong waren en nog veel moesten leren.*'

'Hoop, aanbidding en lijden,' zei Quentin grimmig. Hij keek van het doosje naar Rebecca en hield haar blik vast. 'Het leven van een Hamilton – en een Hollinworth. Het leven van mijn vader althans. En misschien tot op zekere hoogte het mijne.'

Ze wilde stil blijven staan bij zijn opmerking en praten over zijn verdriet na het verlies van zijn broer en vader toen hun kleine vliegtuigje was neergestort in de mist. Ze wilde talloze vragen stellen om te doorgronden of het hem bitter of zacht had gemaakt tegenover God. Maar de oude angst stond in de weg. Te persoonlijk, niet mee bemoeien. En toch... die blik in zijn ogen... Misschien wilde hij graag dat zij erover begon.

Ze had de blik nog niet herkend of hij was alweer verdwenen. 'Zullen we het meenemen naar de veranda?' zei hij. 'Dan kunnen we er tijdens het eten even naar kijken, voordat het buiten te donker wordt.'

Ze knikte en volgde hem de kluis uit.

Enkele minuten later zat Rebecca met het doosje op haar schoot. In het westen ging de zon onder en de geur van een honderdvijftig jaar oude rozentuin zweefde in de lucht en vermengde zich met de verlokkelijke geuren van ingemaakte kip, kruidenbrood en amandeltaartjes.

Ondanks dat ze opgeborgen waren geweest in een kluis met gereguleerde omgevingstemperatuur, begonnen de woorden te vervagen, vooral op de vouwen. Maar ze waren nog leesbaar.

'Wat opwindend, hè?' vroeg ze. 'Hier is een deel van je familiegeschiedenis, misschien iets waar je nog niets van weet.'

Quentin haalde zijn schouders op. 'Ik moet bekennen dat ik wel geïnteresseerd ben om dat Amerikaanse familielid dat de aanleiding was voor onze zoektocht te ontmoeten. Afgezien daarvan vind ik het verleden niet half zo fascinerend als jij – en die Amerikaanse dan. Lees er eens eentje.'

Rebecca gehoorzaamde. De aanhef van de bovenste brief was in een keurig, vrouwelijk handschrift geschreven.

Aan Cosima Hamilton

'Niet *van* je bet-bet-betovergrootmoeder. *Aan* haar. Aan Cosima.' Rebecca besefte pas toen ze de zin had uitgesproken dat ze eerbiedig gefluisterd had.

'Van Berrie, neem ik aan,' zei hij. 'Dat moest Beryl zijn, van het portret naast dat van Cosima en Peter Hamilton.'

Rebecca maakte het lint los en opende voorzichtig de broze envelop. De lak waarmee hij ooit was dichtgeplakt, was allang opgedroogd en had een vage blauwe schaduw achtergelaten. Haar ogen gingen over de pagina. 'Hij is nogal gedetailleerd.'

'Geef eens,' zei hij terwijl hij zijn kopje neerzette. 'Alleen op die manier kan ik bewijzen dat ik het geen saai onderwerp vind, hoewel het historisch is, en tegelijk krijg jij de kans om te eten.'

Rebecca legde de brief in zijn uitgestrekte hand, nam een hap van de romige kip, schoof haar bord opzij en leunde achterover in haar stoel.

Ze wist precies hoe Beryl Hamilton eruit had gezien. Berrie was in Rebecca's gedachten voor altijd jong en mooi. Ze had donker haar, net als haar broer Peter, maar niet zijn donkerbruine ogen. Nee, Berrie had onvoorstelbaar blauwe ogen, die op een of andere manier vandaag in Quentin voortbestonden.

Rebecca kon zich moeiteloos voorstellen hoe het geweest was op de dag dat Berrie Hamilton die brief had geschreven...

2

Liefdevolle groeten van Berrie, 6 april 1852

Mijn lieve Cosima,
Weet je nog dat ik vroeger bang was dat ik eens voor de rechterstoel van God zou staan met een onverlichte lamp? Daar had ik dan gestaan, begiftigd met een talent — natuurlijk had ik een talent; daar had ik mezelf van overtuigd — maar ik had dat waarmee ik gezegend was niet gebruikt. Maar ik begin bang te worden dat ik slecht toegerust ben om te beantwoorden aan datgene waarvoor God me heeft geroepen. Mijn leven heeft tot op de dag van vandaag geen weg voor me gebaand om te dienen, maar om bediend te worden, tot mijn schande. Ik ben opgevoed met het idee dat ik later een echtgenote en moeder zou worden, maar zou ik in deze rol zelfs maar een gezin hebben gediend? Had ik ook maar het flauwste idee wat echte dienstbaarheid eigenlijk is?
Naast die tekortkomingen zijn er veel dingen waar ik geen vat op heb, al was ik geschikt voor deze rol. Ondanks die twee jaren van plannen maken, studeren en voorbereiding, heb ik nu het punt bereikt waarop anderen de definitieve beslissingen moeten nemen. Ik zal enkele buitenstaanders opnoemen aan wie ik nu verplicht ben. Ten eerste moeten verscheidene inspecteurs, opzichters, bedienden en ambtenaren van de gezondheidsdienst goedkeuren wat ik allemaal heb gedaan. Ten tweede ben ik afhankelijk van de langdurige vrijgevigheid van donateurs. Ten derde — en dat is misschien wel het belangrijkste — moet ik het vertrouwen winnen en behouden van de ouders die hun kinderen hier brengen.
En nog iets zal ik nodig hebben, zoals je lieve broer Royboy me al geleerd heeft: het lichamelijke doorzettingsvermogen om aan deze roeping te beantwoorden.
Gisteren was een goed voorbeeld van mijn hulpeloosheid. De dag begon

zo veelbelovend, maar voordat de zon hoog aan de hemel stond, bewees
ik alweer mijn onvermogen…

Berrie ademde de lavendellucht in en probeerde in te schatten hoe groot de afstand was die ze had afgelegd. Ze was vandaag tot helemaal boven op de heuvel gekomen.

Nog maar een week geleden was dat onmogelijk geweest, met haar verwende longen en spieren die ongeoefend waren als die van een baby. Mevrouw Cotgrave, met haar dikke boezem en minstens twintig jaar ouder, was in een betere conditie dan Berrie.

Van boven op de heuvel bezag Berrie Escott Manor. Er stonden niet minder dan acht schoorstenen op het dak, en misschien zouden ze deze winter allemaal in gebruik zijn, als de leerlingen waren aangekomen. Die gedachte versnelde haar hartslag en dat had deze keer niets te maken met de zware inspanning.

Het was bijna tijd om te gaan ontbijten en Berrie's dag begon met Royboy. Zijn golvende blonde haar en lachende hazelnootbruine ogen deden Berrie denken aan een portret van Van Dyck. Haar schoonzuster Cosima Hamilton had gelijk; haar broer was chronologisch gezien weliswaar zestien jaar, maar in geest en gedrag niet ouder dan drie.

Toen ze terug was in het landhuis vond Berrie hem al op en aangekleed, dankzij Decla. Die vrouw kon wonderen verrichten en Berrie bedankte haar minstens zes keer per dag dat ze achtergebleven was terwijl ze makkelijk met mevrouw Escott mee had kunnen gaan naar Engeland. Het was ongetwijfeld een moeilijke beslissing geweest, maar Decla was gebleven om te werken met degenen die de vaardigheden nodig hadden van iemand met haar ervaring. Natuurlijk zou niemand haar meer gemist hebben dan Royboy, al kon hij het niet onder woorden brengen.

'Goedemorgen, mevrouw,' zei Decla toen Berrie in de eetkamer plaatsnam tegenover Royboy. Decla hield toezicht op Royboy's tafelmanieren, wat ze vroeger deed in de keuken. Nadat Escott Manor in Berrie's handen was overgegaan voor de school, gebruikte

19

iedereen de eetkamer. De eetzaal die vroeger de broer van een hertog had gediend – en daarvoor Ierse grootgrondbezitters – zou binnenkort gevuld zijn met leerlingen en hun verzorgers. Hier geen grenzen tussen bedienden en hen die ze bedienden, want zij die bediend werden, zouden in competentie verschillen van Royboy tot... Berrie had nog geen idee.

'Goedemorgen.'

'Begroet juffrouw Hamilton, Royboy,' spoorde Decla aan.

Zonder op te kijken van zijn bord zei Royboy: 'Hoe maakt u het.'

'Ik maak het prima, Royboy. En hoe gaat het met jou vandaag?'

'Nu moet je zeggen: "Heel goed, dank u,"' deed Decla voor.

'Dank u,' echode Royboy de laatste twee woorden terwijl hij een te grote hap van zijn brood nam voordat Decla hem kon tegenhouden. Het brood viel uit zijn mond terwijl hij sprak, maar hij ving het op in zijn schoot en propte het weer naar binnen. Toen herhaalde hij: 'Dank u.'

Berrie vond het een geslaagde prestatie. Ze was er zelfs heel tevreden mee. 'Ik eet een hapje mee, Royboy,' zei Berrie, 'en dan gaan we beginnen met onze eerste les. Hoe vind je dat?'

Hij gaf geen antwoord en keek haar kant niet op. Zijn gebrek aan respons was iets waar Berrie aan moest wennen. Het was niet zo dat hij haar negeerde, had Cosima uitgelegd. Nee, integendeel juist. Royboy nam alles in zich op. Hij reageerde bijna nergens op.

Berrie at een licht ontbijt, dronk haar thee op en nodigde Royboy uit om met haar mee te gaan. Dit werd een les voor zowel haar als hem. Royboy was in veel opzichten haar leraar. In de afgelopen twee jaar had Berrie verhandelingen gelezen van artsen die in Frankrijk en Engeland met zwakzinnigen werkten. Ze had gecorrespondeerd met andere leraars voordat ze het besluit had genomen om naar Ierland te gaan. Zo had ze de fantastische mevrouw Cotgrave gevonden. Via brieven van mensen die in Engeland op zulke scholen werkten.

Maar dit was het echte leren. Met Royboy. En voor Berrie ging het vandaag beginnen. Tegen de tijd dat ze hun eerste betalende leerling aannamen, wilde ze minstens gegroeid zijn in ervaring.

Ze gingen naar boven naar een klaslokaal. Vroeger was het een kleine salon geweest en hij was nog steeds mooi met zijn groenzijden behang, bijpassende groene gordijnen die opzij gehouden werden in koperen houders. De meubeltjes waren weggehaald en verkocht, en vervangen door één functionele tafel en een paar stevige stoelen.

'Kom binnen en ga zitten, Royboy,' zei Berrie op de zangerige toon waar Royboy dol op was, zoals Cosima haar had verteld.

Royboy ging zitten zonder dat ze het nog een keer hoefde te zeggen. Ze voelden zich hier samen thuis! Ze trok een stoel dicht bij de zijne en pakte het stapeltje waterverftekeningen op dat ze gisteravond in het lokaal had klaargelegd. Berrie was uren bezig geweest met het maken van tekeningen waarop dingen stonden afgebeeld uit de natuur tot bekende huishoudelijke artikelen. Elke tekening werd gekenmerkt door levendige kleuren en er stond met grote letters op wat het was, bomen en bladeren, vogels en vlinders, lampen, meubels en ramen.

'Hoe vind je dit, Royboy?' Berrie stak hem een tekening toe van een schitterende parelmoervlinder met uitgespreide vleugels, met zijn oranje en zwarte kleuren leek hij precies op het insect dat ze in de tuin van het landgoed had zien fladderen en af toe uitrusten. 'Zeg eens *vlinder*?'

Royboy nam de kleurige tekening aan en mompelde iets wat op *vlinder* leek, toen hield hij het vel dichter bij zijn gezicht.

Royboy hield de tekening boven zijn hoofd en keek er niet meer naar toen hij beide handen naar het midden van de bovenrand bracht en hem simpelweg doormidden scheurde.

Ontmoedigd wilde Berrie hem de tekening afpakken. Hij hield hem buiten haar bereik en scheurde er nog een stuk af, verfrommelde hem en stopte hem vlug in zijn mond.

'Nee, Royboy! Je moet hem niet opeten.' Automatisch probeerde ze het verkreukelde papier tussen zijn tanden vandaan te halen. Heel sterke tanden, merkte ze toen hij haar vingers ertussen klemde. 'O! Au! O...'

3

Rebecca boog naar voren en nam de brief uit Quentins uitgestrekte hand.

'Misschien kun je een deel van de informatie gebruiken voor je rondleidingen,' zei hij en nam een hap van de koud geworden kip. 'Dat hebben we aan mijn Amerikaanse familieleden te danken.'

'Dus ik moet contact met hen zoeken?'

'Natuurlijk. Mijn familie kan wel een stukje uitbreiding gebruiken, vind ik.'

Rebecca knikte, hoewel ze eraan twijfelde of zijn moeder dat ook zou vinden.

'Nodig hen hier maar uit, als ze van plan zijn om een keer over te komen.'

Rebecca keek hem aan. Vreemden? Niet dat ze het eens was met zijn moeders redenering dat iedereen die het waard was om te kennen zich al in hun kring bevond. Maar Amerikanen waren generaliserend gezegd de opvallendste bezoekers van de Hall. In spraak, kleding en gedrag.

'In elk geval voor een rondleiding,' zei hij zacht.

'Natuurlijk,' zei ze. Dat kon ze nog wel aan.

Ze nam de brieven mee naar haar kantoor, waar ze een e-mail verstuurde aan de genealogische dienst waarin ze vroeg om rechtstreeks contact met de Amerikaanse familie.

Misschien had ze iets moeten zeggen tegen Quentin, hem moeten vragen naar zijn moeders opmerking in de krant om de Hall te privatiseren. Als Rebecca hem er ook maar in de verte van verdacht had dat dit zijn bedoeling was, dan had ze het misschien gedaan.

Maar ze hield haar mond en gaf er de voorkeur aan de strijd uit te stellen, als er strijd moest komen. De Featherby zou de waarde van het werk dat ze hier deed versterken, als Quentin inderdaad neigde naar zijn moeders gedachtegang. Deze speciale prijs legde precies de nadruk op het gebied waar Rebecca's inspanningen schitterden: de jeugd bereiken om hun uit de eerste hand te laten zien hoe dit land – hun land – in zijn glorietijd had geleefd.

Zelfs Quentins moeder kon overtuigd worden van het belang daarvan.

Rebecca pakte nog een brief op. Als deze correspondentie iets bijdroeg aan de nobele geschiedenis van de familie Hollinworth, dan was Rebecca de juiste persoon om te zorgen dat iedereen het te weten kwam.

4

Heb je enig idee, Cosima, hoeveel papierwerk er gepaard gaat met het openen van deze school? Meneer Truebody, de kantonrechter die ik in mijn laatste brief noemde, is ondraaglijk veeleisend. Onze documenten moeten niet alleen netjes op tijd worden voorgelegd, maar als ze niet vlekkeloos zijn – en dan bedoel ik alles van een fout gespeld woord tot een piepklein vlekje – worden ze teruggestuurd om helemaal opnieuw te worden gemaakt. Let wel, niet verbeterd. Maar helemaal opnieuw gemaakt en ingeleverd zonder een spoor van een foutje.

De bibliotheek van je vader is mijn kantoor geworden, al zijn de paar achtergebleven boeken verkocht voor een aardig bedrag. Mevrouw Cotgrave heeft me verzekerd dat de boeken beter af zijn in handen van mensen die ze lezen, dan hoef je je tenminste geen zorgen te maken dat ze verscheurd worden.

Het grote bureau van je vader is bezaaid met niet minder dan vijftig vellen papier, allerlei formulieren. Hoe kan een eenvoudig idee als hulp bieden aan hen die minder gelukkig zijn geboren zo'n massa documentatie voortbrengen?

Ik heb geen idee wat ik zonder mevrouw Cotgrave zou moeten beginnen. Ik smeek je haar te gedenken in je gebeden, want ik weet zeker dat zonder haar onze school nu al een troosteloze mislukking zou zijn!

'Wettelijke goedkeuring, Krankzinnigheidscommissie, certificaten van geestelijk onvermogen, doktersbevelen tot opname, aanvraagformulieren… O! We zullen nog vast komen te zitten in regelingen en procedures voordat we onze eerste leerling aannemen.'

Mevrouw Cotgrave glimlachte sereen van achter haar eigen berg papierwerk. 'Nooit tobben, Berrie. Straks hebben we personeel, maar als je de zaak wilt leiden, dan zul je toch moeten weten wat er omgaat. Nietwaar?'

Berrie knikte onzeker. 'Ik heb inderdaad hersens; ik heb ze alleen nooit veel gebruikt. Niet met dit soort dingen in elk geval.'

Mevrouw Cotgrave klopte op Berrie's hand. 'Je hebt een goed verstand en het duurt vast niet lang of je weet er meer van dan ik.'

Mevrouw Cotgrave legde uit hoe de formulieren die voor hen lagen gebruikt moesten worden. De secretaris die ze binnenkort in dienst zouden nemen, zou de persoonlijke informatie van alle leerlingen bijhouden en doorgeven aan verschillende instanties, zoals meneer Truebody, de voogdijraad in Cork, en ten slotte aan de Krankzinnigheidscommissie van het ministerie van Volksgezondheid waar ze allemaal onder vielen. Het duizelde Berrie algauw, maar een deel van de kennis van mevrouw Cotgrave drong tot haar door. Misschien moest je soms dubbel antwoord geven aan al die inspecteurs, toezichthouders, commissieleden, raadsleden en artsen, tot aan de leden van het parlement toe, maar zoals mevrouw Cotgrave het uitlegde, leken de stukjes te passen. Hoewel bepaalde krachten ontzien moesten worden, was het onderliggende doel hetzelfde: de kinderen die het nodig hadden helpen en beschermen.

Daisy, een van de dienstmeisjes die ze in dienst hadden genomen, betrad na een kort klopje de kamer.

'Er is net een dame gekomen. Ze zegt dat haar naam juffrouw Katie MacFarland is en dat ze u moet spreken, juffrouw Hamilton.'

Berrie wisselde een blik met mevrouw Cotgrave, die net zo verbaasd was door de aankondiging als Berrie zelf. In besturen en regulerende organen zaten alleen mannen, dus daar kon ze niet van zijn. En ze waren wel van plan om onderwijzeressen, verzorgsters en een verpleegster in dienst te nemen, maar die vacatures waren al vervuld; ze waren niet meer op zoek.

'Misschien komt ze een kandidaat aanbevelen voor een stageplaats,' opperde mevrouw Cotgrave.

Berrie knikte, ofschoon mevrouw Cotgrave had gezegd dat dit soort dingen afgehandeld werd via de bergen papierwerk die de deur uitgingen, en niet in persoon.

'Laat haar binnen, Daisy,' droeg Berrie op.

Even later kwam er een vrouw binnen, uiterst verzorgd gekleed in witte kant en groene popeline. Op haar onberispelijk gekapte haar stond elegant een klein vilthoedje met een gele sjaal van achteren. Haar trekken waren eerder alledaags dan knap, maar ze had niets wat uitgesproken lelijk was. Haar ogen en mond waren aan de kleine kant, haar voorhoofd een beetje te groot. Alleen de sjaal maakte inbreuk op haar volmaakte uitdossing, want terwijl haar hele uiterlijk tot in de puntjes verzorgd was, zat de sjaal niet netjes in het midden maar scheef.

Ze zei niets na haar binnenkomst, maar stapte tot vlak voor het bureau waar Berrie en mevrouw Cotgrave achter zaten. Zonder oogcontact te maken met een van beiden, stak ze een envelop ergens tussen hen in.

'Dit is mijn introductiebrief,' zei de vrouw. 'Daar staat alles in over mij. Als u hem gelezen hebt, zult u zien dat ik een grote hulp kan zijn voor u en voor uw leerlingen.'

'Ik ben bang dat we alle nodige hulp al aangenomen hebben, juffrouw…' zei Berrie.

'Leest u alstublieft de brief.'

De jonge vrouw sprak met de vertrouwde tongval die in Ierland gewoon is, maar niet als een dienstmeisje. Nee, haar uitspraak paste precies bij haar mooie kleren. Berrie opende de envelop en vouwde het enkele vel papier dat erin zat open. Ze hield het scheef, zodat mevrouw Cotgrave mee kon lezen.

Ik ben Katie MacFarland, twintig jaar, twee maanden en drie dagen oud. Ik ben sterk en hardwerkend, en ik zal nooit liegen. Ik ben gekomen om u te helpen met uw school, want ik ben sterk en hardwerkend en ik zal nooit liegen. U krijgt kinderen in uw school die ik kan verzorgen en onderwijzen. Ik kan ze het grootste deel van de dag onderwijzen en ook na donker, want ik heb weinig slaap nodig. Ook eet ik niet veel, dus u hebt weinig kosten aan mij. Ik heb mijn eigen kleren meegebracht. Ik zal van grote waarde zijn, want ik ben sterk en hardwerkend en ik zal nooit liegen.

De brief was weliswaar netjes en foutloos, maar hij leek geschreven door een kind.

Berrie legde de brief voor zich op het bureau, stond op en liep naar het raam van de bibliotheek. Daarvandaan zag ze de laan die naar het landhuis leidde, maar die was tot aan de weg beneden helemaal leeg.

De jongedame was toch zeker niet alleen gekomen. Elk meisje van haar leeftijd en van het soort afkomst dat paste bij haar kleding en haar schrijfvaardigheid zou een rijtuig en een chaperonne hebben. Sterker nog, al had dit meisje alle etiquetteregels overtreden en was ze alleen op weg gegaan, hoe kon ze dan in haar eentje de weg hebben gevonden? Uit haar stijve gedrag en gebrek aan oogcontact, en uit de woorden in de brief, maakte Berrie op dat het meisje beter zou zijn als leerling dan als personeelslid.

'Hoe bent u gekomen, juffrouw MacFarland?' vroeg Berrie.

De jonge vrouw staarde recht voor zich uit als een soldaat in de houding, in plaats van als een van drie vrouwen die in een kamer met elkaar praten. 'Mijn naam is Katie en ik heb gelopen.'

'Vanaf uw huis?'

'Nee, vanaf mijn rijtuig.'

'En waar is uw rijtuig nu?' Berrie keek weer uit het raam, maar ze kon de zuilengang niet zien. Misschien stond het voertuig buiten haar blikveld. 'Wacht het buiten?'

'Onder aan de laan mocht ik uitstappen, en ik ben de heuvel op gelopen. Ik wandel graag; dat is goed voor de ademhaling.' Ter demonstratie haalde ze diep adem.

Berrie ging weer zitten en sprak zachtjes tegen mevrouw Cotgrave. 'Ik heb geen flauw idee wat ik moet doen. U?'

'Ik ga wel even kijken of Daisy het rijtuig toevallig heeft gezien,' fluisterde ze, 'en of zij soms iets meer over het meisje weet. Als we niet weten waar we haar moeten terugbezorgen, zie ik geen andere mogelijkheid dan haar hier te houden, in elk geval tot we te weten komen waar ze hoort.'

'Zonder papieren?'

Mevrouw Cotgrave grinnikte, kennelijk tevreden dat Berrie zo doordrongen was van het belang van verschillende documenten. 'We kunnen niet meer doen dan ons best voor het meisje. Ik weet niet of ze ons veel nuttigs zal kunnen vertellen.'

Toch zag Berrie wel dat mevrouw Cotgrave zo haar bedenkingen had over het blijven van het meisje. Niettemin verliet de oudere vrouw de kamer om haar zoektocht te beginnen.

Berrie wees Katie een stoel tegenover haar.

'Van hoever bent u gekomen, juffrouw MacFarland?'

Katie wierp een blik op Berrie terwijl ze stijfjes plaatsnam op het puntje van de stoel. Het oogcontact duurde niet langer dan een ogenblik, toen staarde de jonge vrouw weer over Berrie's schouder. 'Ik moet Katie worden genoemd. Zelfs Sophy, mijn dienstmeisje, noemt me Katie. Mijn zuster zegt dat de bedienden me "juffrouw MacFarland" moeten noemen, maar aangezien ze háár zo noemen, hoe moet ik dan weten tegen wie ze het hebben als we bij dezelfde naam worden genoemd?'

'Wat zou u zeggen van juffrouw Katie?'

'In onze bijbel staat de naam "Katie", niet "juffrouw Katie". Ik weet niet waarom iemand me anders zou moeten noemen. Ik noem de bedienden geen "juffrouw" of "meneer". Ik zie niet in waarom zij me anders zouden moeten noemen dan hoe ik heet.'

'Dus u hebt een zuster. Hoe is haar naam?' Berrie schoof dichterbij om zich in Katie's blikveld te plaatsen. Katie's blik zwierf omhoog.

'Haar naam is juffrouw MacFarland. Zo noemt iedereen haar, behalve mijn broer en ik. Mijn broer noemt haar bij haar doopnaam. Ik noem haar niets. Ik heb haar naam al zes jaar, vijf maanden en acht dagen niet genoemd. Ik noem de naam niet van iemand die mij niet aardig vindt.'

'Vindt uw zus – juffrouw MacFarland – u niet aardig?'

Even was er een kort moment van oogcontact. 'Nee. Ze zegt dat ik behoorlijk vervelend ben. Als je zegt *behoorlijk*, dan betekent het meer dan gewoon vervelend. Ze bedoelt dat ik meer dan vervelend ben. Ze heeft me altijd vervelend gevonden, al weet ik niet waarom. En daarom heb ik mezelf beloofd nooit meer haar naam te zeggen, nooit meer. Als u haar ontmoet, dan kunt u haar juffrouw MacFarland noemen en dat is genoeg.'

'Maar ik dacht dat uw zus u hierheen had gebracht.'

'Ja, dat is zo.'

'En toch praat u niet tegen haar?'

'Ik heb wel tegen haar gepraat, al vindt ze het vervelend als ik praat. Ik kan zien dat ze het behoorlijk vervelend vindt wat ik zeg.'

'Hoelang duurde de rit met het rijtuig, juffrouw MacFarland?'

'Dat is de naam van mijn zus. Mijn naam is Katie.'

In stilte gaf Berrie zichzelf een standje. Ze moest toch echt leren om beter te communiceren; de persoon met wie ze sprak was duidelijk belangrijker dan etiquetteregels.

'Was het een lange reis hiernaartoe, Katie?'

'Ja, dat vond ik wel. Het was nog verder dan Dublin. Mijn broer heeft me een keer meegenomen naar Dublin. Daar gaat hij vaak heen en op een keer vroeg hij of ik het wilde zien en ik zei ja. En toen zijn we gegaan.'

Berrie nam dus aan dat de familie MacFarland in het noorden woonde of misschien in het noordwesten. Daar had ze misschien iets aan, hoewel niet veel.

'Was je broer er vandaag ook bij?'

'Nee, hoor; alleen mijn zus.' Nu keek Katie om zich heen en ze nam de omgeving in zich op. De kamer was nagenoeg leeg, er hingen alleen gordijnen en er stonden vier stoelen en het bureau met de hele papierwinkel erop. De bank, extra lampen en het grootste deel van de boeken waren weg, er waren alleen een paar boeken over plantkunde achtergebleven die nuttig konden zijn voor het personeel. De planken die eens plaats hadden geboden aan een uiteenlopende reeks preken, romans en eerste drukken van filosofie en geschiedenis, wachtten nu op de dossiers van de leerlingen die nog moesten komen.

'Mijn zus zei dat u mij nodig had,' vervolgde Katie, 'en ik vind ook dat het heel fijn zou zijn om te werken in plaats van thuis te blijven. Mijn zus werkt niet, maar ze heeft veel vriendinnen die haar druk bezig houden. Mijn broer werkt. Sinds de dood van mijn vader moet mijn broer naast zijn eigen werk ook papa's werk doen. Het was verdrietig toen mijn vader stierf, want ik kan niet meer met hem praten, maar ik weet dat hij in de hemel is, al zegt mijn broer dat hij niet meer zo zeker weet of er wel een hemel is. Ik wees hem erop dat papa en mama allebei gezegd hadden dat er een hemel is, dus ik weet dat ze daar zijn. Je kunt de hemel of God of Jezus niet zien, daarom is het moeilijker te geloven dan sommige andere dingen. Er zijn veel dingen die we niet kunnen zien en toch bestaan. Zoals de wind. Hij kan me bijna omwaaien als ik op de kliffen achter mijn huis sta, maar ik kan de wind niet zien, alleen de dingen die hij beweegt.'

Berrie luisterde naar Katie en deed haar best om haar te volgen terwijl ze van de hak op de tak sprong, want ze moest meer te weten komen over de jonge vrouw om haar te kunnen helpen.

'Dus er zijn kliffen bij je huis, Katie? In welke stad woon je?'

'Er zijn kliffen bij het water. Ik moet niet in het water gaan, want dan worden mijn kleren te zwaar om uit het water te komen. Dan zou ik verdrinken. Wind is gemaakt van lucht, dat kun je ook niet zien. We hebben allemaal lucht nodig om in te ademen. Ik zou niet kunnen ademen als ik onder water zat.'

Kliffen en water. Dat kon zo ongeveer elke Ierse kust zijn, met het weinige wat ze van het eiland wist. 'En hoe is de naam van de stad waarin je woont?'

'Ik woon in een groot huis... bij de kliffen.'

Berrie zuchtte en wenste dat zij bij Daisy was gaan informeren.

Misschien had mevrouw Cotgrave meer succes met Katie. 'Hoe is de naam van je broer, Katie?'

'Simon.'

'En wat voor werk doet hij?'

'Hij leert mensen hoe je schepen moet maken. En hij vecht tegen de Engelsen.'

'Vecht hij tegen de Engelsen?' Berrie fronste en zag allerlei manieren voor zich waarop een Ier tegen haar Engelse landgenoten kon vechten. 'Is hij soldaat?'

'Nee.'

Op dat moment ging de deur weer open. Dankbaar knikte Berrie naar mevrouw Cotgrave, maar de oudere vrouw haalde haar schouders op en hief machteloos haar handen.

Katie keek toe hoe mevrouw Cotgrave om de tafel heen liep en haar plaats naast Berrie weer innam. Toen richtte ze haar blik weer zo'n beetje in de richting van Berrie. 'Wanneer zal ik beginnen de kleintjes te onderwijzen?'

'We hebben eigenlijk nog geen leerlingen aangenomen, Katie, dus er zijn hier nu nog geen onderwijzers, behalve mevrouw Cotgrave en ikzelf.' Berrie wees naar de papieren op het bureau. 'Al die papieren moeten worden gelezen en ingevuld voordat we leerlingen kunnen aannemen voor ons interne programma.'

'Dus ik begin morgen met werken, en niet vandaag?'

'Ik ben bang dat het wel ietsje langer zal duren. Misschien moeten we contact zoeken met je zus of je broer om je voorlopig mee naar huis te laten nemen.'

Katie zette grote blauwe ogen op en keek Berrie een hele tijd aan voordat ze weer over haar schouder begon te staren. 'Maar ik ben gekomen om hier te werken. Ik kan niet naar huis. Mijn zus heeft een nieuwe aanbidder en ze wil niet dat hij last van me heeft omdat ik vervelend ben. Ze zei dat iedereen gelukkiger zou zijn als ik hier ging wonen, tot ze haar aanbidder zo ver krijgt dat hij haar kust, en dan zijn ze getrouwd net als papa en mama. En bovendien, als ik naar huis ga, kan ik niet meer weg als mijn broer eerder terugkomt.'

'Waar is je broer?'

'In Dublin. Mijn zus heeft me hier gebracht terwijl hij weg was, dus Simon kon geen nee zeggen. Hij vindt dat alleen mannen en jongens moeten werken, en als een vrouw beslist wil werken, dan moet ze dat thuis doen met de kleintjes aan haar rokken.'

Berrie fronste. Als Katie's broer inderdaad een man was die vocht tegen de Engelsen en vond dat vrouwen alleen goed waren om thuis te werken en kinderen te krijgen, dan zou hij het stellig niet goedkeuren dat zijn zus op een school was die geleid werd door een Engelse vrouw die van plan was deze school tot haar levensdoel te maken.

'Zeg eens, Katie,' zei mevrouw Cotgrave langzaam, 'heb je soms iets bij je wat ons zou kunnen vertellen waar je woont? Misschien in een zak van je mantel?'

Het meisje schudde haar hoofd.

'Dus je zakken zijn leeg?' vroeg Berrie. Het was wel verstandig geweest als Katie's familie er informatie in gestopt had – als ze wilden dat ze ooit nog de weg naar huis vond.

Katie stak haar handen in haar zakken en haalde ze binnenstebuiten. Ze waren inderdaad leeg.

'Ik vrees dat we een probleem hebben,' zei mevrouw Cotgrave. 'Als je hier blijft om met de andere leerlingen samen te werken, dan moeten we zulke formulieren invullen.' Ze wees naar een stapel op het bureau. 'We moeten handtekeningen hebben van twee mensen die toestemming geven dat je hier komt wonen.'

Katie keek naar een punt tussen de twee vrouwen in, alsof er nog een derde gezicht was. 'Wat betekent dat?'

'Dat we je zus *en* je broer moeten spreken,' zei Berrie. 'Kun je ons vertellen hoe we contact met hen kunnen zoeken?'

Katie trok rimpels in haar brede voorhoofd. 'Ik ben gekomen om te werken. Hier.'

'En dat kan misschien ook wel,' zei mevrouw Cotgrave vriendelijk. 'Maar totdat de leerlingen arriveren, valt er niet veel te doen, hè? We kunnen je terug laten komen als het zover is.'

Katie bleef naar het afwezige derde gezicht kijken. 'Hebt u allebei ook papieren? Om hier te werken?'

Berrie keek naar mevrouw Cotgrave, die geamuseerd was en misschien een beetje onder de indruk van de vraag.

Mevrouw Cotgrave knikte. 'Ja, wij hebben ook papieren, Katie. Juffrouw Hamilton heeft papieren waarin staat dat zij hier de baas is en ik heb papieren waarin staat dat ik ervaring heb.'

'En ik heb ook papieren, die heb ik u net gegeven.'

'Ja, maar jouw papieren zijn niet door iemand ondertekend, Katie,' zei Berrie. 'Ze moeten ondertekend worden door de juiste instanties.'

Katie's schouders zakten naar beneden en haar ogen werden klein en ongelukkig.

'Hoe kunnen we je helpen de weg naar huis te vinden, Katie?' vroeg mevrouw Cotgrave.

'Ik kan niet naar huis. Mijn zus wil me daar niet hebben totdat ze getrouwd is.'

'Ze zullen je heus wel met open armen ontvangen,' zei mevrouw Cotgrave.

'En misschien kom je wel bij ons terug als we de juiste papieren hebben,' voegde Berrie eraan toe.

Katie keek weer op, met hoog opgetrokken wenkbrauwen. 'Met twee handtekeningen, zegt u? Van mijn zus en van mij? Ik kan mijn eigen naam schrijven: K-A-T-I-E.'

'We moeten twee handtekeningen hebben,' bevestigde mevrouw Cotgrave. 'Maar die mogen niet van jou zijn. Ze moeten ondertekend zijn door andere mensen, die beloven dat je weer bij hen mag komen wonen als je verblijf hier is afgelopen.'

'Afgelopen? Maar ik dacht dat ik hier voor altijd moest werken, om heel nuttig te zijn voordat ik naar de hemel ga zoals papa en mama.'

Mevrouw Cotgrave stond op. 'Je blijft hier de rest van de dag, Katie. Maar zo gauw we je broer en zus vinden, moet je naar huis tot we de handtekeningen kunnen krijgen.'

Berrie stond ook op en Katie uiteindelijk ook. Wat had die zus bezield? Hoe kon ze haar gewoonweg hier afzetten zonder te weten wat er van haar zou worden?

Berrie deed de deur open en daar stond Daisy, klaar om aan te kloppen. Misschien had ze nieuws.

'Ja, Daisy?' vroeg Berrie.

'Ik... eh... ja, juffrouw. Ik kwam vragen of ik een kamer moet klaarmaken voor het nieuwe meisje, en of u mij nodig hebt voor haar.'

'Ja, eigenlijk wel. Ik wil graag dat je Duff stuurt om meneer Truebody over dit meisje te vertellen. Haar naam is Katie MacFarland, en we moeten te weten zien te komen waar ze woont om haar naar huis te sturen.'

'Ja, juffrouw.'

'En intussen,' zei Berrie tegen Katie, 'gaan we lekker eten en dan laten we je zien waar je vannacht mag slapen, goed?'

Terwijl Berrie voorging naar de keuken, vroeg ze zich af wat er zou gebeuren als Katie met haar broer herenigd werd. Berrie kon alleen maar hopen dat de zus de verantwoordelijkheid nam voor haar daden. Een Engelsen hatende broer zou de schuld waarschijnlijk maar al te graag op een ander schuiven — misschien zelfs op Berrie.

5

'Helen zei dat je een briefje hebt gekregen van mijn Amerikaanse nicht,' zei Quentin, die zijn hoofd om de hoek van de deur van Rebecca's kantoor stak. 'Komt ze al naar Engeland?'

'Ja, dat klopt,' antwoordde Rebecca. 'Je Amerikaanse familielid gaat een poosje naar Ierland, maar ze hoopt ook hier op bezoek te komen. Ik zou graag willen dat je het briefje leest. Er staat iets geheimzinnigs in, of althans iets wat ze alleen aan jou schijnt te willen vertellen.'

Hij lachte, tot haar plezier. Ze had hem te weinig horen lachen sinds het verlies van zijn vader en broer.

'Ze weten duidelijk niet dat jij meer bent dan een werkneemster,' zei hij terwijl hij ging zitten. 'Wat is het voor mysterie?'

Hoewel ze makkelijk kon aantonen dat ze voor hem niets meer dan een werkneemster was, op basis althans van het aantal gesprekken dat ze in de afgelopen drie jaar hadden gevoerd, besloot ze dat het beter was om de opmerking te negeren.

'Ik heb de e-mail voor je uitgeprint,' zei ze, en ze gaf hem het blad. 'Je zult zien dat het gaat over iets wat generaties geleden is begonnen. Ik heb geen idee wat ze bedoelt.'

Quentin liet zijn ogen over het blad glijden en las toen hardop voor:

Beste juffrouw Seabrooke,

Mijn naam is Dana Martin Walker, en tot mijn genoegen heb ik uw e-mailadres ontvangen via West World Genealogie. Om verschillende redenen hebben mijn zus Natalie en ik onlangs contact gezocht met de genealogische dienst met betrekking tot onze Engelse nichten en neven.

Ten eerste ga ik een poosje naar Ierland met mijn man, die drie maanden in het graafschap Kilkenny gaat werken als adviserend architect. Ik hoop binnen een paar weken Engeland te bezoeken.

Ten tweede hoop ik meer te weten te komen over de verschillende takken van mijn familie. Ik stam af van Kipp Hamilton, die de jongste zoon was van Peter en Cosima Hamilton. Toen Kipp naar Amerika ging, nam hij Cosima's dagboek mee, dat in onze tak van de familie is doorgegeven. Mijn zus en ik hebben het in een elektronisch bestand gezet om het te laten lezen aan onze neven en nichten hier. We zouden dit bestand graag doorsturen naar de familie Hollinworth, als ze nog niet bekend zijn met het verhaal van Cosima en Peter.

'Ik wil het graag lezen,' zei Quentin, 'en jij ook, denk ik zo. Misschien kunnen wij voor hen hetzelfde doen met de brieven die aan Cosima geschreven zijn.'

Rebecca knikte. 'Ik kan ze uittypen, als je wilt,' bood ze aan, 'met alle plezier.'

Hij las verder.

Er valt veel te weten te komen uit Cosima's dagboek – dingen die tot op de dag van vandaag onaangename gevolgen hebben voor onze familie, en die wellicht ook interessant zijn voor mijn Engelse nichten en neven.

Quentin keek op. 'Hoe kan iets van zo lang geleden nu nog onaangename gevolgen hebben?'

Rebecca haalde haar schouders op. 'Ik heb geen idee. Ik denk dat ze het niet aan mij wil laten weten, maar aan iemand in de directe lijn.'

Hij las de e-mail uit.

Laat het me alstublieft weten als u een elektronisch exemplaar wilt van Cosima's dagboek, zodat mijn Engelse nichten en neven het kunnen lezen. Ik houd u intussen op de hoogte wanneer ik precies in Engeland zal zijn.

En tussen twee haakjes, uw naam viel me op. In Cosima's dagboek wordt kort melding gemaakt van een trouwe lijfknecht die Claude Seabrooke heette en die vroeger werkte voor de familie Hamilton. Wat toevallig, hè?

Hoogachtend,
Dana Martin Walker
Bet-bet-betachterkleindochter van Cosima Hamilton-Escott

Quentin grinnikte. 'Ja, wat toevallig! Nu moeten we zeker het dagboek lezen, als allebei onze voorouders erin staan.'

'Ik geloof absoluut dat de geschiedenis ons van alles kan leren,' gaf Rebecca toe. 'Maar de woorden die ze gebruikt – onaangename gevolgen... Hoe kan een dagboek van honderdvijftig jaar oud vandaag nog onaangename gevolgen hebben?'

'Moeilijk voor te stellen.' Hij legde het blad neer en tikte tegen zijn voorhoofd. 'Misschien is mijn Amerikaanse nicht geschift.'

Het was niet ondenkbaar, maar ze betwijfelde het. Onwillekeurig bedacht Rebecca eventuele ongewenste gevolgen van contact met iemand die beweerde een ver familielid te zijn. Het bericht was per slot van rekening oorspronkelijk aan háár gericht. Als er dientengevolge iets onprettigs gebeurde, zou lady Elise er zeker achter komen.

En wat belangrijker was, Rebecca wenste absoluut niet verantwoordelijk te zijn voor netelige kwesties in Quentins leven.

'Ik zal een reactie sturen met een kopie aan jou in de e-mail,' zei Quentin. 'Het zou wel aardig zijn om de brieven uitgetypt te hebben voordat ze komt. Als ze komt. Heb je hulp nodig? We kunnen iemand aannemen om eraan te werken als je het te druk hebt.'

Rebecca schudde haar hoofd. Ze wilde veel te graag zelf de brieven lezen. 'Nee, morgen komt mijn educatiemanager terug. Dat scheelt me een hoop tijd. Ik stel me voor dat jij de brieven ook wilt lezen. Wil je ze nu lezen of als ik ze heb uitgetypt?'

'Daarna, denk ik. Het handschrift was duidelijk genoeg, maar het lijkt me beter om die oude bladzijden zo weinig mogelijk in handen te nemen, denk je niet? Je wilt ze zeker weer terugleggen in de kluis.'

Ze knikte. 'Dan zal ik elke brief uitprinten als ik hem klaar heb. Ik ben al begonnen met de eerste.'

'Misschien wil je ook een kopie maken voor mijn moeder. Ze is er altijd zo trots op dat ze in de Hamiltonlijn is getrouwd. Ze zal vast graag meer willen weten.'

'Natuurlijk,' zei Rebecca, hoewel ze altijd had gedacht dat lady Elise geloofde dat haar positie als de zuster van de graaf van Eastwater de familie Hollinworth meer aanzien had geschonken, aangezien de Hamiltonlijn zijn titel samen met de naam Hamilton was kwijtgeraakt. 'Zal ik ze e-mailen, of neem jij ze voor haar mee?'

'Ze komt hier donderdag dineren. Dan kunnen we haar vertellen wat we van plan zijn.'

We? Rebecca wilde vragen welke rol zij precies zou spelen in het vertellen aan zijn moeder, maar ze wist niet hoe ze het moest verwoorden zonder verrast, of erger nog, doodsbenauwd te klinken. Ze betwijfelde of lady Elise haar ooit had opgemerkt in alle jaren dat Rebecca de Hollinworths had gekend.

'Het is nu dinsdag; ik denk niet dat ik donderdag al veel brieven heb uitgetypt.'

'We vertellen het gewoon aan mam. Dus je eet met ons mee? Om acht uur?'

Verwarring, gretigheid en afgrijzen botsten met elkaar in het vooruitzicht van een diner met Quentin... en zijn moeder. Rebecca was niet meer dan een personeelslid, de kleindochter van een bediende. Moest ze aan tafel zitten bij lady Elise, een Endicott-dochter, de zuster van een graaf? Uit wat Rebecca wist van Elise's sociale leven, had ze opgemaakt dat ze zelden een rustig familiedineetje gebruikte. Sinds de dood van haar echtgenoot en oudste zoon, omringde ze zich bijna onafgebroken met een gevolg van andere mensen uit de hogere kringen die dezelfde interesses hadden – en dezelfde onverschilligheden. Wat was de aanleiding voor Quentin om zoiets verbazingwekkends te doen als Rebecca bij hen aan tafel nodigen?

Haar antwoord bleef klaarblijkelijk te lang uit, of misschien stond de schroom op haar gezicht te lezen. 'Rebecca? Wil je liever niet met mijn moeder en mij dineren?'

'Nee, nee. Het gaat er niet om wat ik wil. Ik ben alleen verrast. Ik ben mijn hele leven al aan je familie verbonden, Quentin. Alleen sociaal gezien niet.'

'Hmm… Opmerkelijk, maar waar.' Hij trok plagend zijn wenkbrauwen op. 'Ik beloof je dat ik me netjes zal gedragen en ik zal zeggen dat mijn moeder dat ook moet doen. Misschien mag mijn sociale kring voor één avondje goed genoeg voor je zijn?'

Ze probeerde te lachen, maar het klonk hol en gedwongen. 'Het lijkt me dat het eerder andersom is, hè?'

Hij leunde over haar bureau naar haar toe en liet zijn ellebogen rusten op het glanzende mahoniehout. 'Rebecca.' Hij sprak haar naam zacht uit en wachtte daarna zo lang dat ze zich afvroeg of er nog meer kwam. Als kind spraken haar ouders en leraren haar naam alleen uit om lof of afkeuring over te brengen. Nu had ze geen idee wat Quentin bedoelde als hij het hierbij liet.

Als hij iets had willen verklaren, was hij misschien van gedachten veranderd. Hij leunde achterover, keek naar het raam en toen weer naar haar. 'Ik wil mijn moeder niet alleen vertellen over de brieven, maar ook over de nominatie voor de Featherby. Daar moet je bij zijn. Je hebt op z'n minst haar dankbaarheid verdiend. Misschien,' voegde hij er grijnzend aan toe, 'zul je ontdekken dat ik niet zo saai ben als je denkt, als we eens een poosje samen zijn.'

Saai? Even was ze weer kind en wenste dat er nooit een eind zou komen aan zijn gezelschap. Daar was niets saais aan, maar ze hield zichzelf voor dat die dwaze reactie moest blijven waar hij hoorde: als herinnering aan een kinderlijke verliefdheid.

Toch kon ze niet ontkennen dat ze graag met hem wilde dineren, al zou zijn moeder erbij zijn. 'Goed, Quentin. Ik sta tot je beschikking.'

Daarop verliet hij abrupt haar kantoor. Rebecca staarde naar de deur die achter hem dicht ging. Donderdag.

Ze moest maar eens aan het werk gaan met de brieven, als ze er met een beetje kennis van zaken over wilde kunnen praten.

6

*Heb je ooit een idee gehad, Cosima, dat zo'n mengeling was van onheil
en intrige dat je niet wist waar je op moest hopen? Zo voelde ik me toen
we Katie die dag haar kamer lieten zien. Enerzijds was er in haar ogen
zo'n argeloze onschuld, zo'n zuivere hoop dat ze een plaats had gevonden om betekenis aan haar leven te geven. Wat begreep ik dat goed! En
toch had ik anderzijds het gevoel dat haar hier houden en laten werken
zoals ze hoopte, gezien zou worden als gemeen misbruik van een ander
mens. Ik was er tenminste van overtuigd dat haar broer het zo zou zien,
als hij had geweten waar ze was.*

Nadat ze Katie van een maaltijd had voorzien, vroeg Berrie Daisy om
Katie's bezittingen naar boven te brengen. Toen Berrie het dienstmeis-
je twee kennelijk zware tassen zag dragen, verwonderde ze zich erover
dat Katie ze helemaal in haar eentje de steile laan op had gezeuld.
Het meisje had ongetwijfeld een nog betere conditie dan mevrouw
Cotgrave.

Op weg naar boven zei Berrie: 'Katie, vind je het goed dat mevrouw Cotgrave en ik, als we je je kamer hebben laten zien, een
kijkje nemen in je spullen of er iets is wat ons kan helpen je zus en
je broer te vinden?' Toen het meisje aarzelde, voegde ze eraan toe:
'We moeten je familie vinden voor de handtekeningen, zodat je hier
kunt werken als het zover is.'

Eindelijk knikte Katie, juist toen Daisy de tassen opzij zette
om een slaapkamerdeur te openen. De kamers op deze middelste
van drie verdiepingen waren opnieuw ingericht met woonverblij-
ven aan de ene kant en schoollokalen aan de andere kant. Berrie
en mevrouw Cotgrave hadden elk een kamer aan het uiteinde,
en twee andere waren nog onbezet. Ze verwachtten één kamer

te gebruiken voor familieleden die op bezoek waren en wilden zien hoe hun kind zich aanpaste voordat ze het in Berrie's zorg achterlieten. De lege kamer waarin ze nu stonden, zou gebruikt worden door twee personeelsleden: een lerares die om inwoning had verzocht en een constant aanwezige verpleegster die door de Krankzinnigheidscommissie werd vereist, die hun de status van ziekenhuis had toegekend en niet van school. Leerlingen en hun verzorgers zouden de nieuwe slaapzalen op de bovenste verdieping bewonen.

Daisy zette de tassen naast het voeteneind van een van de bedden in de kamer op de grond. Daisy maakte een revérence voor Berrie. 'Ik wil met alle plezier de tassen uitpakken, als u wilt.'

Voordat Berrie antwoord kon geven, deed Katie een stap naar voren. 'Ik moet juffrouw Hamilton laten zien wat ik heb meegebracht.' Ze draaide zich om naar Berrie. 'U kunt er zeker van zijn dat ik u niet zal lastigvallen om een uniform of zoiets. Ik heb ook een paar extra schoenen, en ook slippers. Die zitten onder in deze tas bij mijn ondergoed.' Ze duwde die tas opzij, tilde de andere op het bed en maakte hem open. 'Mijn ondergoed zal ik u niet laten zien, want zulke dingen mag niemand zien behalve wie het aan heeft... en haar dienstmeisje natuurlijk. Ik heb mijn dienstmeisje Sophy niet meegebracht. Dat mocht niet van mijn zus. Ik heb mijn lievelingsjurken meegebracht, maar er zitten knopen aan. Ik zei tegen mijn zus dat ik zonder Sophy niet weet hoe ik mijn jurken op de rug moet dichtknopen. Ik kon vandaag mijn eigen sjaal knopen toen hij los waaide in de wind, maar ik kan niet achter me kijken en ik weet niet of hij recht zit. Sophy weet het wel, maar ik kon haar niet meenemen. Dat mocht niet van mijn zuster.'

Terwijl ze sprak, haalde Katie verscheidene keurig opgevouwen, katoenen daagse jurken tevoorschijn, een feestelijke japon van groene organdie met veel ruches en nog eentje van dunne bruine mousseline. Twee formelere jurken waren strak opgevouwen en moesten uitgehangen worden om de kreukels eruit te krijgen. Een daagse jurk van stevige bonte katoen leek praktischer, en eentje van warme merinoswol was duidelijk gemaakt voor koud weer.

Berrie fronste. Wie deze tas had ingepakt, had duidelijk de bedoeling dat de draagster van de jurken de hele zomer bleef tot in de herfst, of misschien zelfs de winter, zo te zien aan de materialen die geschikt waren voor verschillende seizoenen.

'In mijn andere tas,' zei Katie toen ze de laatste jurk had uitgespreid, 'zit behalve de onderrokken nog een hoed zoals ik nu op heb, maar van stro. En ik heb handschoenen, een sjaal en mijn schoenen.' Ze wendde zich tot Berrie en keek weer over Berrie's schouder, tot ze haar omgeving voor het eerst scheen op te merken. 'Is dit mijn kamer?'

'Ja, voor vannacht.'

'Als je de meubels uit deze kamer haalt, zou hij volmaakt symmetrisch zijn,' zei Katie. 'De deur zit precies in het midden en er zitten twee ramen op dezelfde hoogte, dus.' Ze wees naar de hoge ramen met identieke gele gordijnen die in zachte golven naar de houten vloer bungelden.

'Ja, ik snap wat je bedoelt,' zei Berrie.

'Maar natuurlijk leiden de meubels te veel af om de symmetrie op te merken, met het bed aan de ene kant en de kasten aan de andere.' Ze keek naar Berrie, en toen naar de ramen voordat ze weer sprak. 'Uw gezicht, juffrouw Hamilton, is ook symmetrisch. Als je het kon opvouwen als een vel papier, zouden beide kanten gelijk zijn.' Haar blik schoot in de richting van mevrouw Cotgrave. 'Uw gezicht niet, mevrouw Cotgrave. U hebt een moedervlek onder uw linkeroog en uw mond zakt aan één kant naar beneden en uw linkerwenkbrauw is hoger dan uw rechter. U zou kunnen oefenen om uw wenkbrauwen op dezelfde hoogte te houden, maar dat neemt niet weg dat uw mondhoek anders is, en de moedervlek. Daarom kunt u toch geen symmetrisch gezicht hebben, dus ik raad u aan geen moeite te verspillen aan uw wenkbrauwen.'

Berrie wisselde een blik met mevrouw Cotgrave, al wisten ze geen van beiden een antwoord op Katie's waarnemingen. Berrie deed een stap in de richting van de ladekast. 'Daisy zal je helpen je spullen op te bergen, Katie. Voorlopig is deze kamer helemaal van jou.'

Katie knikte en Daisy maakte de kastdeur open. Berrie keek de kamer rond om te zien of er niets was waar de bewoonster aan kon zitten waar ze kwaad mee kon. Tot haar verrassing zag ze dat de bedlampjes weggehaald waren. Had Daisy dat gedaan? Gelukkig werd de kamer goed verlicht door de middagzon. Vroeg of laat moest er een gaslamp worden gebruikt, maar voorlopig kon het zonder.

Berrie vroeg Daisy zachtjes om te kijken of er iets tussen Katie's bezittingen zat wat kon aangeven waar ze woonde. Daisy knikte; toen deed Berrie de deur dicht en volgde mevrouw Cotgrave door de gang.

'Wilt u haar een beetje in de gaten houden, of zal ik het doen?' vroeg Berrie.

'Ik heb geen bezwaar.' Mevrouw Cotgrave lachte zachtjes. 'Symmetrie, ja ja. Het is lang geleden dat ik in zulke nette bewoordingen beledigd ben.'

Berrie stak al lopend haar arm door die van mevrouw Cotgrave. 'Denkt u dat ze van nut kan zijn? Ze heeft de zaken goed in de hand.'

'O, het is een vreemde, dat staat vast. Maar ze drukt zich uitstekend uit. Ik ken haar soort wel. Als we ons aan een schema houden, zoals we toch al van plan zijn, dan kan ze een goed voorbeeld vormen voor kinderen die moeite hebben met regels en taal.'

'Maar we weten niet of ze zal blijven,' herinnerde Berrie haar. 'Zelfs zonder dat er voor haar wordt betaald. Ze zei dat haar broer niet weet dat ze hier is. Van wat ik begrepen heb, zal hij het misschien niet goedvinden. Haar zus heeft haar afgevoerd zonder het aan hem of iemand anders te vertellen, zelfs niet aan Katie's dienstmeisje.'

Mevrouw Cotgrave keek om naar de dichte deur. 'Arm kind.' Ze glimlachte treurig. 'Maar ja, het is waar dat degenen met een kinderlijke geest vaak niet zien wat hun wordt aangedaan. Gelukkig maar.'

7

Het werd snel donderdag voor Rebecca. Met haar dagelijkse plichten van toezicht houden op de Hall, een nieuw script schrijven voor de opgeknapte damesgarderobe waar een Victoriaanse afternoontea werd gedemonstreerd, en het invullen van papieren voor de Featherby, had ze tijd gehad om slechts een paar brieven van Quentins voorouders uit te typen.

Vanavond zou zijn moeder komen eten. Sinds Helen het twee dagen geleden te horen had gekregen, liep ze al te dubben wat ze lady Elise moest voorzetten. Een stoofschotel? Boerensoep was haar specialiteit, maar dat vond ze te provinciaals en het was lang niet koud genoeg. Ondanks dat het haar mans lievelingskostje was, was hij het onder invloed van Helens tobberij met haar eens geweest. Het laatste wat Rebecca had gehoord, was dat het hoofdgerecht iets met een traditioneel Londens braadstuk werd, of misschien geroosterd lamsvlees. Het enige waar niet over getwijfeld werd, was het toetje. Helen stond in het hele dorp bekend om haar trifle; custardpudding met in sherry gedrenkte cake, room en vruchten.

Ook had Helen in de afgelopen twee dagen een ongewoon aantal dienstmeisjes ingezet, wat nog bijdroeg aan Rebecca's onrust. Overal waar ze keek, was iemand aan het schrobben wat al schoon was, poetsen wat al glom, recht hangen wat al recht hing. De jury van de Featherby kon niet meer angst inboezemen.

Hoewel Quentin de afgelopen dagen thuis was geweest, had Rebecca weinig van hem gezien. Dat kwam door haar. Ze vulde haar dagen met werk en bracht haar avonden afgezonderd in haar suite door. Er was iets totaal veranderd nu ze met Quentin onder één dak woonde. Iets wat ze liever negeerde.

Vandaag kon ze zich niet verstoppen, hoewel ze dat liever dan

ooit zou willen. Rebecca had Elise Hollinworth jarenlang vanuit de verte gadegeslagen. Vanwege haar familiegeschiedenis van
dienstbaarheid aan de familie Hollinworth spitste Rebecca haar
oren als de familie in het nieuws was. Lady Elise Hollinworth werd
het minst vaak genoemd, en dat leek opzettelijk. Rebecca had gehoord dat ze erg op zichzelf was en zich het liefst bewoog in een
tamelijk algemene sociale kring. Wellicht verschilden haar feestjes
niet veel van andere evenementen, maar de uitdaging zat hem in
de wetenschap dat verslaggevers zeer ongewenst waren. Ze had er
eens een laten arresteren omdat hij op verboden terrein was, en
een ander was met camera en al in het zwembad geduwd. Daarna
werd het een sport om te zien waar de brutaalste verslaggever mee
weg kon komen op een feestje van Elise Hollinworth.

Maar vandaag zou geen probleem vormen, met slechts de twee
Hollinworths en Rebecca als aanwezigen. De enige die vanavond
gespannen zou zijn, was Rebecca zelf; daar was ze zeker van. En
Helen Risdon misschien, vanwege haar lamsvlees.

Rebecca was veel te vroeg klaar, ze had een eenvoudig zwart
jurkje aangetrokken, versierd met een enkele parel die aan een ge-
vlochten gouden kettinkje bungelde. Haar haar was een paar tinten
lichter dan haar jurkje en hing los op haar rug. Het was vandaag
verbazend gehoorzaam geweest en de krullen bleven grotendeels
uit haar blikveld. Maar ze was niet van plan om eerder naar beneden te gaan dan ze werd verwacht.

Daarom ging ze naar haar kantoor en maakte haar mailbox
open, waar ze een bericht aantrof van Quentins Amerikaanse nicht.
Rebecca zag meteen dat het niet aan haar gericht was, maar aan
Quentin. Misschien was er toch geen geheim dat alleen Quentin
mocht weten.

*Beste meneer Hollinworth — of mag ik je Quentin noemen, want we
zijn per slot van rekening neef en nicht?*
*Ik was zo blij met je mail en ik wil je graag vertellen dat mijn man, mijn
dochter en ik vanaf volgende week drie maanden in Ierland zullen zijn.*

Tegen het eind van deze maand hopen we je in Engeland te bezoeken. In je mail zeg je dat je belangstelling hebt om Cosima's dagboek te lezen. Voor zover ik weet, is het boek dat mijn zus heeft het origineel, al zou het me niet verbazen als Cosima ook voor haar andere kinderen kopieën heeft gemaakt (voor de gezonde kinderen althans). Ik voeg hierbij het elektronische bestand dat mijn zus en ik hebben uitgetypt.

Als je het gelezen hebt, wil ik graag met je praten over Royboy en de anderen in onze familie, en hoe de genetische afwijking die Cosima een 'vloek' noemde, deze honderdvijftig jaar heeft kunnen blijven voortbestaan. Uit het stamboomonderzoek dat West World heeft gedaan, maak ik op dat alleen Mary en Kipp aangedaan waren en dat jouw tak van de familie is gespaard. Prijs God daarvoor!

Dat stukje las Rebecca nog een keer. Wat kon ze bedoelen? Ze zag het bijvoegsel en vergat even helemaal dat ze naar beneden moest. Hoe graag ze het nu ook wilde lezen, ze had alleen tijd om de e-mail uit te lezen.

In elk geval laat ik het jou en je commercieel manager (hallo Rebecca!) weten als ik in Ierland arriveer en een vaste datum weet voor mijn bezoek aan Engeland. Wat leuk, hè, om iemand te vinden die hetzelfde bloed door de aderen heeft stromen maar aan de andere kant van de oceaan woont? Wat is de wereld tegenwoordig klein.

Ik kijk ernaar uit je te ontmoeten,
Dana Martin Walker

Rebecca glimlachte, hoewel ze helemaal geen familie was. Wat was dat toch met familie, al woonde je nog zo ver weg, dat meteen een band smeedde?

Niet meer treuzelen; het was tijd om zich bij Quentin en zijn moeder te voegen.

Helen had besloten het diner te serveren in de tuinkamer. Honderd jaar geleden was het een volière geweest, maar in een of andere oorlog was de familiebelangstelling voor vogels afgenomen en er werden geen vogels meer aangeschaft. Er was alleen een blauw met gouden ara overgebleven, die meer dan vijftig jaar oud moest zijn. Robert Hollinworth had altijd voor hem gezorgd en toen hij stierf, had de vogel dagenlang niet gegeten. Quentin vond zichzelf een armzalige plaatsvervanger van zijn vader, hoewel hun stemmen en lichaamshouding sterk op elkaar leken. Het duurde niet lang of de vogel had een band met hem gekregen.

Rebecca trof Quentin en zijn moeder in de hal vlak voor de kamerdeur.

'Mam,' zei Quentin, die glimlachte naar Rebecca en een hand onder haar elleboog stak, 'herinnert u zich Rebecca Seabrooke? Ze heeft een gaatje gevonden in haar drukke agenda om vanavond met ons mee te eten.'

Lady Elise was misschien een haarbreedte langer dan Rebecca. Rebecca was donker, lady Elise was blond. Haar huid leek gepoederd ivoor, in tegenstelling tot Rebecca's olijfkleurige teint. Haar haar was een mengeling van blond en wit, het was niet te zeggen of het wit de partner was van grijs, of kunstmatig aangebracht. Haar trekken, die waarschijnlijk mooi waren geweest toen ze jong was, waren met het ouder worden verscherpt. Haar neus en kin wezen naar beneden; haar ogen werden juist de andere kant op getrokken. Met aandacht voor detail was lady Elise nog steeds een aparte vrouw, uitnemend gekleed in een ijsblauw pakje en deskundig opgemaakt om jaren jonger te lijken.

Ze glimlachte beleefd met een beetje achterdochtige behoedzaamheid, vermengd met een tikje nieuwsgierigheid. Maar het was een glimlach en daardoor wist Rebecca zeker dat de oudere vrouw geen idee had wie ze was.

'Ik had verwacht dat we alleen zouden dineren, Quentin, maar vertel me eens wat meer over deze mevrouw.'

Rebecca stak haar hand uit, die Elise precies stevig genoeg drukte. 'Het is prettig om u te zien, mevrouw Hollinworth, maar ik moet toegeven dat ik al een en ander weet over u en uw familie

– althans over de Hollinworthkant.'

Eén wenkbrauw werd opgetrokken en Rebecca moest denken aan een foto van lady Elise tijdens een zeldzaam bezoek aan een restaurant die ze had gezien. Het restaurant was binnen zes maanden gesloten en Elise's gezicht vatte samen waarom. Rebecca had zich afgevraagd of bijna niemand het eten lekker vond of dat lady Elise toekomstige klanten bij voorbaat de eetlust had benomen.

'En hoe komt het dat u de Hollinworths kent, juffrouw... is het juffrouw?'

'Ja, maar noemt u me alstublieft Rebecca. Uw echtgenoot heeft me drie jaar geleden aangenomen als commercieel manager van de Hall, daarom heb ik de familielijn leren kennen.'

'Wat interessant.' Ze sloeg haar blauwe ogen op naar haar zoon en vernauwde ze tot spleetjes. 'Dus we dineren met het personeel, Quentin?'

Hij lachte zo gul dat Rebecca er troost in had gevonden als ze nog iets had kunnen voelen na die steek. 'Nee, we dineren met Rebecca, die toevallig de dochter is van een vriend van vader.'

Zo kon je het natuurlijk ook formuleren. Niet dat Elise de relatie zo zou zien als ze alle feiten kende. Rebecca's blik bleef even op Quentin hangen. Het was nieuw voor haar dat hij afwist van de vriendschap tussen haar vader en de zijne.

'Dus je kende mijn man, Rebecca?' IJzig – dat was het enige woord waarmee Rebecca de toon kon beschrijven.

'Ja. Of liever, nee. Niet goed.'

'En je vader is...?'

'James Seabrooke.'

Lady Elise scheen even over de naam na te denken en schudde toen kort haar hoofd. 'Nee, ik geloof niet dat ik een James Seabrooke heb ontmoet, en ik kan je verzekeren dat ik alle vrienden van mijn man heb gekend. Weet je zeker dat je vader mijn man kende?'

Quentin lachte weer. Rebecca wenste dat ze mee kon lachen, wenste dat ze het wilde.

'Vader heeft me jaren geleden aan James Seabrooke voorgesteld, mam.'

Ze vroeg zich af of hij met opzet verzweeg dat er generaties lang Seabrookes in dienst waren geweest van de Hollinworths.

'Kwam haar vader uit Londen?'

Lady Elise keek Rebecca aan terwijl ze haar zoon de vraag stelde, alsof Rebecca een geëxposeerd stuk was in plaats van een dinergast.

'Ja, James werkt voor de Trust.'

'Och, waarom zei je dat niet meteen?' vroeg Elise, en stapte de tuinkamer binnen. Het was een lichte, luchtige kamer, ingericht in sneeuwwit, waarbij lady Elise's ijsblauwe pakje perfect uitkwam. Een smetteloze gestoffeerde rieten bank met bijpassende rieten tafel en stoelen gaven de kamer een openluchtsfeer, ook al doordat hij uitkeek op de rozentuin. Op hun binnenkomst slaakte de ara een kreet. 'Ik weet niet waarom Helen ons hier bij die vreselijke vogel laat zitten. Ik heb altijd een hekel aan dat beest gehad.'

Quentin liep naar de enorme vergulde kooi waarin de ara woonde en stak zijn hand naar binnen om een nootje te pakken dat hij hem uit de hand voerde. 'Hoe kunt u dat zeggen, mam? Vader hield van hem, en ik hield van vader.' Quentin lachte. 'Je kunt zelfs zeggen dat hij langer lid van de familie is dan wij.'

'Ik weet heel goed hoelang die vogel er al is. Maar toen ik met je vader trouwde, heb ik niets hoeven beloven over dat creatuur.' Lady Elise naderde de tafel bij het raam. Hij was gedekt met smetteloos linnen, versierd met negentiende-eeuws Wedgwood, achttiende-eeuws zilver en verse witte orchideeën. 'Verwacht ze soms dat we de hele maaltijd hier opeten? Ik wil het niet hebben, Quentin.'

'Ach, kom, mam, het is prima. Je kunt de rozen hiervandaan zien en ik weet dat u daarvan houdt. Wilt u wat ijsthee?' Quentin liep naar de theewagen naast de tafel. 'Ik geloof dat Helen zei dat het sinaasappel-munt was. Wil jij, Rebecca?'

Ze nam het aanbod onmiddellijk aan. Elise bedankte.

'Vertel eens, Rebecca,' zei Elise, 'waarom werk je hier op het platteland als commercieel manager? Je hoort in Londen te zitten, waar alle andere jonge mensen wonen.'

'Het bevalt me hier,' zei Rebecca. Ze haatte de gedweeë toon, maar was niet in staat hem door iets vrijmoedigers te vervangen. Ze schraapte haar keel en deed nog een poging. 'Ik ben geïnteresseerd in geschiedenis, en ik vind het fijn om samen te werken met anderen die de geschiedenis in stand houden.' Beter, hoewel nog niet zichzelf.

Elise liep naar de tafel en tikte met de top van een van haar lange vingers tegen een orchideeblaadje. 'Sommige dingen zijn het waard om in stand gehouden te worden, maar je moet toegeven dat er Victoriaanse huizen in overvloed beschikbaar zijn voor scholen en toeristen. Dit huis hoeft niet op een publieke lijst.' Ze pakte een mes en bekeek het keurend, legde het terug. 'Weet je dat als de adel niet geïnteresseerd genoeg is om gezinnen te stichten – en grote gezinnen – de Engelse adel zo veel eerder uitgestorven zal zijn?'

Rebecca knikte. Sinds de jaren zestig van de vorige eeuw waren er slechts levenslange titels uitgegeven – geen titels die door de geslachten heen werden doorgegeven. Dat kon je aan allerlei dingen toeschrijven: politiek, algemene democratie, eenvoudig gemoderniseerd denken. Maar Rebecca dacht niet dat Elise een van die argumenten dwingend zou vinden.

Rebecca streek met haar duim langs het koele glas in haar hand en vermeed de blikken van lady Elise en Quentin.

'Zeg, jij bent de commercieel manager van dit landgoed,' zei Elise, 'hoe is de markt voor de verkoop van zoiets?'

Het glas gleed bijna uit haar handen. Elise wilde de Hall niet zomaar sluiten voor bezoekers – ze wilde hem verkopen? Het was dan misschien haar woonhuis niet meer, maar vroeger wel, toen haar zoons nog klein waren. Toen haar man nog leefde, bracht hij hier een groot deel van het jaar door. Het huis had Hollinworths en Hamiltons voor hen gehuisvest, tweehonderd jaar lang. Rebecca kon niets bedenken om te zeggen.

'Mam daagt me uit om het huis aan de Trust te verkopen of te schenken,' zei Quentin, die zich een glas ijsthee inschonk. 'Maar als je haar beter kende, zou je zien wat er achter dat voorstel zat. Ze wil dat de Hall ofwel woonhuis, of museum wordt, niet allebei. Ze is hopeloos ouderwets. Ik ben van plan het te laten zoals het is, in elk geval voorlopig.'

Er stroomde een golf van opluchting door Rebecca heen, en die had er niets mee te maken of ze haar geliefde baan al dan niet hield. Als lady Elise zo ouderwets was, snapte ze dan niet dat de geschiedenis een essentieel verband met de tegenwoordige tijd verloor als het huis een andere eigenaar kreeg, al was het de Trust?

'Tochtig in de winter, heet in de zomer,' zei Elise. 'En aangezien het vaker dan ooit open is voor publiek, is het nauwelijks een thuis en zeker geen plaats om kinderen groot te brengen.'

'Waarom niet? Ze zouden in elk geval uitgebreid leren hoe een Victoriaans landgoed wordt beheerd. Dankzij Rebecca, die gezorgd heeft dat het een Sandfordprijs won en nu net genomineerd is voor een Featherby.'

'Wat leuk,' zei Elise, uit het raam starend. 'De Trust zou vast blij zijn met zo'n huis.'

En dat was de dank voor Rebecca's aandeel.

Algauw kwamen Helen en haar man binnen met bladen, waarop een compleet vijfgangendiner stond onder ronde zilveren stolpen. Quentin leidde zijn moeder naar de tafel, waar ze met z'n drieën plaatsnamen.

'Een ogenblik,' zei Elise toen het diner was opgediend en het echtpaar naar de deur liep. Ze draaiden zich vol verwachting om.

'Ja, mevrouw?' vroeg Helen. 'Kan ik nog iets anders voor u doen?'

'Nee.' Haar blik had staal kunnen doorboren. 'Was het jouw idee of dat van mijn zoon om ons diner hier te serveren?'

'Mijn idee, mam,' zei Quentin voordat Helen kon antwoorden. 'Ik wil dat de vogel weet dat ik thuis ben, daarom eet ik hier.'

Eén wenkbrauw ging boven lady Elise's ogen geërgerd omhoog.

'Nog iets, mevrouw?' Helens rug was stijver geworden, net als haar toon.

Goed zo. Ze laat zich tenminste niet klein krijgen.

Elise draaide zich weer om naar de tafel, en stuurde hen daarmee doeltreffend weg. Rebecca ving de grijns van Quentin naar Helen, een simpel gebaar dat haar schouders ontspande.

'Er is nog meer nieuws,' zei Quentin toen ze begonnen te eten.

Rebecca wachtte even voordat ze haar vork oppakte. Kennelijk hoefde er niet om een zegen te worden gevraagd. In stilte sprak ze vlug een dankgebed uit.

'Nog meer nieuws?' vroeg Elise. 'Wat heb je me voor nieuws verteld dat dit "nog meer" is?'

'Over de Featherby, mam,' zei Quentin. Verbazend genoeg bleef zijn toon luchtig en vergevensgezind.

'O, dat,' zei ze smalend. 'Wat nog meer dan?'

'We hebben bericht gekregen van een Amerikaanse tak van de familie. Rechtstreekse afstammelingen van Cosima en Peter Hamilton.'

Ze wuifde met haar hand voor haar neus bij het horen van die namen. 'We? Wie bedoel je als je zegt "wij hebben bericht gekregen"?'

'De e-mail is eerst naar het zakenadres van de Hall verstuurd,' zei Rebecca, 'maar hij was bedoeld voor de familie Hollinworth: u en Quentin.'

Elise's vork hield halverwege stil en ze nam Rebecca kritisch op. 'Vreemden proberen via de Hall contact te zoeken met mijn zoon? Reden te meer om dit huis te verkopen en te zorgen dat we niet meer zo'n makkelijk doelwit zijn.'

'Maar het zijn echt familieleden, mam. Ze hebben het uit laten zoeken. Nou ja, vaders lijn in elk geval. Ik wil ze graag ontmoeten.'

'Ontmoeten? Waarom? Ben je van plan naar de Verenigde Staten te reizen?'

'Nee, ze komen hierheen. Ik neem aan dat ze de Hall willen zien, aangezien Cosima en Peter Hamilton hier hebben gewoond en hun kinderen grootgebracht.'

'Je laat toch zeker geen volkomen vreemden hier komen, Quentin?'

'Nee, het zijn niet bepaald vreemden.'

'Het hele idee is absoluut angstaanjagend. Amerikanen nog wel.'

'Ze hebben een dagboek,' droeg Rebecca zachtjes bij, zonder hoop dat Elise hierdoor van gedachten zou veranderen. Maar Rebecca zat samen met Quentin in het schuitje en ze wilde hem niet alleen laten vechten. 'Een dagboek van Quentins bet-bet-betovergrootmoeder.'

'Ja, dat zal wel.' Haar toon maakte duidelijk dat ze er geen woord van geloofde.

'Heb je vandaag je e-mails gelezen, Quentin?' vroeg Rebecca. Misschien dat een lichte verschuiving in het onderwerp de spanning kon verlichten. 'Dana heeft de tekst van Cosima's dagboek gestuurd.'

Glimlachend schudde hij zijn hoofd. 'Nee, nog niet. Ik zal er vanavond naar kijken. Dus jij hebt het gezien?'

'Alleen dat er een bijlage in zat. Ik had geen tijd om hem open te maken.'

'Dat is allemaal erg boeiend,' onderbrak Elise haar, 'maar ik neem aan dat jullie allebei weten dat je voor de gek gehouden kunt worden door een familie of een oplichter die weet ik wat wil.'

'Slimme oplichters dan,' zei Quentin met een knipoog naar Rebecca.

Misschien begon Rebecca te wennen aan Elise's scherpe persoonlijkheid. Of misschien was die knipoog, net als de grijns naar Helen, genoeg om het ongemak dat Rebecca nog voelde weg te vagen. Ze glimlachte.

'Ze hebben een uitgebreide stamboom overgelegd,' zei ze tegen Elise. Zelfs haar stem klonk weer als die van haarzelf. 'Ik zie niet in hoe die vals zou kunnen zijn. Wat ik kon, heb ik geverifieerd met openbare gegevens, geboorte- en trouwaktes. Het ziet er allemaal authentiek uit.'

Elise nam Rebecca op. 'Wat vindingrijk van je.'

'Bovendien willen ze niets, mam. Alleen de Hall zien, en dat kunnen ze doen door een afspraak te maken voor een rondleiding. En dan nog iets. Toen we hoorden over het dagboek zijn Rebecca en ik gaan zoeken in de kluis, en we hebben brieven gevonden van de generatie van Cosima en Peter die we graag met die nicht van mij willen delen.'

Elise's mondhoeken gingen omhoog toen ze haar zoon aankeek, maar het was niet wat Rebecca een glimlach zou noemen. 'Het is mooi als je de geschiedenis van de familie Hollinworth wilt onderzoeken, Quentin. Maar houd het binnen de familie. Ik wil niet dat er autobiografische gegevens van mijn familie of van de familie van je vader in de roddelbladen komen.'

'Een paar brieven laten zien aan verre nichten is niet bepaald een openbaar debuut, mam.' Hij nam nog een slokje ijsthee. Rebecca had respect voor zijn houding. Ze kon iets van hem leren, al was het maar omgaan met moeilijke cliënten die de Hall wilden boeken. 'We houden het per slot van rekening ook in de familie.'

Lady Elise zuchtte. 'Die zogenaamde nichten bevallen me niet. Als je maar zorgt dat ik niet hoef te zeggen "zie je nou wel" als die mensen je dit huis uit proberen te krijgen of geld willen zien. Ik verkoop het nog liever dan ook maar iets te verliezen aan oplichters.'

8

Meneer Truebody was niet te vinden, hij was naar Dublin gegaan om redenen die zijn secretaris niet wilde onthullen. Misschien weet je nog dat ik een licht voorbehoud had bij meneer Truebody, maar dat is niets vergeleken met mijn mening over meneer Flegge, de plaatselijke politieman tot wie Duff zich besloot te wenden toen meneer Truebody afwezig bleek. Als je bij me had gestaan in de blauwe kamer, Cosima, dan had je de minachtende blik op zijn gezicht even duidelijk kunnen zien als ik. Ik had geen idee wat hij erger vond: een school voor geestelijk gehandicapten die beheerd werd door vrouwen, of een van de geestelijk gehandicapten die kennelijk in de steek gelaten was.

'Ik heb geen flauw idee wat u verwacht dat ik doe, juffrouw,' zei de politieman, met zijn hoed in zijn hand. Meneer Flegge was niet lelijk en niet knap, eerder iets ertussenin, met dunnend haar, een klein buikje en een kin die op middelbare leeftijd zacht was geworden. 'Ik kan toch zeker niet mijn plichten laten liggen om heel Ierland te gaan doorzoeken naar de familie van dat meisje?'

'Er kan toch stellig iets gedaan worden,' zei Berrie. 'Ik heb begrepen dat haar broer erg ongerust over haar zal zijn.'

'Dan kunnen we rustig aannemen dat hij op zoek is naar haar. Misschien komt hij wel naar mijn bureau en dan stuur ik hem meteen door naar u; daar kunt u zeker van zijn.'

Berrie zuchtte, ze wist dat er niets zou gebeuren als ze niet iemand aannam om Katie's familie te gaan zoeken. Maar al het geld dat haar was toebedeeld – door schenkingen of door haar vader en haar broer Peter – zat vast in de opzet van de school. Zelfs de verkoop van in Escott Manor achtergebleven artikelen die ze op school niet konden of wilden gebruiken, had weinig geld opgeleverd.

Terwijl Berrie de politieman goedendag zei en hij vertrok, schoot er van alles door haar hoofd. Ze moest iets doen. Een berichtje in de krant laten zetten? Het was het proberen waard aangezien Katie's familie kon lezen en schrijven, al haalde het niet veel uit als haar familie uit een landelijk gebied kwam waar weinig kranten werden rondgebracht. Misschien kon ze Duff een paar dagen missen; hij was betrouwbaar, hardwerkend en eerlijk – en slim, voor zo'n jonge vent. Hij was zo veelbelovend dat ze van plan was hem tot hoofdverzorger te benoemen als de kinderen kwamen. Ze was toch al van plan geweest hem weg te sturen met een opdracht. Misschien kon hij twee vliegen in één klap slaan.

Hoe dan ook, ze zou Katie's familie vinden. Ze moest.

9

Rebecca wreef in haar ogen om het vermoeide prikken te verdrijven. Met een blik op de klok op haar bureau besefte ze dat ze veel langer dan ze dacht in Cosima's dagboek had zitten lezen. Het was bijna twee uur in de nacht.

Maar Cosima's verhaal had haar te pakken. Was Dana ook aangetast door de Kennesey-vloek? Had ook zij een zwakzinnig kind gekregen? Ze zei dat ze haar man en dochter mee zou brengen.

Rebecca kende Cosima Hamilton alleen van haar portret en haar ietwat beperkte erfgoed: een huisinrichting die geen generatie sinds de hare drastisch had willen veranderen; een verhalenboek dat ze voor haar kinderen had geschreven vol Ierse rijmpjes en sprookjes; een paar recepten. Tot nu toe hadden Berrie's brieven niet veel meer over Cosima onthuld.

Misschien was het maar goed ook dat Elise Hollinworth geen belangstelling had getoond voor de Amerikaanse nichten en de correspondentie die ze hadden opgestuurd. Het nieuws dat de Hamiltonlijn was aangetast door een vloek was niet iets waar lady Elise in haar sociale kring over begon.

Rebecca voelde dat ze echt naar haar kamer moest gaan om te slapen. Nadat Quentins moeder om even over tien was vertrokken, had Rebecca zich verontschuldigd, hoewel Quentin haar vroeg samen nog een kop thee te drinken. Kruidenthee, had hij beloofd, zonder cafeïne. Maar ze had de volgende morgen een afspraak met een aanstaande bruid en dat was vaak een langdurige gebeurtenis. Ze was naar haar kamer gegaan en had het zwarte jurkje verwisseld voor een zacht T-shirt en een katoenen korte broek om in te slapen, waarna ze prompt klaarwakker was. Dus was ze naar haar kantoor gegaan.

En nu, na enkele uren afleiding, kwamen de vragen terug. Was het dom geweest om te weigeren de avond alleen met Quentin voort te zetten? En waarom had hij het eigenlijk gevraagd? Alleen uit beleefdheid? Misschien had ze het zich verbeeld, maar de blik in zijn ogen had gezegd dat hij graag bij haar wilde zijn.

Maar nu moest ze echt naar bed. Een glas melk zou helpen.

Tot haar verrassing zag ze dat er al licht brandde in de keuken. Ze versnelde haar stap. Helen zat toch niet te tobben over de maaltijd die ze had opgediend? Hoewel de achtergrond Elise Hollinworth niet bevallen was, had ze over het eten geen verkeerd woord gezegd. Daar moest Helen blij om zijn, aangezien Elise duidelijk niet aarzelde om iets negatiefs te zeggen als het in haar opkwam.

Rebecca stond met een ruk stil en gleed bijna uit over de koele keukentegels. Het was Helen helemaal niet. Aan de brede houten tafel waar Rebecca Helen vaak een maaltijd had zien klaarmaken en waar ze vaak aan had zitten eten, zat Quentin.

'Ik zag licht branden,' zei Rebecca bij wijze van verklaring voor haar gehaaste binnenkomst. 'Ik was bang dat Helen er nog was en dat er iets mis was.'

De vermoeidheid in zijn gezicht was meteen verdwenen. Hij nam haar glimlachend op, en hoewel zijn blik hartelijk was, vroeg ze zich af of ze haastig terug moest gaan naar haar suite, al was het maar om iets anders aan te trekken. Hoewel ze op het strand minder droeg, was dit niet bepaald de juiste uitdossing om met haar werkgever te praten – en zeker niet een werkgever die zo vaak haar gedachten was binnengedrongen. En soms ook haar dromen.

Hij maakte met moeite zijn blik van haar los. Hij hield losse uitgeprinte pagina's omhoog en schraapte zijn keel. 'Ik heb Cosima's dagboek uitgeprint. Het is fascinerend. Je moet het lezen.' Hij bleef haar even aanstaren en begon toen in de papieren te bladeren. 'Maar ik geloof dat ik het eerste deel in mijn kamer heb laten liggen.'

Rebecca ging zitten en wenste dat ze een badjas had aangetrokken. Ze merkte op dat hij dezelfde kleren nog aanhad en vroeg zich treurig af waarom avondkleding voor vrouwen niet net zo lekker kon zitten als avondkleding voor mannen kennelijk zat. Dan had ze zich helemaal niet hoeven verkleden.

'Ik heb het computerbestand gelezen,' bekende ze. 'Ik wilde het zo graag uit hebben dat ik het nog een keer grondiger zal moeten lezen, maar ik heb het laatste woord net gelezen.'

Quentin keek haar recht aan met een frons op zijn knappe gezicht. 'Ik dacht dat je naar bed ging omdat je morgenvroeg een afspraak had?'

Blozend wendde ze haar blik af. 'Ja, ik heb ook een vroege afspraak. Maar ik merkte dat ik toch niet kon slapen.' Ze keek hem weer aan. 'Ik had maar een paar bladzijden willen lezen, maar ik heb het gevoel of ik Cosima ken, al is het maar door haar portret, en ik wilde meer over haar te weten komen.'

'Wat denk je dat Dana Walker bedoelde toen ze het had over de vloek die Cosima had getroffen? Ze zei dat ze een dochter heeft. Ik vraag me af of zij is als Cosima's dochter Mary. Of als Royboy.'

'Dat heb ik me ook afgevraagd. We zullen het wel te weten komen als Dana hier is.' Rebecca keek naar de bladzijden en vroeg zich af tot waar hij was gekomen. 'Ik ga maar, dan kun je het uitlezen.'

Ze wilde opstaan toen hij zijn hand over de tafel heen uitstak en zacht op haar pols legde. Haar hart bonsde. 'Je kunt het keukenlicht niet zien vanuit je kantoor, en uit je slaapkamersuite ook niet, Rebecca. Je bent om een andere reden naar beneden gekomen.'

'Eigenlijk wilde ik een beetje melk drinken, om te kunnen slapen.'

Hij had zijn hand niet weggehaald. Ze droeg zichzelf op haar hand weg te trekken, maar bleef onbeweeglijk zitten. Uitwendig althans. Vanbinnen ging haar hart tekeer.

Quentin trok zijn hand weg. Hij stond op, liep naar de kast en pakte een glas. 'Ik heb kamillethee gemaakt – maar dat zal ik je niet aanbieden, want dat wilde je daarstraks niet.' Ze keek toe hoe hij naar de grote koelkast liep en melk voor haar inschonk. Hij keek haar aan. 'Ik houd mezelf maar voor dat het de thee was, en niet het gezelschap, dat je weigerde. Wil je je melk warm?'

Rebecca schudde haar hoofd en hij gaf haar het glas. Haar vingers streken langs de zijne toen ze het aannam. Ze had liever warme melk gehad, maar ze had geen idee wat ze aan moest met de tijd die nodig was om het warm te maken. Dus nam ze maar een slok koude melk, ze moest het glas straks mee naar haar kamer nemen, want haar keel was plotseling dichtgeschroefd.

'Zeg eens, Rebecca,' zei Quentin toen hij weer zat. Zijn toon was zo intiem dat ze het glas opzij moest zetten om haar onbetrouwbare handen vrij te maken. Ze legde ze onder de tafel op haar schoot. 'Begin je 's morgens als je wakker wordt meteen te bedenken hoe je me kunt ontlopen, of ben je echt zo overwerkt als het lijkt? Want dan denk ik dat je een assistent nodig hebt.'

Ze lachte gedwongen. 'Nee, ik ben helemaal niet overwerkt.'

'O.' Hij klonk teleurgesteld. 'Dan is het de andere optie.'

Dat ze hem ontliep? Meteen wist ze dat ze het niet kon ontkennen; het was waar. Niet dat ze kon verklaren waarom. Drukke bezigheden waren beslist een reden. Overgebleven onzekerheden door een kinderlijke verliefdheid ook.

Ze hoopte maar dat hij niet vroeg…

'Waarom?'

Ze deed een poging zijn vraag te ontwijken door verbaasd haar hoofd te schudden en een nieuwe slok melk te nemen. Beter vertrouwen op een onvaste greep om trillende lippen te verbergen dan de hele waarheid op te biechten.

'Rebecca? Ga je nog antwoord geven op mijn vraag?'

Ze zette de melk neer en bracht haar vingers naar haar lippen, maar het beven hield niet op.

Dit was belachelijk. Ze had zich vandaag al een keer eerder een klein kind gevoeld, in het gezelschap van lady Elise.

'Nee, Quentin. Ik geef geen antwoord op je vraag.' Ze was blij dat haar stem vast klonk.

'Besef je dat ik dan mijn eigen conclusies moet trekken? Dat de reden dat je me wilt ontlopen alleen maar persoonlijk kan zijn?

Ofwel je mag me niet, Rebecca… of je mag me heel erg graag. Zo graag dat je je ongemakkelijk voelt bij mij in de buurt. Waarom begrijp ik niet, want ik mag jou ook. Heel erg graag.'

Ze schoof haar stoel naar achteren. Dit was echt te veel. 'Sorry dat je je dat soort dingen in je hoofd hebt moeten halen, Quentin. Maar het is al laat en ik denk…'

Hij stond ook op, stapte om de hoek van de tafel heen en pakte haar hand. Hij voelde warm aan vergeleken met het koele glas. Voordat ze kon nadenken of ademhalen of zich wapenen met een verdediging, was zijn mond op de hare en ze kuste hem terug, sloeg haar armen om zijn schouders en verwonderde zich erover hoe breed ze waren en hoe sterk ze voelden. Zo dicht hield hij haar tegen zich aan, zo heerlijk was het. Oude dromen waren één ding, maar de werkelijkheid was in alle opzichten nog fijner.

Toen hij zijn lippen van de hare nam, liet hij haar niet los. Hij stak zijn hand in haar krullen en drukte zacht haar hoofd tegen zijn stevige borst. Ze vroeg zich af of zijn hart net zo onregelmatig bonsde als het hare, maar ze hoorde het gelijkmatig kloppen, net zo sterk als hijzelf was.

'Ik wist niet hoe ik anders moest zorgen dat je niet wegliep,' fluisterde hij.

'Het was wel effectief,' zei ze tot haar eigen ontsteltenis. Ze moest ook weglopen. En hard ook. Helemaal naar een baan bij de National Trust.

Quentin kuste haar opnieuw en ze liet het toe. Haar verstand liet haar in de steek, de macht van zijn kus was groter.

Maar het was dom.

God, help me!

Ze maakte zich los en haalde diep adem. 'Quentin.' Het was haar bedoeling iets van een waarschuwing in haar stem te leggen, een vermaning zelfs. Hij was per slot van rekening haar werkgever. Ze hoefde niet lang te zoeken om een lijst van redenen te vinden waarom dit niet mocht gebeuren. Maar haar stem klonk als een smeekbede.

Hij was nog steeds te dichtbij en ze deed een stap naar achteren, maar botste tegen de tafel. Ze tastte achter zich naar de rand van het vertrouwde, versleten tafelblad alsof het haar enige alternatief was om vast te houden. Dat was het op dit moment ook.

Hij overbrugde de afstand tussen hen en Rebecca kon nergens heen, daarom hief ze een hand naar zijn borst om hem tegen te houden. 'Nee.'

Hij stond stil. Hij deed geen stap naar achteren, maar hij zette de kus die ze verwacht had niet door.

Zijn wenkbrauwen gingen omhoog. 'Nee?'

'Ik ben te erg in de war om uit te zoeken wat er net gebeurd is. Het is laat. We zijn allebei moe, misschien te moe om ons netjes te gedragen.'

'Ik ben het met je eens dat ik me misschien niet netjes ge-draag, maar ik zie niet in waarom je in de war zou moeten zijn. Jij vormde de andere helft van een uitermate prettige kus. Wat is er verwarrend aan twee volwassen mensen die het samen eens zijn?'

Ze lachte, zenuwachtiger dan ze had gewild. 'Waar zal ik be-ginnen? Zal ik je erop wijzen dat ik de kleindochter ben van de persoonlijke bediende van je grootvader? De kleindochter van een lijfknecht is niet bepaald een passende opvolger van lady Caroline Norleigh.'

Hij grinnikte. 'Dat is nauwelijks een overtuigend argument, Re-becca. Kom op, klassenverschillen in deze tijd?'

'Niet voor jou – maar voor je moeder?'

'Die wordt vroeg of laat wel een keer wakker in de eenentwin-tigste eeuw.'

Rebecca's gedachten buitelden in haar hoofd over elkaar door zijn woorden, zijn kus, de blik in zijn ogen. Maar er was nog één hindernis die ze niet kon negeren. 'We zijn niet gewoon maar twee mensen die het eens zijn. Er is een derde partij bij betrokken.'

Nu fronste hij zijn wenkbrauwen. 'Je – ga je met iemand anders om?'

Ze knikte. 'Ja, heel intensief.'

Hij keek of hij iets wilde zeggen, maar hij zweeg. Hij sloeg zijn ogen neer en wreef zijn nek. 'Klinkt serieus.'

'Is het ook.'

'Dat wist ik niet. Sorry. Ken ik hem?'

'Ik dacht van wel. Ik dacht dat je vader Hem vroeger aan je voorgesteld had.'

Toen Quentin stomverbaasd keek, wist Rebecca dat ze het niet langer mocht uitstellen. 'Het is God, Quentin. Ik mag dan voor jou werken, maar ik dien Hem.'

'Aha,' zei hij. 'En je gelooft dat God niet wil dat je een relatie met mij begint?'

Ze schudde haar hoofd. 'Het gaat niet om jou. Het gaat erom dat we verschillende dingen willen. Ik wil Hem dienen, en jij...'

'... niet? Is dat wat je denkt?'

'Wel dan? Ik weet het werkelijk niet, Quentin. Ik weet zo weinig van je, behalve wat ik te weten ben gekomen uit je familiegeschiedenis.'

Hij zuchtte, haalde een hand door zijn haar en keek haar weer aan. 'Jij bepaalt de regels, Rebecca. Ik zal me eraan houden.'

'Regels voor een relatie die we niet moeten riskeren? Misschien is het beter om te vergeten dat dit ooit gebeurd is. Het veiligste, snap je?'

'Veilig in de zin van saai. Van gemiste kans.'

Ze schudde haar hoofd. 'Nee, in de zin van twee nog steeds ongeschonden levens.'

10

Vergeef me, Cosima, maar ik voel een alarmerend verlangen om een lek-
kere, ouderwetse driftbui te krijgen, en ik vrees dat ik alleen hier, in een
van mijn vertrouwelijke brieven aan jou, een veilige plaats zal vinden
om zulk ongepast gedrag te uiten. Meneer Truebody is een raadsel. Ik
ben al te weten gekomen dat hij moeilijk te plezieren is, ik heb niet wei-
nig goede rapporten die ik bij zijn kantoor had ingediend moeten her-
schrijven. Vandaag was hij meer dan gewoon lastig; hij was onmogelijk.
Hij kwam op Escott Manor suggereren dat ik incompetent was, en het
bewijs daarvan was dat ik de politieman had ingeschakeld in de kwestie
van de komst van Katie MacFarland.

'Escott Manor Ziekenhuis voor Geestelijk Gehandicapten staat
onder mijn rechtsbevoegdheid, juffrouw Hamilton,' zei meneer
Truebody. Berrie vond zijn toon vandaag bijzonder irriterend,
zijn nasale toon was grover dan ooit. 'En onder mijn rechtsbevoegdheid alleen. Meneer Flegge heeft geen enkele verantwoordelijkheid – of moet ik zeggen, geen verplichting – om zijn tijd
te besteden aan een zoektocht naar een familie van een vrouw die
klaarblijkelijk precies daar hoort waar ze is achtergelaten.'

'Het is waar dat Katie MacFarland is achtergelaten, meneer
Truebody,' zei Berrie, 'maar kennelijk niet door haar hele familie.
Er is een broer...'

'Precies waarom u het onder mijn aandacht had moeten brengen. Het was onvergeeflijk om mijn kantoor te passeren.'

'Ik vond dat we geen tijd moesten verliezen om Katie's familie
te zoeken, en toen u weg was, leek de politieagent de volgende
voor de hand liggende keuze. We hebben ook Duff Habgood gevraagd naar haar familie uit te kijken terwijl hij het nieuws over

onze school brengt naar de mensen die van onze school op de hoogte moeten worden gebracht.'

Een van meneer Truebody's scheermesachtige wenkbrauwen ging omhoog, de ander bleef naar beneden gericht. 'Ja, u vertelde me van dat plan, en ik heb ermee ingestemd deze man één maand te geven voordat hij terug wordt verwacht om de plichten te vervullen waarvoor hij in dienst is genomen. Ik neem aan dat u hem dat duidelijk hebt gemaakt, of hij nu wel of niet geslaagd is in de twee missies die u hem hebt opgedragen?'

Berrie knikte. 'Ja. Eén maand – dat was de afspraak.'

Meneer Truebody stond op. Hij was een flink stuk langer dan Berrie, en had een smal gezicht en smalle schouders. Ze waren in de kleinste zitkamer op de begane grond. Het moest een aardige kamer zijn, maar op het moment voelde hij als een kast waar ze in gestopt was om een standje te krijgen.

Ineens glimlachte meneer Truebody. 'U bent jong en onervaren, juffrouw Hamilton, een feit waaraan ik mezelf moet herinneren. Hebt u uw lesje nu geleerd?'

Neerbuigendheid incasseren was haast even moeilijk als gecorrigeerd worden. 'Ik heb alleen één vraag, meneer Truebody. Als we in geval van nood uw kantoor niet mogen passeren, haalt u dan de brandweer als we die nodig hebben, of moet ik in dat speciale geval op mijn eigen oordeel afgaan en hem zelf inschakelen?'

Heel even was ze bang dat hij haar verholen cynisme doorzag, al had ze haar best gedaan om de vraag onschuldig te stellen.

Hij klopte haar op de schouder. 'Ik ga ervan uit dat u in het geval van een dergelijke tragedie twee boodschappers zult sturen. Eentje naar mij en eentje om hulp te halen.'

Ze knikte, en keek hem na toen hij vertrok. Ze was niet van plan zijn suggestie op te volgen. Iemand wegsturen die een emmer kon hanteren, alleen om meneer Truebody te waarschuwen? Pure dwaasheid.

★

In de weken daarna had Berrie tot haar dankbaarheid maar weinig contact met meneer Truebody. Nu de leerlingen begonnen te arriveren en inspecteurs en toezichthouders kwamen kijken of alles in orde was, besteedde meneer Truebody alle tijd die hij kon vrijmaken aan hen.

Berrie's dagen werden even zorgvuldig gepland als die van de leerlingen. Ze geloofde vast dat lichaam en geest nauw met elkaar verweven waren, en in die geest begon de dag met de versterking van het lichaam zodat de geest zou volgen. Leerlingen, personeel en verzorgers marcheerden in militaire orde, een talent dat door iedereen snel opgepikt werd. Berrie twijfelde er niet aan dat hun troepje elke echte soldaat de rillingen over de rug zou laten lopen, maar toen ze er allemaal in slaagden dezelfde kant op te gaan, vond ze het een prachtig gezicht.

Katie kon weliswaar voortreffelijk marcheren, maar bleek in het algemeen evenveel last te bezorgen als hulp. Afgezien van haar voorliefde voor praten had ze belangstelling, maar geen bekwaamheid, voor koken. Katie werd gefascineerd door het idee brood te bakken, maar op het moment dat ze haar handen in het meel stak verloor ze ieder voornemen tot bakken. Elke keer dat Berrie probeerde haar te helpen, had ze eerst een afkeer van de aanraking van meel om er daarna door geobsedeerd te raken, tot ze het meel over haar onderarmen en gezicht smeerde. Kennelijk irriteerde en verrukte het spul haar tegelijk, al kon Berrie in de verste verte niet begrijpen waarom.

Ze had de gewoonte aangenomen het meel weg te bergen, een maatregel die ze vroeg of laat toch zouden moeten nemen.

Daisy had vrijwillig aangeboden 's morgens en 's avonds verzorgster te zijn van de weinige meisjes onder de vijftien nieuwe leerlingen in huis, en had beloofd ook de meeste van haar huishoudelijke taken aan te houden. Tot Berrie's verrassing nodigde Daisy Katie uit in de meisjesslaapzaal, een verandering die Katie accepteerde na slechts één nacht in de slaapkamer die toch binnenkort nodig was voor het personeel. Kennelijk had ze de hele nacht last van het lege bed. In de meisjesslaapzaal waren geen lege matrassen, want alle extra bedden waren naar de jongenszaal aan de andere kant verhuisd.

Ondanks Katie's tevredenheid bleef ze Berrie zorgen baren. Ze zocht de leiding van God voor het vinden van Katie's broer. Misschien was hij buiten zichzelf van ongerustheid. Ze bad vurig dat hij snel gevonden werd en dat hij overgehaald kon worden om Katie te laten blijven. Als hij haar studiegeld wilde en kon betalen, zoveel te beter.

Berrie leerde tijdens hun dagelijkse stille tijd snel te bidden met open ogen, om de leerlingen in de gaten te houden. Vroom het hoofd buigen en complete stilte vragen voor gebed bleek onmogelijk als je omringd werd door mompelende leerlingen die voortdurend een oppassend oog nodig hadden. Na elke maaltijd en aan het einde van de stille tijd vroeg Berrie God om Duff thuis te brengen van een geslaagde missie en dat hij mocht luisteren naar de leiding die God hem zou geven bij zijn andere taak.

Onder het bidden gingen Berrie's ogen vaak naar Daisy. Het meisje scheen het moeilijk te hebben.

'Alstublieft, God, help me.' Vandaag hoorde Berrie haar weer fluisteren nadat Berrie amen had gezegd na hun avondgebed in de eetzaal.

Berrie nam Daisy nieuwsgierig op. 'Kan ik je ergens mee helpen, Daisy?' vroeg ze vriendelijk.

'Mij, juffrouw?' De woorden kwamen ademloos en snel, met ontzetting in haar ogen.

'Ja. Ik vraag me af of je iets dwars zit en of ik je kan helpen. Of je anders misschien naar iemand toe sturen die het wel kan.'

'O, juffrouw!' De tranen stroomden over Daisy's sproeterige wangen en ze deed geen poging om ze te verbergen of weg te vegen.

Berrie stond op van haar stoel om het meisje in een troostende omhelzing te sluiten. 'Het is goed, Daisy. Wat je ook dwars zit, we maken het goed. Wat is er?'

Ze snakte naar adem. 'O, ik durf het niet te zeggen!' De tranen bleven stromen.

Mevrouw Cotgrave, die aan elke kant een leerling naast zich had zitten, net als Berrie en Daisy daarstraks, schraapte haar keel. 'Neem Daisy maar even mee naar de gang, Berrie,' opperde ze zacht. 'Tranen zijn hier net zo aanstekelijk als een verkoudheid.'

'O, nee, mevrouw,' zei Daisy, die haar zakdoek pakte en haar gezicht afveegde. 'Het is al weer goed, hoor.'

Ze snufte nog een keer en zette een glimlach op. De weinige leerlingen die gezien hadden wat er gebeurd was, geloofden vast en zeker dat het een echte was.

'Als je ergens over wilt praten, hoef je maar naar me toe te komen,' zei Berrie. 'Dat weet je toch wel?'

Daisy knikte, ging weer zitten en richtte haar aandacht op het meisje naast haar. Hoewel het onderwerp schijnbaar afgedaan was, wierp Berrie nog een blik op mevrouw Cotgrave, die net zo verbaasd zat te kijken.

Het was moeilijk om ongerust te zijn over Daisy, al was ze ondoorgrondelijk. Ze was vriendelijk tegen iedereen, werkte hard en was behalve onder het bidden gewoonlijk vrolijk. Als Berrie ergens over moest klagen, dan was het dat ze te hard haar best deed om het goed te doen.

Eén ding stond vast: Berrie moest weten wat de oorzaak was van Daisy's nood onder het bidden. Ze wist dat het meisje katholiek was, maar in theologie was er geen verschil. Berrie kende het meisje niet goed genoeg om aan te nemen dat dat de enige reden was voor haar smartelijke gebed.

Had ze maar de wijsheid van God, de wijsheid om te weten hoe te reageren als het personeel even moeilijk te begrijpen werd als degenen die ze probeerde te dienen.

11

Onder het gerommel van een onweersbui ritste Rebecca die middag de grootste van de twee stukken bagage dicht. Ze trok de koffer van het bed en zette hem naast de deur van haar suite. Ze keek rond. De jasjes die ze tijdens de rondleidingen droeg konden blijven. Veel boeken op de plank waren van haar, maar ook die konden voorlopig blijven.

Ze kwam wel terug. Ze zou hier alleen niet meer wonen.

De bliksem trok haar blik naar het raam. Haar hart was veranderd in een draaimolen sinds Quentin haar gisteravond had gekust, maar elke keer als ze eraan dacht, werd de herinnering verpletterd door de logica. Vertrekken was zonder twijfel het enige wat ze kon doen. Ze kon haar baan uitstekend uitvoeren als ze niet met Quentin onder één dak woonde.

Ze pakte haar handtas en nam in elke hand een koffer, stopte toen de kleinste onder haar arm om de envelop te pakken die ze op haar nachtkastje had laten liggen. Ze kon hem onder zijn deur door schuiven, maar misschien was hij er om deze tijd van de dag en zag hij hem meteen. Dat schoot niet op. Ze hoopte weg te zijn voordat hij merkte dat ze vertrok.

Ze zou de envelop bij Helen achterlaten. Hoe pijnlijk het ook was om de huishoudster en haar man te laten weten dat ze naar het dorp vertrok, het moest gebeuren. Vandaag nog.

Beneden liet ze haar bagage naast de verandadeur staan en ging naar de keuken waar ze Helen vond.

'Hallo, Helen,' zei Rebecca. 'Ik kom een gunst van je vragen.'

Helen keek op van de groenten die ze stond te hakken. 'Als ik u kan helpen, graag.'

'Ik wil graag dat je deze brief aan Quentin geeft als ik weg ben.

Er is geen haast bij. Je kunt hem geven als hij gaat dineren, als je wilt.'

'Gaat u ergens heen, juffrouw?'

'Nou, ik ga in het dorp logeren,' zei Rebecca zo nonchalant mogelijk. 'Ik kom hierheen om te werken en al mijn gewone taken uit te voeren. Ik ga alleen in het dorp overnachten, waarschijnlijk de hele zomer.' *Of zolang Quentin in huis woont.*

'Wat – gaat u weg uit de Hall?'

'Slechts tijdelijk, en alleen 's avonds en 's nachts. Ik kom elke morgen terug om op de gewone tijd in mijn kantoor te zitten.'

'Maar dat lijkt me niet erg efficiënt, juffrouw, met die mooie kamer van u boven. Is er iets mis met de kamer?'

'Nee, nee. Het is een tijdelijke maatregel, Helen, niets om je zorgen over te maken.'

Toen draaide Rebecca zich om, want als ze dat niet deed, werd er misschien van haar verwacht dat ze een nadere uitleg gaf en dat ging niet. Ze liep haastig de keuken uit, door de balzaal naar de veranda, de snelste route naar de garage.

De regen was koud; dikke, zware druppels stuiterden van haar haar en schouders toen ze door de tuin liep. Ze had kunnen wachten tot het droog werd, maar ze was bang dat Helen het briefje te snel zou bezorgen. En als Quentin het wist, dan zou hij proberen het haar uit haar hoofd te praten – wat hij makkelijk voor elkaar zou krijgen.

De derde deur van haar Mini was zo klein dat de twee koffers nauwelijks op de weggeklapte achterbank pasten. Ze was vergeten er een doos met boeken uit te halen die ze pas van haar vader had gekregen, en haar tweede koffer wilde niet passen totdat ze de doos naar de voorbank schoof. Eindelijk slaagde ze erin de koffers naar binnen te krijgen, sloot de klep en stapte achter het stuur. Eindelijk reed ze achteruit de garage uit en kwam meteen weer tot stilstand. Iets – of iemand – kwam aanlopen achter de auto en ze waren bijna op elkaar gebotst.

Quentin.

Ze draaide het raampje open.

'Wat doe je?' Hij keek eerder ontsteld dan verrast.

Ze zette de auto weer onder het dak van de garage, naast Quentins Maserati. Maar ze stapte niet uit, ook niet toen hij het portier opendeed.

'Heeft Helen je mijn brief gegeven?' vroeg ze. 'Die verklaart alles.'

Hij veegde zijn gezicht af met een even natte onderarm en haalde haar envelop uit zijn zak. Hij was drijfnat van de regen.

'Ik heb er alleen even naar gekeken. Helen zei dat je naar het dorp vertrekt.'

'Ja, dat klopt.'

'Waarom? Heb ik vannacht niet bewezen dat ik een heer kan zijn? Ik ben je toch niet naar je kamer gevolgd.'

O jazeker wel. In haar gedachten tenminste. Ze verstrakte en wendde haar blik af van zijn vragende gezicht. 'Er is geen reden waarom ik niet net als de rest van het personeel zou kunnen komen en gaan.'

'Rebecca...'

Ze schudde haar hoofd en haalde een hand van het stuur om zijn protest af te weren. 'Zeg alsjeblieft niets, behalve dat je het goed vindt.'

Quentin liet het portier los en stak beide handen omhoog. 'Nou, ik vind het niet goed. Totaal niet. Ik vind dat we minstens de mogelijkheid van een relatie kunnen bespreken, Rebecca. Een relatie waarvan jij de regels zou bepalen, weet je nog?'

Ze knikte. 'Goed, dan heb je hier de eerste: we kunnen onmogelijk onder één dak blijven wonen.'

'Vanwege wat de mensen zullen zeggen als ze wisten dat we... bevriend zijn geraakt?'

'Nee. Geroddel kan me niet zo veel schelen.'

Even keek hij blij, toen fronste hij.

'Ben je bang dat ik er misbruik van zou maken dat we onder hetzelfde dak wonen?'

Rebecca moest onwillekeurig lachen, al was het zwakjes. Als ze hem liet weten hoe groot de vreugde was die ze had gevoeld sinds het moment dat hij haar had gekust, kon ze hem geen enkele regel meer opleggen. Toch moest ze hem de waarheid vertellen. 'Nee, Quentin. Het is dat ik mezelf zo weinig vertrouw.'

Hij kwam op haar toe, maar weer stak ze haar hand op en tot haar opluchting stond hij stil. 'Ik kon vannacht helemaal niet slapen,' bekende ze. Ze zweeg even en keek langs hem heen naar de plassen op het grind voor de garage. Op dat moment zag ze dat hij geen schoenen aan had, alleen witte katoenen sokken die grijs waren van de regen en de modder. Hij had vast koude voeten. Ze hield zichzelf voor dat ze op haar plaats moest blijven zitten, maar ze wilde wel zo uit de auto in zijn armen springen. Weer greep ze het stuur vast. 'Dit kan nooit werken.'

Hij sloeg zijn armen over elkaar. 'Ik heb ook niet veel geslapen, maar ik denk er totaal anders over. Ik zie reden te over om ermee door te gaan.'

Ze schudde haar hoofd. 'Ik denk dat jij maar één reden ziet, die alle redenen om te stoppen vertroebelt.'

Quentin lachte. 'Omdat ik jou wil? Ja, dat is een van de redenen. Niet de enige.' Hij maakte voorzichtig haar hand los van het stuur. 'Zullen we naar binnen gaan? Om erover te praten? Helen is aan het koken. Laten we samen dineren.'

Ze schudde haar hoofd. 'Het duurt nog een uur voordat het diner wordt opgediend. Je kunt me niet van gedachten laten veranderen, hoor. Ik ga.'

Hij trok weer aan haar hand. 'Maar niet nu meteen. Wacht tot na het eten. Laten we kijken of we niet een andere oplossing kunnen bedenken. Sinds je hier werkt, heb je nooit heen en weer gereisd. Ik zie geen reden om er nu mee te gaan beginnen.'

Eindelijk stapte Rebecca uit en op hetzelfde moment wist ze dat hij haar tegen zich aan zou trekken en dat iedere vastberadenheid die ze nog over had gevaar liep verloren te gaan. Ze liet toe dat hij haar nog een keer kuste en proefde de regen op zijn lippen.

De zwakke, vertrouwde geur van zijn dennenzeep vermengde zich met de buitenlucht.

Ze maakte zich los toen hij haar weer wilde kussen. 'Kijk, daarom, Quentin,' zei ze ademloos. 'Ik zou op dit moment heel hard die laan uit moeten rijden, en in plaats daarvan sta ik hier met jou te zoenen.'

'En dat is precies wat we allebei willen.'

Hij zou haar opnieuw gekust hebben, maar ze duwde met beide handen tegen zijn borst en schudde haar hoofd. 'Je bewijst precies dat ik gelijk heb, Quentin. Laat me los, of breng me naar het hotelletje. Nu.'

Langzaam gleden zijn handen weg van haar middel en hij knikte toegeeflijk. 'Zo,' zei hij. 'En kom nu mee naar binnen.'

Quentin kwam in beweging, maar zijn oog viel op de koffers in de auto. 'Je meende het echt, hè?' Hij opende het portier wijder en reikte naar de achterbank.

Zijn beweging leidde haar af van een antwoord. Ze vroeg: 'Wat doe je?'

'Ik breng je bagage naar binnen.'

Rebecca leunde op het portier, maar hij hield het tegen. 'Ik zei dat ik mee naar binnen zou gaan om mijn vertrek te bespreken, Quentin. Ik heb niet gezegd dat ik bleef.'

Hij liet haar het portier sluiten en lachte haar halfslachtig toe. 'Dus je wilt dat ik of die arme William Risdon straks weer de regen in moet om je koffers te halen, terwijl ik ze nu mee naar binnen kan nemen?'

'Ik blijf niet, Quentin.'

Hij boog zich naar haar toe, zo dicht dat ze dacht dat hij haar weer ging kussen. Maar hij stopte abrupt. 'Ja, Rebecca, je blijft wel. Hoe dan ook.'

'Als ik niet beter wist, Quentin,' fluisterde ze, 'zou ik zeggen dat een vrouw doodsbenauwd zou moeten worden van zulke woorden.'

Hij leunde tegen de auto en vouwde zijn armen weer over elkaar. Misschien had hij het toch wel koud met die natte sokken. 'Dan is het maar goed dat je me daar te goed voor kent. Wat ik bedoelde, was dat als er iemand moet vertrekken, ik het moet zijn. Ik reis toch al heen en weer en de cottage is maar een paar kilometer verderop.' Hij raakte haar wang aan en trok de haarlok weg die almaar over haar gezicht viel. 'Mijn vader reisde ook altijd heen en weer voordat mijn ouders getrouwd waren.'

'En wat zeg je dan tegen je moeder? Zij denkt dat je de hele zomer hier blijft. Je hebt haar laatst verteld dat de vogel je gezelschap nodig had.'

Hij gaf haar een knipoog. 'Misschien neem ik hem wel mee naar de cottage.'

Ze lachte.

'Maar ik ben van plan om het haar te vertellen.'

'Over... de vogel?'

Hij schudde zijn hoofd. 'Je weet wat ik bedoel. Dat jij en ik iets hebben.'

'Nee, Quentin. We moeten eerst praten. Dit is geen goed idee, niets van dat al.'

Hij boog zich weer dichter naar haar toe. 'Ik ga je nu kussen, Rebecca. En als jij de verleiding kunt weerstaan om me terug te kussen, dan geloof ik je misschien.'

Hij kwam in beweging, dus ze deed een stap naar achteren en erkende met een hoofdbeweging dat ze verslagen was. 'Goed, ik moet toegeven dat er iets... sterks tussen ons is. Maar ik ben ervan overtuigd dat het niets wordt, en tot je me van het tegendeel kunt overtuigen, vind ik echt dat we dit voor onszelf moeten houden.'

'Te laat. Helen vermoedt waarschijnlijk iets door de manier waarop ik achter je aan vloog.'

Weer keek Rebecca naar zijn doorweekte sokken. 'We moeten haar vertellen dat we niet willen dat de rest van het personeel het weet.'

Hij opende het portier weer om haar bagage uit de auto te halen. Dit keer hield ze hem niet tegen.

'Geheimen zijn moeilijk te bewaren, Rebecca. Vooral als iemand ziet dat ik achter je aan loop. En ga me niet vertellen dat ze niets zullen merken,' voegde hij eraan toe met haar beide koffers in de hand, 'als je me uit de Hall verbant.'

'Het kan zo ver komen.'

'Nee, Rebecca, dat gebeurt niet. We sluiten de boel nog eerder.'

Ze twijfelde er niet aan dat hij het meende.

12

Ik moet zeggen, Cosima, dat de dagen hier in Ierland sneller gaan dan alle dagen die ik thuis heb doorgebracht. (En ik moet toegeven dat het veel meer voldoening geeft dan zitten wachten tot er een huwelijkskandidaat aan de deur komt, die ik overigens toch zou wegjagen met mijn scherpe tong.) Ik weet niet of ik mezelf leerling of lerares moet noemen, want ik leer zo veel. Ik kijk toe hoe het personeel de kinderen eenvoudig leert timmeren, mandvlechten en zelfs bestraten. Mijn eigen lessen hebben zich van taalonderwijs naar een soort kunstonderwijs ontwikkeld. We proberen bekende voorwerpen en kleuren te benoemen door mijn tekeningen en laten de kinderen daarna een eigen tekening maken. Je wordt er blij van! Katie heeft verrassend veel tekentalent. Ik zal haar vragen speciaal voor jou iets te tekenen, dan stuur ik het je op.

Het is elke dag al laat als ik mijn brieven aan jou schrijf. Ik heb de gewoonte aangenomen om het huis heen te wandelen als iedereen naar bed is, gewoon om te kijken of alles in orde is. De avondlucht is zo verrukkelijk en ik hou zo van de rust na een lange dag schreeuwen en blèren, gillen en krijsen (hoe aardig die geluiden soms ook kunnen zijn!). Met mijn vermoeidheid komt het gevoel dat ik iets bereik. Ik weet dat we veel te doen hebben en dat er nog veel voor ons ligt, maar de dagen eindigen in vrede. Ik sta nu op het punt om mijn wandeling te gaan maken.

Cosima, ik was vast van plan om na mijn wandeling naar bed te gaan en misschien nog een enkel woord aan deze brief toe te voegen, maar ik werd gestoord. En vanwege die verstoring ben ik nu klaarwakker, met meer dan genoeg energie om je te vertellen wat er net gebeurd is. Ik kan het niet geloven!

'Juffrouw Berrie? Ik – ik zou u graag even willen spreken, als het mag.'

Berrie hoorde gekrabbel aan de deur en de gefluisterde woorden. Toen ze de deur opendeed, zag ze Daisy staan, gekleed om uit te gaan. Geen hoed, alleen handschoenen en een cape, met een klein tasje in haar hand.

'Daisy? Het is laat. Ga je ergens heen?'

Ze knikte. Haar ronde gezicht, zo jeugdig met de sproeten, toonde dezelfde ontroering als onder het bidden.

'Ik – ik heb een geheim, juffrouw. Ik weet alleen niet hoe ik het u moet vertellen.'

Berrie glimlachte bemoedigend. 'Je kent me toch zeker goed genoeg om te weten dat je niets te vrezen hebt als je me iets vertelt.'

Het meisje sloot haar ogen alsof ze klepjes dichtdeed tegen opkomende tranen.

Berrie pakte de gehandschoende handen van het meisje, die het kleine tasje haast fijnknepen. 'Wat het ook is, Daisy, je moet het vertellen.'

Daisy deed haar ogen open en pakte Berrie's hand, het tasje nog tussen hen in. 'U moet vanavond met me meegaan, juffrouw. Dan komt u te weten wat er aan de hand is.'

Het was bijna middernacht, een tijdstip waarop angst makkelijk naar boven komt. Maar die angst werd al snel verdrongen door nieuwsgierigheid. 'Waar wil je me mee naartoe nemen?'

'Niet ver, dat beloof ik u.'

'Goed dan, Daisy. Ik ga met je mee. Geef me alleen even de tijd om mijn schoenen aan te trekken.'

'Ja, juffrouw. Dan kom ik te laat, maar dat geeft niet. Hij wacht wel.'

De moed zonk Berrie in de schoenen. Als ze één ding vreesde, dan was het wel een schandaal. 'Hij?'

'U ziet het wel, juffrouw. Maar we moeten ons haasten.'

Het duurde niet lang of Berrie vertrok met Daisy uit het huis, zonder te letten op alle verstandige gedachten zoals die ene die erop aandrong dat ze iemand vertelde dat ze wegging.

'Je moet me vertellen waar we heen gaan, Daisy,' zei ze toen ze langs de stallen liepen. 'Als het ver is, kan ik zonder hulp van Jobbin met paard en wagen omgaan.' Het was niet nodig om de stalknecht wakker te maken; hoe minder mensen afwisten van hun nachtelijke escapade, hoe beter. 'Als jij de paarden vasthoudt, kan ik ze denk ik wel inspannen.'

'We gaan alleen maar de laan af, juffrouw, om iemand te ontmoeten.'

'Wie dan?'

'Ik weet zijn naam niet, anders zou ik het u vertellen. Misschien is het zelfs iemand anders dan de laatste keer.'

Berrie legde een waarschuwende hand op Daisy's arm en het meisje stond fronsend stil. 'We zijn al laat, juffrouw.' Ze begon weer te lopen en Berrie kon niet anders dan haar volgen.

'En we komen nog later als je me niet vertelt waar het om gaat. Je ontmoet een man? Met welk doel?'

'Lieve help, niet voor iets onfatsoenlijks, juffrouw. Ik geef hem gewoon een brief en hij neemt hem aan, dat is alles.'

'Wat voor een brief?'

Daisy klopte op haar tasje. 'Zo eentje als in mijn tasje zit, hier. Voor Katie's zuster.'

Berrie stond nu helemaal stil, maar toen Daisy met grote passen doorwandelde, moest Berrie draven om haar in te halen. 'Katie's zuster? Weet je dan wie dat is?' Berrie hield Daisy tegen tot ze stilstond. Het meisje weigerde op te kijken van de donkere grond. 'Ken je Katie's familie? Heb je hen al die tijd gekend?'

Daisy knikte.

'En de brief? Waar gaat dit over?'

'Ik heb om de veertien dagen een brief geschreven over Katie's welzijn. Juffrouw MacFarland betaalt me om een oogje in het zeil te houden.' Eindelijk keek ze Berrie aan. 'Ze wilde van Katie af, maar ze wil graag dat ze veilig is.'

'Weet haar broer iets van dit alles?'

'Nee, nee!' Ze klemde het tasje tegen haar hart en week achteruit. 'Als hij het wist, zou hij me laten verbannen naar de andere kant van de aarde, dat staat vast. En hij kan het doen ook, met al die advocaten en hoog opgeleide mensen die hij kent. Ja, hij heeft zelfs een schip om me op te zetten!' Ze liet het tasje bungelen aan zijn riempje om beide handen vrij te maken en Berrie's armen vast te grijpen. 'U moet het hem niet vertellen, juffrouw, anders komen er moeilijkheden van. Ik wilde het u niet laten weten; ik probeerde het voor me te houden, maar elke keer als u ervoor bad, voelde ik de Geest op me, ondraaglijk zwaar.'

'Maar Daisy! Uit wat Katie over hem heeft gezegd, maak ik op dat haar broer zich geen raad zal weten van ongerustheid. Denk je niet aan zijn gevoelens? Hij zal je dankbaar zijn als je Katie thuisbrengt of minstens graag willen weten dat het goed met haar gaat.'

'Dat is de taak van Innis MacFarland; dat heeft ze zelf gezegd. Ze zei dat ze zou zorgen dat hij niet ongerust hoefde te zijn.'

'En vertrouw je erop dat ze dat doet? Ze heeft een web van leugens opgezet, allemaal om van haar eigen lieve zusje af te zijn.'

'Ja, lief; en ook een last. Vooral als een zekere huwelijkskandidaat zo'n zusje niet kan verdragen.'

Berrie kromp ineen bij die woorden. 'In elk geval is ze Katie's zus, of ze het leuk vindt of niet. Geef hier die brief.'

Daisy viste langs het trekkoord en haalde een opgevouwen vel papier tevoorschijn. Er zat niet eens een envelop omheen. Berrie draaide zich om en liep terug in de richting van het huis.

'Maar we moeten de boodschapper spreken, juffrouw. We zijn al te laat. Wie weet wat er gebeurt als hij geen brief krijgt?'

'Misschien maakt die Innis zich dan genoeg zorgen om hierheen te komen en met eigen ogen te zien hoe haar zusje vaart. Dat lijkt me een uitstekend idee.'

'Of ze vertelt haar broer allerlei verhalen zodat hij op ons af komt!'

Berrie draaide zich met een ruk om. 'Waarom ben je zo bang voor die broer? Ken je hem?'

'Niet zo goed dat hij zich mij zou herinneren, juffrouw. Ik was vroeger dienstmeisje van de landeigenaar die naast hen woont. Zo heb ik juffrouw MacFarland ontmoet.'

'Aha. Ze moest iemand in dienst nemen die Katie niet kende, hè?'

Daisy knikte. 'Ze zou mijn band met haar familie binnen de kortste keren hebben rondgebazuind, als ze ervan had geweten. Ze kan geen gedachte voor zich houden, al is het in haar eigen voordeel.'

'En jij vindt dat het in haar voordeel is dat ze hier blijft en niet naar huis gaat naar haar broer en zus?'

'Natuurlijk, juffrouw, anders had ik nooit met het plan ingestemd.'

'Waarom? Het klinkt alsof het eerder in Innis MacFarlands voordeel is dan in Katie's voordeel. Ze wilde van een lastig zusje af, een zusje voor wie ze zich schaamt tegenover haar vrijers, of iets dergelijks.'

'O, u hebt het goed begrepen, juffrouw. Maar Katie wilde weg. Ze is hier misschien geen echte onderwijzeres, maar ze voelt zich nuttiger dan ze zich thuis ooit gevoeld heeft. Ze is slim genoeg om dat te weten.'

Berrie keek naar de deur van het huis en draaide zich om naar Daisy. Wat moest ze doen? *God, help me!*

'Je bent erin geslaagd het probleem naar mij toe te schuiven, Daisy,' zei Berrie en haar eigen gebed was een echo van het gebed dat ze Daisy had horen uitspreken. 'Maar we moeten doen wat goed is. We moeten contact zoeken met Katie's broer, en als Katie hier inderdaad beter af is dan thuis, dan is het onze taak om hem daarvan te overtuigen.'

Daisy zette grote ogen op. 'Moeten we hem vertellen dat het verkeerd was om haar haar hele leven thuis te houden?'

Berrie knikte. 'Als hij oprecht van haar houdt, zoals Katie kennelijk gelooft, zal hij beseffen wat het beste voor haar is.' Ze zette nog een stap in de richting van het huis. 'In elk geval is het niet aan ons om een besluit te nemen. We zijn Katie's verzorgers niet, tenminste niet die aan wie God haar heeft gegeven. We moeten hen laten beslissen.'

Berrie deed de deur open en liet Daisy voorgaan, met een blik over haar schouder voor het geval de boodschapper hen in het oog gekregen had. Er was niemand te zien.

Ze zou een nieuwe brief schrijven, maar niet aan Innis MacFarland via een anonieme boodschapper. Nee, deze werd verstuurd bij het eerste licht van de dageraad – rechtstreeks gericht aan Katie's broer.

13

In de Hall verdween Quentin nadat hij Rebecca's bagage weer naar boven had gebracht om droge kleren aan te trekken. Ze spraken af in de bibliotheek.

Ze dronk de hete thee waar Helen voor had gezorgd en liet het kalmerende aroma en de warmte haar opstandige innerlijk tot rust brengen. Helen had de thee neergezet zonder een woord te zeggen, zonder één enkele vraag, maar Rebecca kon wel raden dat ze er meer dan genoeg had.

Even later verscheen Quentin op de drempel. Hij zag er op zijn gemak uit in een schone katoenen broek, een blauw overhemd dat bij de kleur van zijn ogen paste en ongetwijfeld droge sokken in zijn bruine leren schoenen.

Ze hield haar kopje voor zich, de eerste verdedigingslinie. Hij kwam voor haar staan, raakte haar arm aan en kuste haar op de wang.

'We moeten praten, Quentin, maar eerst wil ik je bedanken dat je gehoor geeft aan mijn wens om niet onder één dak te wonen. Dat betekent erg veel voor me.'

Quentin ging zitten. 'Ik respecteer het dat je God wilt eren in alles wat je doet en het zou mijn zaak geen goed doen als ik geen oog had voor dingen die voor jou belangrijk zijn, hè? Je hebt gekozen wat je gelooft en je wilt dat weerspiegeld zien in je leven. Dat is een van de dingen die ik het meest in je bewonder. Vooral omdat ik hetzelfde geloof als jij.'

'Is dat zo, Quentin? Echt waar?'

'Ik kan het je niet kwalijk nemen als je sceptisch bent. Ik ben vaker in het gezelschap van mijn moeder geweest dan van mijn vader, daarom denk je dat ik net zo ben als zij. Dat is niet waar.'

Rebecca zette haar thee opzij en ging naast hem zitten. 'Ik wil graag de redenen horen waarom jij denkt dat het goed kan gaan, Quentin, en dan zal ik je alle redenen noemen waarom dat niet zo is. Laten we eens kijken welke lijst langer is.'

'Lengte is niet altijd de bepalende factor,' zei hij. 'Gewicht – dat is een heel ander verhaal.' Hij keek haar een ogenblik onderzoekend aan, met een licht in zijn blauwe ogen dat ze nooit eerder had gezien. Intiem, eerlijk en aandachtig, keken ze langs haar ogen en hart heen, recht in haar ziel. 'Toen ik Cosima's dagboek las, bevestigde het voor mij dat bepaalde mensen voor elkaar bestemd zijn. Als we hetzelfde geloof delen, Rebecca, waarom zouden we dan niet samen een toekomst kunnen beginnen?'

'Je moeder zal bezwaar maken tegen alles wat er tussen ons zou kunnen zijn, Quentin. Dat moet je toch weten.'

'Het is niet belangrijk.'

'O, jazeker wel. Jij bent alles wat ze over heeft; ze zal niet willen dat je van haar vervreemd raakt.' Rebecca pakte haar thee weer op.

Hij fronste. 'En dus vind je dat ik haar zin moet doen? En een of andere hersenloze snob trouwen?'

'Natuurlijk niet.' Ze grinnikte. 'Geen hersenloze in elk geval.'

Hij reageerde niet op haar voorzichtige poging tot een grapje. 'Ik geef toe dat mijn moeder enigszins een uitdaging zal zijn, maar geen hindernis voor mijn geluk. Ze zal uiteindelijk wel bijdraaien.'

Rebecca hield zijn blik vast, ze moest nog een vraag stellen, maar wist niet goed hoe ze het onderwerp aan moest snijden. Had ze maar meer tijd gehad om dit soort dingen te oefenen… maar voor gisteravond was het bespreken van een relatie met Quentin Hollinworth het laatste wat ze had verwacht.

'Ik betwijfel of lady Caroline hersenloos was.' Ze fluisterde het. Een deel van haar wist dat het dwaas was om erover te beginnen, maar ze kon het niet binnenhouden.

Hij nam een slok thee en boog toen naar voren. Nu stak hij

geen hand naar haar uit. 'Ik had verwacht op zeker ogenblik over vroegere relaties te praten, Rebecca. Ik wist niet dat het zo gauw zou zijn.'

'Ik… wil niet nieuwsgierig zijn,' zei ze, 'maar het lijkt me dat lady Caroline een betere partij voor je zou zijn dan ik.'

Hij keek haar aan met een mengeling van geamuseerdheid en ontsteltenis. 'Ik heb je eens tegen Helen Risdon horen zeggen dat ze niet moest letten op artikelen in de roddelbladen. Ben je er nu zelf slachtoffer van geworden?'

Nooit van haar leven zou ze hem laten zien dat er een stapel in haar bureau lag.

'Caroline en ik hadden een aantal jaar geleden veel gemeen,' zei hij. 'Maar na een poosje leek dat niet te kloppen.'

'Waardoor is daar verandering in gekomen?'

'Ik weet het eigenlijk niet. Nadat mijn vader en mijn broer gestorven waren, leek het duidelijk dat Caroline en ik niet zo goed bij elkaar pasten als iedereen wel dacht. Toen ik vraagtekens begon te zetten bij God en de Bijbel en waar mijn vader en mijn broer nu waren, was ze niet in het minst geïnteresseerd. Ze ging voor mijn plezier nu en dan mee naar de kerk, maar ze heeft een soort blindheid als het gaat om alles wat verder gaat dan het hier en nu. Naar de kerk gaan is een kwestie van burgerzin, niet iets persoonlijks. Haar toekomst gaat niet verder dan wat deze wereld haar te bieden heeft. Zelfs mijn moeder heeft nog meer geloof.'

'Wat verdrietig,' zei Rebecca. 'Maar je weet dat je moeder alleen maar een samenvatting is van het probleem tussen ons, Quentin. Ik heb geen belangstelling voor jouw sociale omgeving. Jij verkeert in Londen en in de cottage in kringen waar ik nooit deel van zou kunnen uitmaken. Overal om je heen fotografen die plaatjes schieten, nooit een gedachte voor mezelf.' Ze huiverde. 'Ik snap niet hoe je het verdraagt.'

'Besef je dat je met die opmerking meer met mijn moeder gemeen hebt dan je dacht?'

Ze schudde haar hoofd. 'O, ik geef toe dat ze misschien geen journalisten op haar feestjes wil laten rondneuzen, maar of ze wil of niet, dat is de kring waar ze heel graag deel van uit wil maken. Ze is door en door aristocratisch. Apart gezet in dit menselijk koninkrijk waar slechts een klein deel van de bevolking echt toe behoort.'

'Een snob.'

Haar zwijgen bevestigde het.

'Maar jouw kring dan, Rebecca – dat is een heel ander verhaal. Zijn daar geen snobs te vinden?'

'In mijn kring? Ik wist niet dat ik een kring had.'

'Ik mag dan een Cambridgegraad hebben die gelijkwaardig is aan de jouwe, Rebecca, maar jij bent degene met het aanzien. Als mijn cirkel vol sociale snobs is, dan is de jouwe vol intellectuele snobs.'

Ze staarde hem stomverbaasd aan. 'Zie je me zo?'

'Nee. Maar van onze twee cirkels is de jouwe het moeilijkst binnen te dringen.'

'Dat is niet waar, want het enige wat je hoeft te doen, is naar school gaan. We kunnen niet ons best doen om in de adel geboren te worden.'

'Je hebt het verkeerde bloed, dus je bent voor altijd gescheiden; zit het zo?'

'Dat is toch duidelijk?'

'Je hebt een heel ouderwetse kijk op de dingen, Rebecca. Mijn moeder en jij lijken meer op elkaar dan jullie beseffen. Ik kan je een groot aantal vriendinnen van mijn moeder noemen die ervoor gekozen hebben om te trouwen met iemand van buiten de adel.'

'Dat kan wel zijn, maar zij wilden bij die kring horen; ik niet.'

'Wie is er nu een snob?'

'Noem het maar wat je wilt. Je ziet toch in wat het probleem is?' Rebecca was gekrenkt door zijn woorden. Hoe kon hij zoiets eigenlijk denken? Ze had zichzelf nooit gezien als een snob van welke soort dan ook, een intellectuele het minst van al.

Hij zette zijn thee opzij om haar handen te pakken. 'Heb ik je gevoelens gekwetst? Dat was niet mijn bedoeling. Ik wilde alleen een paar negatieve punten weerleggen die ik op je lijstje had verwacht. Zullen we terugkeren naar de positieve punten? We hebben al bewezen dat we goed met elkaar op kunnen schieten – we hebben drie jaar lang goed samengewerkt.'

'Niet precies samen,' bracht ze naar voren. In die drie jaar had hij waarschijnlijk nog geen zes maanden onder dit dak doorgebracht. Elk jaar een maand in de zomer en een maand tijdens de feestdagen.

'Dus hoe staat het ervoor met ons? Je kunt niet zeggen dat je een ander geloof hebt dan ik, al geef ik toe dat ik nog wel wat te leren heb. Opnieuw te leren, eigenlijk. Ook respecteer ik je en ik neem als vanzelfsprekend aan dat je mij ook respecteert, aangezien we drie jaar lang uitstekend zaken met elkaar hebben gedaan. Gemeenschappelijk geloof, respect, wederzijdse aantrekking. Dat moet meer zijn dan de meeste huwelijken vandaag de dag hebben, in elk geval degene die ik heb waargenomen. Je kunt de kans niet laten schieten om het nader te onderzoeken.'

'Jawel, als ik echt geloof dat de uitkomst uiteindelijk alleen maar pijn zal doen. En eerlijk gezegd, Quentin, kan ik me geen ander resultaat voorstellen.'

Hij kwam dichterbij en zijn knie streek langs de hare. 'Rebecca, wat voel je?'

Rebecca raakte in de greep van een positief gevoel, dat gewichtiger was dan haar hele waakzaamheid. Geloof zou de enige echte hindernis zijn geweest, maar als Quentin had geantwoord op de roep van God in zijn leven, dan was hun toekomst niet tegen te houden.

'Ik voel... hoop,' zei ze tegen hem, 'of ik wil of niet.'

Hij boog zich naar haar toe en zij naar hem, om elkaar te kussen. Als dit waar was, dan waren ze nu niet meer te stuiten.

14

Er zijn dagen dat ik het te druk heb om te eten, al breng ik lange tijd
aan de eettafel door. Als je onder het eten iemand anders helpt, is het
lastig om zelf een hapje te eten. Mijn moeder, Cosima, zou haar hoofd
schudden als ze ons hier aan tafel kon zien. Het is lawaaierig, rommelig,
vaak wordt er gehuild of iets dergelijks, vooral door degenen die uiterst
gevoelig zijn voor geluiden, geuren, smaken en substanties. Ik heb me-
zelf er grondig in geoefend om eten naar binnen te zien gaan en meteen
weer naar buiten te zien komen. Vergeef me het beeld, maar ik kan
tegenwoordig over de meest buitengewone dingen praten. Ik betwijfel of
ik ooit weer in staat zal zijn aan de keurige tafel te zitten bij douairière
Merit; ik ben bang dat ik ofwel degene die naast me zit begin te voeren,
of liefdevol maar al te eerlijk over mijn leerlingen zal praten.
Misschien geeft dit je een idee van onze maaltijden hier, precies het mo-
ment van de dag waarop we hopen geen bezoek te krijgen...

'Kijk nu eens wat je hebt gedaan!'

De kreet die het andere lawaai overstemde, kwam van Katie Mac-
Farland. Ze zat tussen Annabel, die op haar plaats heen en weer
wiegde hoewel ze op een rechte stoel zat, en Tessie, die zelfs met
eten in haar mond zat te neuriën. Als de twee meisjes die zichzelf het
beste konden helpen, waren zij aangesteld als Katie's 'pupillen'.

Een van hen had haar glas omgegooid, te oordelen naar de plas
water op tafel. Berrie boog zich over de tafel om het op te deppen
met haar servet.

Katie staarde naar de donkere vlekken op haar schort. Onbe-
langrijk voor Berrie, maar voor Katie allesbehalve.

'Katie,' zei Berrie kalm, 'doe je schort af. Je zult zien dat je jurk
die eronder zit helemaal droog is.'

De jonge vrouw bleef roerloos naar de druppels zitten staren alsof het haar eigen bloed was. Berrie had dit gedrag eerder van Katie gezien en wist dat het zo overging. En dus wachtte ze.

Er brak opschudding uit aan de andere kant van de tafel. 'Hij heeft mijn brood gepikt! Hij heeft mijn brood gepikt!' Het jongetje barstte in tranen uit.

Ondanks dat mevrouw Cotgrave er in een ogenblik bij was, deden de tranen een golf van beroering door de zaal gaan. Er werd gekreund, gejammerd en gedreind, het lawaai was zo enorm dat de rust voorlopig niet zou weerkeren.

'Tijd om hen uit elkaar te halen,' riep mevrouw Cotgrave boven het tumult uit.

Dat klonk op z'n minst ongerijmd in het strijdgewoel, maar Berrie was het met haar eens. Ze nam de twee jongens naast zich, de een snikte en de ander hield kermend zijn handen over zijn oren. 'Wij eten de rest van onze lunch in de hal, hè jongens?'

Onder het lopen rook Berrie het al, iets wat vaak gepaard ging met emotionele beroering. Een van de jongens had het toilet niet gehaald.

Zodra ze had bepaald wie er verschoond moest worden, dook er een nieuw geluid op, dit keer niet uit de eetzaal. Een klap weerkaatste van de ingang van het huis, alsof de deur was opengegooid en tegen de muur erachter was geslagen. Een onbekende harde mannenstem bulderde door de lege hal. Berrie verstond geen woorden, maar zo te horen was hij woest.

Op dat moment gilde Katie luid en duidelijk boven alle andere wanklanken uit.

Mevrouw Cotgrave kwam de eetzaal uitgestormd en Berrie volgde haar haastig. Ze stond alleen even stil om de ene dreinende twaalfjarige bij een verzorgster achter te laten en nam degene die verschoond moest worden mee. Hij begon almaar harder te jammeren.

'Katie!' De stem van de onbekende was dichterbij, en er klonk nu wanhoop in door. 'Katie MacFarland!'

'Luister eens even...' begon mevrouw Cotgrave krachtig en scherp, het schalde door de gang, maar ze zweeg abrupt. 'We hoeven hier toch niet door de gangen te schreeuwen, wel... meneer?'

Berrie zag de onbekende voor het eerst. Het was ongetwijfeld angst die mevrouw Cotgrave de lust benam. Berrie voelde er zelf een spoor van door de grote, donkere indringer met zijn Gaelic ruigheid. Had hij Katie geroepen?

Hij was stellig Katie's beschermer, gestuurd door de tegen de Engelsen vechtende Ier die vond dat vrouwen thuis moesten werken met kinderen aan hun rokken. Zijn blauwe ogen speurden door de entreehal als bliksemschichten en bleven op haar rusten. In die ogen zag ze een mengeling van woede en ongerustheid. Maar het blauw kwam haar bekend voor. En ongerustheid. Voor het eerst werd ze onzeker. Was deze man gestuurd door de broer... of was hij de broer zelf? *God, help ons.*

'Waar is ze?'

'En u bent, neem ik aan, gezonden door de familie MacFarland?' vroeg Berrie. Ze hield haar rug recht, vastbesloten hem niet te laten vermoeden hoe bang ze was.

'Waar is ze?' Hij deed een stap naar voren, met woorden zowel als lichaamstaal een antwoord eisend. Hij keek langs haar heen en trok zijn neus op. Hij rook natuurlijk het jongetje naast haar. Ze wist dat de indringer niet meer kon zien dan de schemerige nis van de gang die naar de eetzaal voerde. De jongen naast Berrie begon nog harder te huilen. 'En houd jij op met dat kabaal?'

Nog een stap en de man stond zo dichtbij dat hij Berrie's hele blikveld vulde en haar granieten ruggengraat verbrokkelde. Ze deinsde achteruit en trok het jongetje, dat nu brulde, dichter tegen zich aan. Ze wilde hem vertellen waar Katie was, maar haar stem had het begeven. Mevrouw Cotgrave kwam naast haar staan en nam het jongetje uit Berrie's beschermende omhelzing.

'Deze kant op, mijn jongen,' zei mevrouw Cotgrave weer met haar eigen stem, en ze nam hem mee.

'Simon, ben jij dat?'

Katie's stem rees boven het tumult in de eetzaal uit. In een oogwenk veranderde de man van toornig in verlangend. Hij drong langs Berrie heen en stormde naar Katie's zojuist opgedoken gestalte. Vlak voor haar stond hij stil. Hij stak zijn armen uit, en liet ze weer naast zich neer vallen. Berrie voelde dat hij Katie in zijn armen had willen klemmen, maar wist wat Berrie te weten was gekomen: ze werd niet graag aangeraakt. Noch door meel, noch door mensen. Zelfs niet door haar broer, die deze man vast en zeker was.

'Katie! Gaat het goed met je?'

'Kun je me helpen met mijn schort? Ik wil het niet meer aan.' Ze draaide zich om en zei over haar schouder: 'Het is daar een lawaai.'

Berrie snelde door de gang op hen toe. Het lawaai in de eetzaal begon net te bedaren toen Daisy en Charles hun pupillen meenamen naar de keuken. Algauw waren er nog maar vier jongens over die weer begonnen te eten, één verzorger bij hen, en Katie's twee leerlingetjes die allebei waren opgehouden met huilen en nu zaten te eten alsof er niets gebeurd was.

Nu Katie haar natte schort af had, glimlachte ze. 'Dit zijn Annabel en Tessie, mijn twee leerlingen.' Geen van beiden reageerde; Annabel bleef wiegen en eten, Tessie bleef neuriën en staren.

'Katie, ik ben ongerust over je geweest.' De stem van de man klonk onvast en hij bleef achter haar staan toen ze ging zitten om verder te eten. 'Waarom ben je weggegaan zonder me te vertellen waar je heen ging?'

'Onze zus zei dat ze het je zou vertellen van mijn baan, dat je heel blij zou zijn omdat ik werk, net als jij. Ben je niet blij?'

'Ik weet het niet.' Hij hield nog steeds het vuile schort vast en Katie keek naar beneden om haar vlekkeloze schoot te inspecteren. Hij leek onzeker wat te doen met het vochtige kledingstuk en eindelijk kwam Berrie weer tot haar verstand, stak haar hand uit en nam het van hem aan.

'Misschien kunnen we in de bezoekkamer gaan zitten,' opperde

Berrie, na een stil dankgebed dat de herrie afgelopen was. Ned, de verzorger die achterbleef in de eetzaal, redde het wel nu de maaltijd bijna ten einde was. Mevrouw Cotgrave kon elk moment terugkomen.

Berrie voerde Katie en haar broer mee naar de kamer waar families afscheid namen van de leerlingen die ze achterlieten. Zelfs in die korte tijd had Berrie een breed scala van emoties bij de leerlingen gezien, van onverschilligheid tot diep afgrijzen, of hartverscheurend verdriet tot simpel, vrolijk zwaaien. Ze had geen idee hoe deze man en Katie zich zouden gedragen, en of het een afscheid werd tussen de twee of tussen Katie en haar.

In de salon ging Katie bij de haard staan en glimlachte. Zonder Berrie's kant op te kijken, zei de man over zijn schouder: 'Ik zou graag alleen zijn met mijn zusje, als u het niet erg vindt.'

Berrie keek naar Katie, aarzelend om de man meteen zijn zin te geven.

'Juf Berrie is mijn vriendin, Simon,' zei Katie. 'Ze komt uit Engeland, maar ze is helemaal geen tiran. Ze probeert me niet te onderdrukken of iets van me af te pakken, geen eten of iets wat ik had meegebracht. Weet je zeker dat de Engelsen zo vreselijk zijn, Simon? Ik heb geprobeerd haar te haten toen ze vertelde dat ze uit Engeland kwam, maar het was te laat want toen was ze mijn vriendin al. Ik ben pas een paar dagen geleden te weten gekomen dat ze uit Engeland kwam. Mevrouw Cotgrave komt er ook vandaan, en ze is ook aardig voor me geweest, al is ze niet zo knap.'

'Daar ben ik blij om, Katie.' Toen wierp hij Berrie een vluchtige blik toe. 'Laat u ons alleen?'

'Natuurlijk.'

Ze liep naar de deur en Katie zei: 'Je moet haar niet wegsturen, Simon. Ze is mijn vriendin.'

Terwijl Berrie de deur achter zich dichtdeed, hoorde ze Simon zeggen: 'Daar ben ik blij om. En nu wil ik dat je me de waarheid vertelt, net als ik altijd doe. Heeft iemand je pijn gedaan terwijl je weg was?'

Berrie deed de deur dicht. Ze hoefde niet langer te luisteren. Katie loog nooit.

15

Rebecca keek toe vanuit de hoek van de galerij. Het was een lange, nogal smalle ruimte, vol familieportretten en een greep uit kunstwerken uit de renaissance tot het impressionisme, van obscuur tot beroemd. Onder de beroemde werken waren schilderijen van Rubens en Monet, en Engelse werken van Gainsborough en Hogarth – een verzameling van die kunstenaars waarmee alleen het museum in Cambridge kon wedijveren.

Maar vanmiddag waren het niet de kunstwerken die haar boeiden. Het was Quentin, die een groep toeristen begroette die zojuist de huis- en tuinrondleiding had gedaan. Ze kwamen uit de gouden salon waar Edward de Zevende, destijds nog bekend als de Prins van Wales, de laatste eer was komen bewijzen toen Peter Hamilton in 1900 was gestorven. Hij had lovend gesproken over Peters bijdrage aan het voortschrijden van de wetenschap door de vele fossielen die hij aan het Londense museum had geschonken. De rondleiding eindigde in de galerij, waar ze nu waren.

In de afgelopen twee weken had Quentin de verrassende gewoonte aangenomen zich te mengen onder de mensen die Hollinworth Hall bezochten. Rebecca genoot van de rondleidingen als nooit tevoren, nu ze zag dat Quentin er ook plezier in had. Als hij haar hoopte te bewijzen dat hij meer van zijn vader had dan van zijn moeder, dan slaagde hij daar volkomen in. Quentin was twee weken geleden naar de cottage verhuisd, maar zijn moeder was er niet toen hij arriveerde, ze was vertrokken naar de villa van een vriendin in Spanje. Nu zij weg was en Quentin tevreden met Rebecca samen genoot van het rustige landleven dat de Hall bood, was het makkelijk om te vergeten van welke kringen hij deel uitmaakte. Elke morgen begroette hij haar met een glimlach en elke avond kuste hij haar welterusten tot ze ervan duizelde. Elk ogenblik in zijn gezelschap droeg bij aan de hoop die hij in haar had ontstoken, en legde een voorraad brandstof aan die een leven lang mee kon.

Quentin scheen het leuk te vinden om de bezoekers zo lang mogelijk op de Hall te houden. Hij lachte met oudere toeristen om de bijnamen van zijn voorouders. De eerste Hollinworth die met de laatste Hamilton was getrouwd, was lang en mager en werd de Naald genoemd. Een ander werd Geen-Baken-Bill genoemd omdat hij in de oorlog degene was geweest die had gezorgd dat de verlichting in de huizen niet gezien kon worden door een eventuele Duitse bommenwerper. Hij had voor het hele dorp zwarte jaloezieën aangeschaft en na donker zelf de ronde gedaan – zonder baken om zich bij te lichten.

Quentin vertelde verhalen met iets waaraan Rebecca niet kon tippen: het gezag van een familielid wiens favoriete verhalen van het ene geslacht op het andere waren overgegaan.

Toen de toeristen vertrokken, liep Rebecca naar hem toe en hij sloeg een arm om haar schouders. Ze was dankbaar dat de bus de laatste cameradragende gasten meenam. Ze was nog niet klaar voor foto's.

'Morgen ontmoeten we je Amerikaanse nicht,' herinnerde Rebecca hem. De afgelopen twee weken waren omgevlogen.

Hij trok haar dichter tegen zich aan en gaf haar een kus op haar oor. 'Dat was ik vergeten. Maar daarbuiten is ook nog een wereld, hè. En die is niet beperkt tot een rondleiding van twee uur.'

Ze kreeg kippenvel van zijn kus. 'Ik ben nog niet klaar met het uittypen van Berrie's brieven.'

Hij kuste haar weer. 'Je kunt ze e-mailen aan mijn nicht als ze klaar zijn.'

Een deel van haar hoorde hun gesprek. Een groter deel was zich alleen bewust van zijn kus.

Met tegenzin maakte Rebecca zich los en staarde naar de portretten die drie eeuwen van zijn voorgeslacht vertegenwoordigden.

'Wat zouden ze zeggen als ze ons nu konden zien, Quentin? De meesten werden bediend door een familielid van mij.'

'Ze kunnen het ons met geen mogelijkheid vertellen, hè? Ik denk dat als ze ons samen konden zien en ze hadden ook maar een beetje gevoel, ze zouden zeggen dat ik door moest gaan met je te kussen.'

Daar wilde hij net mee beginnen, en Rebecca wilde zich alweer losmaken om de teugels in handen te houden. Het was te makkelijk om zich te laten meeslepen.

'Hé daar, stoppen! Je mist de bus, sufferd.'

Helens stem drong door de mist waarin Rebecca was gehuld. In de gang die naar de galerij leidde, was plotseling een tumult ontstaan. Daar stond Helen, met een ontstelde blik op haar gezicht wees ze naar een man die een serie foto's schoot. De sluiter van de camera was recht op Rebecca in Quentins armen gericht.

In een ogenblik had Rebecca zich bevrijd. De verslaggever schoot weg, met Quentin op zijn hielen. Bij de deur van de galerij botsten ze op elkaar, Quentin landde boven op de uitgestrekte armen van de man die worstelde om zijn camera buiten bereik te houden. Als er ooit reden was geweest om te geloven in Quentins aangeboren adeldom, dan was het nu, hoewel niemand anders dan zij zoiets zou denken als ze hem zag vechten met een verslaggever. Quentin wrong de camera los uit de handen van de verslaggever en had in een paar ogenblikken een geheugenkaart in zijn hand.

'Als je niet gearresteerd wilt worden, dan neem je mee wat er van je camera over is en vertrekt,' zei Quentin, die slechts lichtelijk buiten adem was en lenig overeind sprong.

De man eiste zijn digitale camera terug. Het was net zo'n camera als alle toeristen bij zich hadden. De man bekeek of hij niet beschadigd was en keek toen naar de kaart die Quentin in zijn hand had.

'Daar staat een week werk op.'

'Ik zal hem laten scannen en de aanstootgevende foto's laten weghalen voordat je hem terugkrijgt. Welke krant?'

De man noemde zijn naam en de naam van de krant, en krab-belde overeind. Hij was verdwenen voordat Quentin weer naast Rebecca stond.

Ze had nooit verwacht dat de kleinzoon van een burggraaf, de neef van de graaf van Eastwater, zoon van lady Elise Hollinworth, zo veel moeite zou doen. Maar hij had het gedaan. Voor haar.

16

Ik moet bekennen, Cosima, dat ik me in de eerste ogenblikken na de ontmoeting met Simon MacFarland afvroeg of hun familie soms ook behept was met jouw zogenaamde vloek. Niet dat hij zwakzinnig leek of dat Katie geen uitstekende woordenschat heeft. Ik vroeg me af of hij misschien een beetje onstabiel was, niet alleen door zijn daden, maar door zijn onvermogen om me in de ogen te kijken. Maar nadat ik me weer bij hen had gevoegd, wist ik dat ik het mis had gehad. Hij nam me zo nauwkeurig op dat het me duidelijk was dat hij in elk geval niet net als Katie de neiging had om mijn blik te ontwijken. Ik deed mijn best om te bedenken dat hij vreselijk ongerust was geweest en daardoor zijn geweld-dadige gedrag te verontschuldigen.

'Juffrouw… Berrie?'

Berrie keek hem aan en vroeg zich af wat hij zag nu hij haar voor het eerst zo nauwlettend opnam. Iemand die misbruik had gemaakt van zijn zusje, die Katie aan het werk had gezet terwijl ze bij hem thuis beter af was? Of gaf hij haar het voordeel van de twijfel en liet hij haar, en ook Katie, helpen zich een mening te vormen?

Ze stak haar hand uit. 'Mijn naam is Beryl Hamilton, en ik ben de directrice hier op Escott Manor. Ik neem aan dat u niet ge-stuurd bent door Simon MacFarland, maar dat u hem zelf bent?'

Hij knikte.

'En u hebt mijn brief ontvangen?'

'Vanmorgen.'

'Een groot deel van Ierland ken ik niet, meneer MacFarland. Daisy, het dienstmeisje dat door uw oudste zuster in dienst werd genomen, zei dat u ten noorden van Dublin woont. Hoe ver hebt u dan gereisd?'

'Ik ben gekomen met mijn snelste paard. Nog geen drie uur rijden.' Hij deed een stap dichterbij. Zijn lengte alleen al had haar kunnen intimideren, ook zonder de norse blik op zijn gezicht. 'Hebt u enig idee hoe ongerust een familie kan zijn die niet weet wat er is geworden van een van hen?'

De beschuldiging was duidelijk. 'Ik kan me voorstellen dat het een afgrijselijk gevoel is, meneer MacFarland. Het doet me oprecht verdriet dat uw zuster u heeft bedrogen over Katie's verblijfplaats.'

Als hij gehoopt had een deel van de schuld aan Berrie toe te schrijven, dan moest hij dat plan hebben laten varen toen hij haar woorden had gehoord. Zijn brede schouders in zwart gekeperd laken dat verder uitgerekt werd dan de wijdte waarvoor het was genaaid, zakten naar beneden. 'Mijn verontschuldigingen voor haar gedrag, juffrouw Hamilton. Innis' daad was onvergeeflijk en ik kan me indenken dat u ook hebt geleden onder haar onnadenkendheid.'

'Katie mag hier met alle plezier blijven, meneer MacFarland, maar er zijn behoorlijke regelingen voor alle leerlingen.'

'Ze blijft niet in dit krankzinnigengesticht. Mijn rijtuig komt zo.'

Berrie klemde haar handen net niet helemaal tot vuisten. Ze wilde zich niet beledigd voelen door zijn woordkeus. Hij was per slot van rekening gestuit op een van de meest luidruchtige taferelen die ze sinds het begin van de school hadden meegemaakt. 'Ik begrijp het als u Katie liever mee naar huis neemt; ik zou het hier echter geen *krankzinnigengesticht* willen noemen.'

Hij bekeek haar voor de tweede keer met zo'n indringende intensiviteit dat ze er ongemakkelijk van werd. 'Reden te meer voor mij om haar mee naar huis te nemen, als u zo ongevoelig bent voor wat het hier is. Wat ik daar aantrof...' – hij knikte met zijn hoofd naar de deur – 'was een krankzinnigengesticht, zo eenvoudig is het. Ik laat mijn zusje niet achter in een huis als dit – een stinkhol.'

'Toegegeven,' zei Berrie met een korte knik, omdat ze zich nog maar al te levendig de geur herinnerde waarmee hij was begroet, 'het was een beetje lawaaiig, maar als u de eetzaal nog een keer bezoekt...'

Hij liep al naar Katie toe. Berrie kneep haar ogen tot spleetjes. Nooit in haar leven was ze zo respectloos behandeld.

'We gaan nu naar huis, Katie-zus.'

Katie keek met een ruk op. Ze glimlachte. 'O, ik vind het zo leuk als je me zo noemt, Simon. Waarom noem je me niet vaker zo? Toen ik klein was, noemde je me altijd zo.'

'Ons rijtuig komt zo en we gaan haar huis.'

Katie schudde haar hoofd. 'Nee, Simon. Ik werk hier, en om hier te werken, moet je hier wonen. Ik zorg dag en nacht voor anderen.'

'Je hoeft niet te werken, Katie. Je woont bij mij.'

'Maar daar is alleen juffrouw MacFarland de hele tijd, en zij moet mij niet.'

'Innis gaat trouwen, Katie,' zei Simon, 'dus je hoeft niet langer bang te zijn dat ze je vervelend vindt. Over een paar weken gaat ze in haar eigen huis wonen.'

'O.' In het enkele woord klonk blijdschap noch verbazing door. 'Maar Simon, jij bent niet zo vaak thuis, dus ik wil toch liever hier blijven, omdat ik graag wil werken.'

'We praten er thuis wel over.'

Katie schudde haar hoofd al voordat hij uitgesproken was. 'We kunnen hier toch praten.' Ze keek naar Berrie. 'Wilt u hem vertellen, juf Berrie, dat ik bepaalde taken heb? Dat ik voor Annabel en Tessie zorg? Ik leer Annabel schrijven en Tessie zingen. Ze kan al een beetje neuriën. Bovendien kan ik niet weg, want dan is er een leeg bed in onze kamer.'

'Je moet doen wat je broer zegt, Katie,' zei Berrie tegen haar. Ze wilde vriendelijk zijn, bemoedigend zelfs, maar die man maakte het moeilijk om hem te steunen, al was het juist wat hij deed. Rechtmatig, althans. 'Toen je hier kwam, hebben we gepraat over de papieren die we allemaal nodig hebben om hier te blijven, weet je nog? Als je broer de papieren niet wil tekenen, dan mag je niet blijven.'

Katie stond recht tegenover haar broer, maar Berrie zag dat Katie ook hem niet in de ogen keek. 'Je tekent de papieren wel, hè Simon?'

Berrie verwachtte nog veel meer, want Katie sprak haast nooit in enkele zinnen, maar ze zweeg, alsof zelfs zij het belang van die ene vraag onderkende.

De schouders van de lange Ier waren hun breedte kwijtgeraakt, maar gingen nu omhoog in een diepe zucht. 'Ik dacht dat je gelukkig was thuis, Katie.'

'Ik ben hier gelukkig.' Haar toon wees erop dat ze zich hield aan haar beleid om de waarheid te zeggen.

Berrie zag zijn worsteling. Tot nu toe had ze alleen familieleden gezien die Escott Manor zagen als een gebedsverhoring, een toevluchtsoord voor hun kind, respijt voor de familie zelf, al was het maar voor een jaar of twee. Wat dacht die broer wel terwijl hij niets wist van haar, van deze school, van wat ze hoopten te bereiken?

'Meneer MacFarland,' zei ze vriendelijk, 'misschien mogen Katie en ik u vertellen hoe het hier is, dan zal het antwoord makkelijk te vinden zijn als u uw gesprek voert – of het nu hier is of thuis.'

'Voor wie?' vroeg hij koud. 'Voor mij of voor Katie?'

'Ik hoop voor allebei.' Toen viel haar een nieuwe gedachte in. Als hij de hele ochtend gereden had, had hij vast en zeker honger. Alle mannen die ze in haar jeugd had gekend, werden chagrijnig als ze honger hadden. 'Wilt u iets eten? Ons eten is eenvoudig, maar we hebben genoeg.'

'Nee,' zei hij. 'Ik wens niet te blijven en ik wens nog minder om die eetzaal nog een keer te bezoeken.'

'U trof ons aan op een lastig moment. Ik verzeker u dat niet al onze maaltijden zo onordelijk verlopen als de maaltijd waarvan u getuige was. Bij wijze van verklaring kan ik alleen zeggen dat onze school pas onlangs geopend is, en dat we allemaal nog moeten wennen aan...'

'Juffrouw Hamilton,' onderbrak hij haar, 'ik heb tijd noch zin om naar uw excuses te luisteren. Mijn rijtuig komt zo en ik wil graag dat mijn zusje klaar is. Ik neem aan dat Innis benodigdheden heeft meegegeven – kleren en dergelijke. Wilt u die klaarmaken voor vervoer?'

Berrie stond de man doodstil aan te staren. Toegegeven, hij was knap, maar dat was het enige wat in zijn voordeel sprak. 'Weet u, meneer MacFarland, dat u de onbeleefdste persoon bent die ik ooit heb ontmoet? Ik ben in de afgelopen week geslagen, geschopt en zelfs bespuugd door verschillende leerlingen, maar dat was allemaal niets vergeleken met uw onbeschoftheid.'

Hij keek onaangedaan door de belediging, maar hij keek haar wel weer in de ogen. 'Ga haar spullen dan maar pakken, des te eerder zullen onze wegen zich scheiden.'

'Maak jij ruzie, Simon?' vroeg Katie. Ze wendde zich tot Berrie. 'Vindt u hem niet aardig, juf Berrie? Hij is mijn broer. Hij is een goede man. Ik weet niet waarom hij nu niet aardig doet, maar tegen mij is hij altijd aardig, ook als ik stout ben. Denkt u dat u kunt leren hem aardig te vinden, zodat we allemaal vrienden kunnen zijn?'

'Ik denk niet dat we die kans krijgen, Katie.' Berrie's blik rustte nog steeds op Simon. Hij staarde terug alsof het een wedstrijd was wie het eerst zijn ogen neersloeg.

Dat was hij, en toen hij zich tot zijn zusje wendde, stonden zijn ogen aanmerkelijk zachter. Berrie verwonderde zich erover dat de man het ene moment zo ongemanierd kon zijn en het volgende zo'n liefdevolle broer.

'Wil je me laten zien waar je de afgelopen weken hebt gewoond, Katie-zus?'

Katie knikte en liep naar de deur. Ze keek zo hoopvol dat het meisje misschien wel geloofde dat hij alleen een rondleiding wilde en dat ze mocht blijven. Maar Berrie was er zeker van dat hij Katie's spullen desnoods zelf zou inpakken om haar op tijd klaar te hebben als het rijtuig arriveerde.

Berrie volgde hen. 'U moet iets over ons weten voordat u een besluit neemt over Katie's toekomst,' zei ze naast hem lopend. Ze moesten twee trappen op naar de meisjesslaapzaal en Berrie was van plan om elke stap te gebruiken om Katie's zaak te bepleiten. 'Escott Manor is een privétehuis, een plaats waar kinderen veilig zijn en uitgedaagd worden om te leren. We vallen natuurlijk onder de Krankzinnigheidscommissie; zij hebben ons aangemerkt als ziekenhuis omdat de leerlingen inwonend zijn, en dus zijn we dat. We hebben een verpleegster die bij ons woont en elke dag komt er een arts om naar de kinderen te kijken. We zijn een open en doorzichtige gemeenschap. Niets is verborgen. Ik kan u verzekeren dat Katie hier goed behandeld is en dat ze welkom is als ze mag blijven.'

'Ik heb geen reden om aan u te twijfelen, maar u moet ook begrip hebben voor mijn positie. Ik ben de oudste van mijn familie, verantwoordelijk voor het welzijn van allebei mijn zusters. De Almachtige plaatst ons in de familie die we hebben. Wie zijn wij om ons eraan te onttrekken? Innis niet, Katie zelf niet – noch uw tehuis, juffrouw Hamilton.'

Berrie zette al haar stekels weer op. 'Als dit een verantwoordelijkheid is die u niet licht opneemt, meneer MacFarland, hoe kan het dan dat u uw zusje bijna een hele maand kwijt bent geweest?' De steek was raak; van opzij zag ze hoe hij onmiddellijk zijn wenkbrauwen fronste. Ze werd vervuld van schuldgevoel. Het was niet aan haar om hem te straffen voor wat zijn slinkse zus had gedaan. 'Misschien,' voegde ze eraan toe, 'is het Gods manier om u te helpen met uw verantwoordelijkheden dat ze hier is. Het schijnt dat u door uw werk vaak van huis bent, misschien vond Katie het daarom niet erg om weg te gaan.'

'Simon is parlementslid,' zei Katie twee treden hoger zonder om te kijken.

Berrie's blik schoot weer naar Simon. 'Bent u lid van het parlement?'

'Gekozen in het Lagerhuis.' Hij zei het zonder trots, eerder zakelijk.

Berrie dacht aan de dwaze ideeën die ze over hem had gehad omdat hij vocht tegen de Engelsen, zoals Katie eens had gezegd. Was ze werkelijk bang geweest dat hij lid was van een of andere geheime Ierse gemeenschap, die op de loer lag om iedereen bij wie het bloed van de onderdrukkende Engelsen door de aderen stroomde, aan te vallen?

Enigszins ontsteld bedacht ze dat als Katie haar eerder had verteld dat haar broer parlementslid was, Berrie haar eigen broer had kunnen schrijven in het Hogerhuis om te vragen of er in het aangrenzende huis een Ier zat die Simon MacFarland heette.

'Zoals Katie zei, ze helpt veel leerlingen die hier wonen. Hun taalvaardigheden zijn niet half zo ontwikkeld als die van Katie, en ze heeft buitengewoon veel geduld met hen. Ook vertoont ze grote bekwaamheid in tekenen. Als u een paar klaslokalen wilt zien, die liggen op deze verdieping.'

Maar Katie was al op de trap naar haar slaapzaal. 'Ik slaap boven, Simon.' Ze keek naar Berrie. 'Mijn broer zei dat hij wil zien waar ik slaap, dan mag ik toch hier beginnen? Om hem te laten zien hoe ik mijn dag begin? Dan kunnen we naar buiten gaan, waar we marcheren, en dan naar de eetzaal en dan naar de klaslokalen.'

'Ik geloof niet dat je broer...'

Simon stond zonder waarschuwing abrupt stil en Berrie botste bijna op hem. 'Marcheren?'

Ze zag dat hij het meteen afkeurde, zonder de minste kennis van hun versie van de militaire term of waarom ze die deden. 'Ja, en we doen oefeningen: wandelen, gymnastiekoefeningen, frisse lucht in de longen halen. Een gezond lichaam helpt de geest, meneer MacFarland.'

'O ja? Of lichamelijke uitputting snoert de mond.'

'Interessant dat u die conclusie trekt. Denkt u soms dat iedereen zo kwaadaardig van geest is als u?'

'Niet bepaald. Ik ken de menselijke geest, juffrouw Hamilton, en daarnaar oordeel ik anderen.'

Katie stond stil, omdat ze haar niet meer volgden. Ze keek van enkele treden hoger op hen neer. 'Maken jullie weer ruzie? Ruziemaken is voor mensen die elkaar niet aardig vinden. Hoe kan ik twee mensen aardig vinden die elkaar niet aardig vinden? Dat kan niet, want ik vind maar een bepaald soort mensen aardig. Ik zou het begrijpen, juf Berrie, als u mijn zus niet aardig zou vinden. Ik vind haar ook niet aardig. Maar dit is mijn broer. U moet hem aardig vinden.'

Ze begon weer af te dalen, en stond toen stil. 'Noemde u mijn broer een geest? Ik weet dat God een geest is, daarom kunnen we Hem niet zien. En noemde u hem kwaadaardig? Dat is hij niet; hij is een goed mens. Geen geest, niet kwaadaardig.'

Berrie perste haar lippen op elkaar. 'Ja, Katie, je hebt vast gelijk.'

Het was maar goed dat Katie geen leugens herkende, anders had ze deze beslist gezien.

17

Helen moest Quentin hebben gewaarschuwd dat er aan het begin van de lange oprijlaan een zwarte taxi aankwam, want hij stond al onder aan de trap. Hij omhelsde Rebecca met zijn blik en het bloed suisde in haar oren. Even stelde ze zich voor dat het zo zou zijn als ze hier woonden, niet als zakenpartner en eigenaar, maar als man en vrouw.

'Helen brengt thee op de veranda, dus daar gaan we heen, goed?' vroeg Quentin. Toen ze van de onderste trede stapte, nam hij haar hand in de zijne. 'Laten we naar buiten gaan om hen te begroeten.'

Rebecca volgde. Ze vroeg zich af of hij inderdaad zo gretig was als hij zich voordeed. Of misschien was hij gewoon gelukkig om dezelfde reden dat zij tegenwoordig met een blije glimlach wakker werd. Vanaf de zuilengang zag Rebecca dat de mannelijke bezoeker al uit de taxi was gestapt en omliep naar de andere kant om zijn vrouw te helpen, die een klein meisje van de achterbank hielp.

De man was lang, bijna even lang als Quentin. En knap, niet op de gedistingeerde manier van Quentin, maar Amerikaans, met dik, donker haar op een breed voorhoofd en een volmaakte glimlach. De vrouw was ook lang en slank, met donkerbruin haar. Voordat een van hen haar kant opkeek, zag Rebecca dat de man en de vrouw een blik wisselden. Misschien was het de opwinding van de reis of dat ze eindelijk op Hollinworth Hall waren. Er werd emotie uitgewisseld, er was een band. Het huwelijk had deze relatie niet afgestompt.

'Wat heerlijk om je eindelijk te ontmoeten, Dana.' Rebecca stapte naar voren, ze had het gevoel dat ze meer hadden gedaan dan een paar e-mails wisselen. Het moest hun gedeelde band met de familie Hamilton zijn; Rebecca had het gevoel dat ze al vriendinnen waren.

'Rebecca?'

Ze knikte en verstijfde toen Dana Walker haar impulsief omhelsde. Amerikanen waren zo demonstratief. Maar toch had Rebecca geen bezwaar tegen de korte omarming.

Dana stelde haar echtgenoot voor als Aidan Walker en hun dochter als Padgett. Rebecca schatte dat het kind hoogstens een jaar of vier, vijf was. Ze was uitgesproken blond, anders dan haar ouders.

'Padgett.' Quentin herhaalde de naam nadat hij zich had voorgesteld, diep gebukt om een handje te schudden dat in zijn grote handpalm verdween. 'Dat is nu eens een naam die je niet elke dag hoort, in elk geval niet hier in het Verenigd Koninkrijk.'

Ze knikte. 'Mijn biologische moeder heeft me zo genoemd. Mama zei dat ze me Emma wilde noemen, maar toen papa en zij me mee naar huis namen, wilden ze me niet in de war maken. Dus ik heet nog steeds Padgett.'

Dana legde een hand op het blonde hoofdje van haar dochter. 'Ze vindt het zo heerlijk om dat verhaal te vertellen, al was ze nog te klein om het nog te weten. We hebben Padgett geadopteerd toen ze negen maanden oud was.'

Geadopteerd. Dat was de verklaring. Dus... geen genetische 'vloek'?

'Welkom op Hollinworth Hall,' zei Quentin, die zich weer had opgericht. Hij draaide zich om naar de voordeur en wilde voorgaan.

Dana gaf een gilletje. 'Ik heb mijn tas in de taxi laten liggen!' Ze wuifde naar de chauffeur, die net weggereden was. De zwarte taxi kwam tot stilstand. Even later dook Dana naar de achterbank en kwam tevoorschijn met een grote leren tas en een opgevouwen krant. 'Op het station zagen we deze krant, met jullie allebei op de societypagina.' Lachend voegde ze eraan toe: 'Aidan en ik hebben ons de hele weg afgevraagd of we wel netjes genoeg gekleed waren voor het gezelschap van zulke beroemdheden.'

Rebecca voelde het bloed uit haar gezicht wegtrekken. Ze keek toe hoe Quentin met een geamuseerde glimlach zijn hand uitstak naar de krant. Hij vouwde hem open en meteen zag ze twee kleurenfoto's: een van hem lachend met de groep toeristen van de dag tevoren, en eentje van haar op de achtergrond. Gelukkig was er geen als door een wonder teruggehaald plaatje van hen in elkaars armen, en ze was weer dankbaar dat Quentin de geheugenkaart van de verslaggever in beslag genomen had. Misschien had de verslaggever betaald voor foto's die door echte toeristen waren genomen.

Quentin hield de krant zo dat ze mee kon lezen. Tot haar ontzetting maakte de kop en het artikeltje de intiemere foto overbodig.

Wie gaat met wie?

Quentin Hollinworth, erfgenaam van het Hollinworth fortuin, zoon van lady Elise Hollinworth, neef van lord Edward, graaf van Eastwater, en achterkleinzoon van wijlen burggraaf Hamilton, stond afgelopen jaar in de toptien van de meest begeerlijke vrijgezellen, na zijn breuk met lady Caroline Norleigh met wie hij een langdurige relatie heeft gehad. Maar zijn naam op die lijst zou wel weer eens in gevaar kunnen zijn. Quentin Hollinworth schijnt zich aan te willen sluiten bij zijn commercieel manager...

Nu gierde het bloed door haar aderen. Geen wonder dat de telefoon vanmorgen niet had stilgestaan tot ze niet meer opgenomen had, en dat er meer mensen een rondleiding wilden boeken dan mogelijk was. Uiteindelijk had ze het antwoordapparaat maar laten opnemen.

Nu was het maar al te duidelijk. De toeristen wilden niet alleen Quentin zien, maar ook háár – lonkend naar hem!

'Ik vond het zo opwindend om dat te zien,' zei Dana. 'Ik voelde me...'

Rebecca hoorde haar nauwelijks. Er moest iets aan haar gezicht te zien zijn, want het enthousiasme in Dana's woorden verflauwde geleidelijk.

'… gewoon ook beroemd. Is er iets… mis?'

Rebecca wist dat ze moest antwoorden, de bezoekster verzekeren dat alles in orde was. Dat was beleefd, wat ze van zichzelf verwachtte. Maar ze staarde naar de krant en kon geen geruststellende woorden bedenken.

'Nee, nee, er is niets mis,' zei Quentin. Zijn stem klonk zo kalm en vriendelijk dat het Rebecca duidelijk was dat hij het artikeltje onbeduidend vond. Dat was het misschien ook voor hem. Hij was eraan gewend in het nieuws te zijn. 'Zullen we naar binnen gaan? Jullie zijn gekomen voor een rondleiding, en we hebben ernaar uitgezien om jullie die te geven.' Hij stapte over de drempel van de wijdopen deuren en de vertrouwde echo van voetstappen door de meerdere verdiepingen hoge hal, was genoeg om Rebecca eraan te herinneren dat ze niet alleen haar werk had te doen, maar dat ze wekenlang naar dit bezoek had uitgekeken.

'Meestal laten verslaggevers ons hier op de Hall met rust,' zei ze bij wijze van verklaring. Daar liet ze het bij, ze zette haar vriendelijkste gidsenglimlach op en maakte een uitnodigend gebaar om de indrukwekkende hal te bekijken. 'Zoals je neef Quentin zei, welkom op Hollinworth Hall. Hoewel jullie na het lezen van Cosima's dagboek misschien liever wilden dat het nog steeds Hamilton Hall heette.'

Dana hield de arm van haar man vast en knikte terwijl ze opgewonden rondkeek. 'Het is zo ongelooflijk voor me dat Cosima hier daadwerkelijk heeft gewoond. Ik had het bijna goed voor me gezien, althans van de buitenkant. En hier – met de trap in het midden en het hoge plafond.'

'Laten we dan ophouden met de gewone beleefde praatjes over hoe de reis ging en zo, en gewoon met de rondleiding beginnen,' nodigde Quentin. 'Jullie willen natuurlijk de balzaal zien en de bovenverdieping. Ik weet niet goed wie in welke slaapkamer sliep, maar Rebecca is de deskundige op het gebied van de familiegeschiedenis, hè schat?'

Rebecca knikte en glimlachte om zijn liefkozing. Ze wilde van dat woord genieten zoals wanneer ze alleen waren, maar nu ze net had gemerkt dat zijn beroemdheidstatus haar leven al in zijn greep dreigde te krijgen, wist ze niet of ze er blij mee moest zijn, zoals ze in haar hart zo graag wilde. 'Ik weet welke kamer van Berrie was, en waar Cosima haar kinderen baarde, en natuurlijk de kamer die Peter en Cosima hebben gedeeld. Die ligt in de vleugel die al jarenlang is afgesloten, behalve Quentins suite.'

Ze begonnen in de galerij, waar Quentins nicht uit Amerika de portretten kon zien die zo veel voorouders van Quentin voor Rebecca tot leven hadden gebracht. De galerij was vol meesters uit de zeventiende tot de twintigste eeuw, maar Rebecca roerde die geschiedenis nauwelijks aan. In plaats daarvan stelde ze elk van de Hamiltons voor en bleef voor Cosima stilstaan.

Padgett wees. 'Is dat je oma, mammie?'

'Hm-m. Wat vind je van haar?'

'Ze is knap, net als jij.' Padgett keek naar Rebecca. 'U bent ook knap. Ik vind uw krullende haren mooi. Mama maakt bij mij soms krullen, maar ik wil niet stil blijven zitten. Hoe kunt u zo lang stilzitten om al die krullen te maken?'

'God heeft ze zo gemaakt,' bekende Rebecca. Toen Padgett grote ogen opzette, weerstond Rebecca de verleiding om eraan toe te voegen hoe lastig ze soms te temmen waren.

Dana dwaalde naar het portret van Beryl Hamilton. 'Weet je, ik geloof dat jij op Berrie lijkt,' zei Dana tegen Quentin. 'Ik geloof dat je haar ogen hebt.'

'Dat heb ik ook al eens gedacht,' zei Rebecca, die glimlachte toen Quentin haar een verraste blik toewierp. Waren er maar geen roddelbladjournalisten en moeders die vastzaten in hun eigen gewichtigheid, om hen in de weg te staan. Hij had inderdaad uiterst aantrekkelijk ogen – ogen waar ze de rest van haar leven in kon blijven kijken.

'Verbazingwekkend hoe de erfelijkheidsleer werkt, hè?' zei Aidan. 'Dat sommige dingen al die jaren zijn blijven voortbestaan. Zoals blauwe ogen en fragiele X.'

111

'Fragiele X,' herhaalde Quentin. 'Is dat de naam voor de vloek die in Cosima's dagboek wordt genoemd?'

'Mijn neefje heeft fragiele X,' zei Padgett. 'Daarom hebben papa en mama mij geadopteerd. Hè, mama?'

Dana fronste. 'Waar heb je dat gehoord, Padge? Papa en ik hebben jou geadopteerd omdat we van *jou* wilden houden.'

'Ik hoorde jou met papa praten. Je zei dat het maar goed was dat jullie me geadopteerd hadden, anders hadden jullie een kind net als Ben gekregen.' Ze sloeg haar grote blauwe ogen op naar Rebecca.

Rebecca zag Dana rood aanlopen, net als ze zelf had gedaan toen ze de krant onder ogen had gekregen. 'Dus dat bedoelde je toen je schreef dat iets uit Cosima's dagboek vandaag de dag nog onaangename gevolgen had. Wat is fragiele X?'

'Een genetische stoornis die vaak een geestelijke handicap veroorzaakt,' verklaarde Aidan. 'Het is doorgegeven via Cosima's familie. Dana en haar zus Natalie zijn niet-aangetaste dragers. Een van Natalie's kinderen – Padgetts neefje Ben – is nogal ernstig aangetast.'

'O, wat erg,' zei Rebecca. 'Hoe zijn jullie te weten gekomen wat het was?'

Dana sprak. 'Door een bloedonderzoek. Zoals Aidan zei, hebben mijn zus en ik allebei te horen gekregen dat we drager zijn.'

'Tjonge,' fluisterde Quentin. Hij tastte naar Rebecca's hand. 'Is er reden dat ik me ook zou moeten laten testen als mogelijke drager?'

'Ik betwijfel het. Tenzij er meer mensen in jouw tak zijn geweest met een verstandelijk probleem?'

'Niet dat ik weet, hoewel er meer dan eens is opgemerkt dat ik een beetje traag van geest ben. Voornamelijk door mijn moeder eigenlijk.'

Rebecca lachte met de anderen mee en bedacht in stilte dat het waarschijnlijk maar half een grapje was.

'Het volledige syndroom is minstens één keer opgedoken tussen

Cosima's zoon Kipp, die drager moet zijn geweest, en mijn vader, ook een drager,' legde Dana uit. 'Je zou een bloedonderzoek kunnen laten doen om alle zorgen uit te sluiten, maar ik denk dat het in zo veel generaties duidelijk te zien moest zijn geweest.'

Quentin sloeg zijn arm om Rebecca heen. 'Ik heb geen bezwaar tegen een bloedonderzoek. Dat is misschien hoe dan ook een goed idee.'

'In Amerika was een bloedonderzoek vroeger vereist als je wilde trouwen, maar in de meeste staten doen ze het niet meer,' zei Aidan. 'Wordt het hier gedaan?'

Rebecca schudde haar hoofd en probeerde een spoor van ongemak van zich af te zetten, niet vanwege het onderwerp, maar vanwege de gemakkelijke manier waarop Quentin hun persoonlijke relatie onthulde. Sinds de krantenkop van die ochtend zag heel Engeland Quentin en haar waarschijnlijk als een stel; het had nu geen zin meer om het te verbergen. En wilde ze dat eigenlijk?

'Je zei dat Quentin Berrie's ogen had,' zei Rebecca tegen Dana. 'We hebben een paar brieven van Berrie aan Cosima die je zullen interesseren, dachten we. Een heel stel eigenlijk, uit de tijd dat ze in Ierland aan het hoofd van een school stond.'

'Ooo!' zuchtte Dana en pakte de hand van haar man terwijl ze Rebecca aankeek. 'Aidan zal je vertellen dat ik sinds onze aankomst heel Ierland heb afgestruind om dat huis te vinden. We maakten uit Cosima's dagboek op dat Berrie haar plannen om een school voor gehandicapte kinderen te beginnen, wilde doorzetten. Hebben jullie daar informatie over?'

'Berrie heeft inderdaad een school geopend,' zei Quentin. 'Samen met een vrouw die mevrouw Cotgrave heette of zoiets, hè Rebecca?'

Ze knikte. 'Ik zal je met alle plezier de brieven e-mailen als ik ze uitgetypt heb.'

'Geweldig! Ik heb een afspraak met een vrouw van wie de familie in de juiste tijdsperiode werkte in een huis dat Mussenheuvel heette. Staat er in Berrie's brieven dat het zo genoemd werd?'

Rebecca schudde haar hoofd. 'Ik heb nog niet alle brieven gelezen, maar die naam herinner ik me niet.'

'Ik zou ze graag willen zien.'

'Na de thee zullen we ze tevoorschijn halen,' zei Rebecca. 'Ze zaten in een heel mooi doosje.'

Tijdens de rondleiding door de tuin was Dana teleurgesteld dat het paviljoen er niet meer was, maar Quentin had ongeveer een idee waar het waarschijnlijk had gestaan. Ze eindigden bij de kinderboerderij, waar Padgett de geiten voerde, de konijntjes vasthield en de lammetjes aaide.

Tegen de tijd dat ze gingen theedrinken op de veranda, had Rebecca het gevoel dat ze de familie Walker langer kende dan nog maar een paar uur.

'Cosima's dagboek is in onze familie een gekoesterd bezit,' zei Dana toen Rebecca het doosje met brieven van Berrie tevoorschijn haalde. 'Als je ooit naar de Verenigde Staten komt, moet je bij ons op bezoek komen, dan laten we je het origineel zien.'

'Misschien doen we dat wel.' Quentin keek op van zijn thee om naar Rebecca te lachen, een lach die maakte dat iedereen om hen heen verdween behalve zij tweeën.

Dana keek naar het doosje met dezelfde eerbied die Rebecca had gevoeld toen ze het vond. 'Ik vraag me af of die brieven hetzelfde zullen bewijzen als Cosima's dagboek – dat de tijden veranderen, maar de mensen niet. Niet echt. Toen ik het dagboek las, dacht ik dat ik net zo bang zou zijn voor een huwelijk als zij.'

Aidan lachte. 'Dat was je ook.' Hij ving Rebecca's blik. 'We hadden destijds verkering en ze wilde me de laan uitsturen toen ze hoorde dat ze drager van fragiele X was.'

'En toch zitten jullie hier, gelukkig getrouwd en wel,' zei Quentin. 'Hmm... Hindernissen kunnen dus overkomen worden als je maar weet wat je wilt.'

Hij keek Rebecca strak aan en voor de tweede keer sinds de komst van zijn Amerikaanse familieleden voelde Rebecca dat ze bloosde.

'En over dagboeken en brieven gesproken,' vervolgde Quentin, 'de naam Seabrooke die in Cosima's dagboek wordt genoemd – de lijfknecht die altijd zorgde dat de geheime kamer in het Londense huis bijgehouden werd – was niemand anders dan Rebecca's bet-betovergrootvader.'

Dana's ogen fonkelden. 'Dat meen je niet!'

Rebecca knikte.

'En nu ga je trouwen met een afstammeling van de Hamiltons. De kleindochter van een persoonlijke bediende.' Ze zuchtte en voegde eraan toe: 'Wat romantisch.'

'Nou ja, trouwen,' zei Rebecca, die zich alweer geneerde.

Quentin liet haar hand los en sloeg zijn arm om haar schouders. 'Een van ons is ook bang voor het huwelijk, Dana.' Hij glimlachte naar haar. 'Jij mag raden wie.'

Rebecca keek naar Quentin en Dana en Aidan lachten met hem mee. Een paar weken geleden was ze niets meer geweest dan zijn commercieel manager. Een grapje over een huwelijk was naar Rebecca's mening niet een klein beetje prematuur.

Absoluut veel te prematuur.

18

De mening van Simon MacFarland over het Escott Manor Ziekenhuis voor Geestelijk Gehandicapten werd in geen enkel opzicht veranderd door de onafgebroken lofprijzing van zijn zusje. Dat zag ik aan zijn opeengeklemde kaken en de grimmige lijn van zijn donkere wenkbrauwen.

Ik was ervan overtuigd, Cosima, dat hij Katie mee zou nemen. Hoe weinig zin ik ook had om nog één ogenblik in het gezelschap van haar broer door te brengen, ik vond de gedachte aan haar vertrek verbazend treurig. Goed, ze was een leerling voor wie we tot nu toe geen financiële bijdrage hadden gekregen. En we hebben inderdaad meer last van haar dan gemak. Ik ontken het niet. Maar er is iets aan haar wat me aan mezelf doet denken. Misschien is het haar rotsvaste geloof dat ze is waar ze hoort, ondanks alle vraagtekens.

Ik wilde dat haar broer van gedachten veranderde, maar ik wist van begin af aan dat ik geen schijn van kans had. Een krankzinnigengesticht – dat was alles wat hij zag.

'Dus je ziet, Simon,' zei Katie, 'als ik niet hier blijf, is er een leeg bed. Een bed heeft geen doel als er niemand is om er 's nachts in te slapen. En wat moeten Tessie en Annabel zonder mij beginnen? Elke nacht zouden ze mijn lege bed zien en dan zouden ze niet kunnen slapen. Er moet iemand in dat bed slapen, en aangezien het al die tijd mijn bed is geweest, moet ik dat zijn. Dus ik kan niet weggaan.'

'Waar is je tas, Katie?'

'Onder mijn bed. Ik heb er twee. Het was moeilijk om alles wat ik mee wilde nemen in maar twee tassen te stoppen, maar dat heeft juffrouw MacFarland gedaan. Als ze ooit zou moeten werken, zou ze een goed dienstmeisje zijn. Ze heeft mijn jurken haast zonder een kreukje opgevouwen. Ik zou haar niet als dienstmeisje willen. Ik mis Sophy. Hoe gaat het met haar? Denk je dat ze hier kan komen wonen om me te helpen? Ze is altijd mijn meisje geweest, niet van juffrouw MacFarland. Wat heeft Sophy al die weken gedaan sinds ik weg ben? Voor wie zorgt ze nu?'

'Ze zal blij zijn om je te zien als je thuiskomt,' zei Simon, op zijn knieën om de twee tassen te pakken.

'Maar wil je haar niet hier brengen? Dan hebben we nog een bed nodig. Denkt u dat we nog een bed kunnen vinden, juf Berrie? Er stond hier nog een bed toen ik deze kamer voor het eerst zag. Kunnen we dat terughalen? Thuis sliep Sophy dichtbij, dus als ik 's nachts iets nodig had, dan hielp ze me. Nu kunnen we in dezelfde kamer slapen bij Daisy en Annabel en Tessie. Misschien kunnen we Sophy's bed meenemen van thuis. Dan zou alles opgelost zijn.'

Terwijl Katie doorratelde, keek Berrie toe hoe Simon de laden en deuren van de kleerkast opende. Hij wendde zich tot Berrie.

'Ik weet niet welke kleren van haar zijn. U zult haar spullen in moeten pakken of het iemand anders laten doen. Nu.'

Voordat Berrie een woord kon zeggen, ging Katie voor haar broer staan. 'Als ik 's morgens ben opgestaan, maak ik helemaal alleen mijn bed op. Daar hoeft Sophy me niet meer mee te helpen, want ik heb het geleerd. En als we aangekleed zijn, gaan we naar buiten voor de oefeningen. Ik laat je zien waar.'

Ze draaide zich om, kennelijk in de verwachting dat hij haar zou volgen. Berrie keek toe zonder een poging te doen Katie's tas in te pakken of mee te gaan.

'Ga je niet mee, Simon? We hebben een grasveld en daar marcheren we in rechte rijen. Juf Berrie zegt dat mijn rij altijd de mooiste is. Ik hou van wandelen; dat is goed voor me. Buiten kan ik allerlei soorten bomen op de heuvel zien, en een paar cottages in de verte en een meer. Ik denk dat het meer net is als het water in de buurt van ons huis, denk je niet? Ik mag er niet in, anders kan ik geen adem meer halen. Kom je nou, Simon?'

In plaats van antwoord te geven, staarde Simon Berrie aan. 'Gaat u haar spullen inpakken of neem ik Katie mee zonder haar spullen? Ze is nogal gehecht aan bepaalde dingen, dus het is het beste als u meewerkt, maar ik neem haar gerust zonder mee.'

Berrie wist dat ze moest zwichten; zelfs zij wist dat hij de wet aan zijn kant had, en zij was geen parlementslid. 'Ik zal Daisy sturen om Katie's spullen in te pakken.'

Simon knikte kort. Het strekte hem tot eer dat hij zich niet in de handen wreef om de klaarblijkelijke overwinning. Hij volgde Katie de trap af.

'De klaslokalen zijn die kant op, Katie,' herinnerde Berrie haar op de middelste verdieping.

'Maar we gaan pas na het ontbijt en de stille tijd naar de klaslokalen, juf Berrie. Ik wil Simon precies laten zien hoe mijn dag is, en als hij dan thuis is en ik ben hier, dan weet hij wat ik aan het doen ben.'

Berrie keek naar Simon, die zweeg. Liet hij zijn zusje in de waan dat ze hier bleef? Berrie wilde het niet hebben. Als ze iets wist over Katie, dan was het dat de waarheid haar boven alles ging.

'Maar, Katie,' zei ze vriendelijk, 'je zult thuis zijn bij je broer, dus dan weet hij wat je daar doet. Dan woon je hier niet meer.'

'Woon ik hier niet meer?' Katie keek naar haar broer. 'Ik blijf toch hier, hè Simon? Zodat ik kan werken. Ik heb een baan, net als jij.'

'Ik zou je te erg missen als je niet naar huis kwam, Katie-zus. Je hoort thuis.'

'Als je me mist, kun je hier komen wonen. Er is een kamer voor familie; die heb ik gezien. In die kamer kun je wonen.'

'Nee, Katie, ik kan niet hier wonen. Ik heb thuis werk te doen. Je moet met me meegaan.'

Katie schudde haar hoofd. 'Ik heb een baan.' Ze draaide zich om alsof ze ergens heen ging, maar draaide zich plotseling onzeker weer terug. 'Ik woon hier nu, want ik heb een baan.'

Toen plofte ze onder aan de trap voor de voeten van haar broer op de grond, in een berg gele katoen en witte onderrokken. Ze staarde roerloos recht voor zich uit.

Berrie had nog niet meegemaakt dat Katie zo onverwacht ging zitten, maar Simon wel, aan de wanhoop op zijn gezicht te zien. 'Katie, ik weet dat je niet aangeraakt wilt worden, maar als je niet op je eigen voeten kunt lopen, pak ik je op.'

'Ik wil hier blijven. Ik heb een baan.' Ze sloeg haar armen over elkaar en staarde vastberaden voor zich uit.

Berrie's aandacht werd getrokken door een van de klaslokalen vlakbij. De deur stond open en er klonk een gilletje van verrukking. Jens O'Banyon lachte haast even vaak als hij knuffelde – soms op ongelegen momenten – maar dat had ze liever dan het gegil en gehuil van sommige anderen.

Berrie nam Simon MacFarland nog eens op. Hoe kon hij beweren dat hij de beschermer van zijn zusje was als hij niet eens wilde overwegen haar minstens één andere optie toe te staan dan wonen onder zijn dak?

'Meneer MacFarland,' zei ze, blij dat haar toon verzoenend klonk zoals ze bedoeld had, 'het is duidelijk dat u het beste wilt voor uw zusje. Alle families die ons hun geliefden toevertrouwen, denken er net zo over. Maar zij zijn natuurlijk in het voordeel boven u, want zij zijn bij ons op bezoek geweest en weten wat wij hopen te bereiken.'

Hij nam haar behoedzaam en slechts vaag belangstellend op. 'En wat is dat, juffrouw Hamilton? Hoopt u werkelijk degenen die hier komen iets te leren? Uit wat ik heb gezien, maak ik op dat u hun het beste maar te eten kunt geven en op hen passen. Maar onderwijzen?' Hij schudde zijn hoofd.

'Gaat u met me mee?' vroeg Berrie. 'Alstublieft?'

Simon staarde haar zo lang aan dat ze dacht dat hij nee ging zeggen. Toen ze het net op wilde geven en langs Katie heen wilde lopen om Daisy te gaan zoeken, knikte hij.

Haar hart bonsde en ze haastte zich naar het klaslokaal, bang dat hij van gedachten zou veranderen als ze niet snel handelde.

Anders dan in de eetzaal, was het in het handenarbeidlokaal stil. Jens werkte met hulp van Ned aan een mand. Verderop was een jongen bezig twijgjes van wilgentakken te halen die ze nodig hadden voor de manden. Jens vlocht met de hand, maar Berrie wist dat hij te vertrouwen was met een van de botte messen die ze gebruikten om een strakkere mand te krijgen. Alleen de manden die Katie maakte kon je symmetrisch noemen, omdat zij de enige was die die vaardigheid onder de knie had.

Twee jongens aan een andere tafel zaten met papier en krijtjes ingespannen te tekenen. Mevrouw Cotgrave zat aan de andere kant van die tafel plaatjes te bekijken met Tessie, Annabel en Reece, een jongen die een heel ander gezicht had dan alle anderen behalve Theo, die in zijn eentje bezig was met papier en inkt. Het waren vriendelijke, zachte jongens en het verbaasde haar dat ze geen familie waren, zo veel leken ze op elkaar met hun scheve ogen, dikke tong en onderlip, en platte, brede neus.

Berrie liep naar een kast in de hoek, waar ze de spullen wegsloten voor al te gretige leerlingen. Ze haalde er één mand uit, één plaat, en één perfect opgevouwen servet.

'Dit wilde ik u laten zien, meneer MacFarland.' Ze hield de ronde mand omhoog, waarvan het strakke, symmetrische vlechtwerk het onhaalbare doel was van bijna alle leerlingen en enkele personeelsleden, onder wie Berrie zelf. Ze had geen tijd om de kunst te leren, maar Katie had het bijna meteen gekund. 'Dit heeft Katie gemaakt, en het is ons mooiste voorbeeld. We hebben er beneden nog een, die gebruiken we om bloemen uit te tuin te halen.'

Hij staarde ernaar, maar hij nam hem niet aan toen ze hem de mand toestak. Ze draaide zich weer om naar de kast. 'En dit' – ze stak de servet omhoog – 'is nog een voorbeeld. Katie zit aan de ene kant van de tafel en twee leerlingen aan de andere. Zij leert hen vouwen en niemand doet het zo netjes als zij.'

Ze legde het servet in de mand en zette hem opzij. Het mooiste had ze voor het laatst bewaard. Een krijttekening van de tuin buiten, compleet met een verweerde stenen bank die uitkeek over een denkbeeldig landschap van licht en kleuren in de verre lucht. De hemel, had Katie gezegd. Ze had alleen haar lievelingskleuren gebruikt – blauw, groen en geel – maar het gras was netjes groen en de bloemen waren gedetailleerd, hoewel allemaal hetzelfde. De hemel was een mengeling van alle drie de kleuren, zacht door elkaar gemengd.

'Van Katie?'

Ze knikte.

Simon keek naar zijn zusje, die hen gevolgd was naar het lokaal en naast de mandenvlechter was gaan zitten. De jongen liet haar meewerken. Simon kon zo zien bij welke rij Katie had geholpen; die was fijner en strakker dan de rest.

'Ik wist dat ze van tekenen hield,' zei hij zacht.

'We waren van plan deze boven haar bed te hangen,' zei Berrie. 'Het is haar lievelingstekening, maar we moeten er eerst een lijst voor hebben. Een paar andere kinderen hebben haar ook gevraagd iets voor hen te tekenen.'

Hij bleef naar zijn zusje kijken, dat zachtjes zat te praten met de jongen naast haar. Haar vingers gleden behendig door het stugge riet en maakten iets bruikbaars van zijn minder geslaagde pogingen.

'Twee weken lang heb ik geen idee gehad waar ze was,' zei Simon schor en onverwacht zacht. 'Ik wist niet of ze ontvoerd was of gewond… of…' Hij zweeg net zo abrupt als hij was begonnen, schraapte zijn keel en richtte zich rechter op dan daarstraks.

'Het spijt me,' fluisterde Berrie. Ze kon zich verdedigen, vertellen hoeveel moeite ze had gedaan om Katie's huis te vinden, maar ze dacht niet dat het verschil zou maken. Het zou de ongerustheid die hij al die dagen met zich mee had gedragen, niet wegnemen.

Hij keek van zijn zusje naar Berrie, en bestudeerde haar alsof hij haar voor het eerst zag. Of misschien voor het eerst geloofde. 'Ik kan haar niet zomaar achterlaten. Ze is mijn zusje.'

Berrie keek naar Katie en wist zonder enige twijfel wat zijn zusje zou kiezen als hij het haar toestond. En er was maar één manier om dat te bewerkstelligen. Misschien kreeg ze er spijt van, maar Berrie wist welke optie ze moest aanbieden.

'Meneer MacFarland, we hebben een familiekamer waar de familieleden van onze leerlingen welkom zijn om een dag of twee te blijven logeren. Als u echt wilt luisteren naar Katie, dan wilt u misschien overwegen om haar te laten blijven. Oordeelt u zelf. Kijk hoe wij zijn, hoe zij het hier maakt.'

Hij schonk haar een halve glimlach die bijna aantrekkelijk was. 'Wilt u een paar dagen met me opgescheept zitten?'

Ze knikte. 'Voor Katie.'

Hij keek weer naar zijn zusje en zuchtte diep. 'Goed, voor Katie dan.'

19

Een lichte klop op haar slaapkamerdeur dwong Rebecca één oog open te doen en op de wekker naast haar bed te kijken hoe laat het was. Zes uur in de ochtend.

Ze schoot overeind. Nee. Hij kwam toch niet op dit uur naar haar slaapkamer? Ze had minstens een halfuur nodig om haar krullen tot bedaren te brengen zodat ze er niet uitzag als een Amerikaanse barbiepop die te lang in de speelgoedkist heeft gezeten.

Ze stapte uit bed, greep haar badjas van een stoel en riep: 'Ja?'

'Ik ben het, juffrouw, Helen.'

Meteen was ze opgelucht, en daarna ongerust. Was er iets mis dat ze op zo'n vreemd uur aan haar deur kwam? Rebecca deed open. Daar stond Helen, met haar schort voor alsof ze zo uit de keuken was gehaald en bij Rebecca voor de deur gezet.

Rebecca hoefde niet ver te kijken om te zien wat de oorzaak was van Helens bezorgdheid. Achter Helen stond een langere, slankere gestalte, in het wit gekleed van de top van haar witblonde hoofd tot de teen van haar smetteloze Italiaanse schoenen.

'Lady Elise?'

Ze drong langs Helen heen, die niet wist wat ze moest doen en geërgerd keek. Rebecca wilde haar geruststellen dat er niets aan de hand was, maar die onechte woorden kon ze niet opbrengen. Dus draaide ze zich om naar Elise, die haar kamer nauwlettend stond te bekijken.

'Kan ik... iets voor u doen?'

'Dat kun je zeker. Je kunt ophouden met die onzin met mijn zoon. Vandaag nog.'

'Pardon?'

Haar ogen dwaalden niet langer door de kamer, maar werden

als twee pijlen op Rebecca gericht. 'Ontken je dat je iets hebt met mijn zoon? Terwijl de kranten vol staan over jullie tweeën?'

'Dus u hebt Quentin gesproken?'

'Ik kom rechtstreeks van het vliegveld, waar ik de ene kranten-kop na de andere zag over Quentin die iets heeft met zijn commercieel manager. Ik nam aan dat hij hier zou zijn.'

Rebecca stak haar kin in de lucht. 'Hij is ruim drie weken geleden terugverhuisd naar uw cottage.'

Elise kneep haar ogen tot spleetjes. 'Dus ik kan ervan uitgaan dat het niet waar is wat er in de kranten staat?'

'Niet... precies.'

'Wat betekent dat? Heb je een relatie met mijn zoon of niet?'

Rebecca greep de ceintuur van haar badjas vast. 'Ik weet niet of uw definitie van een *relatie* dezelfde is als die van mij, als u verwacht hem zonder getrouwd te zijn in mijn kamer aan te treffen.'

'Trouwen! Je krijgt het niet voor elkaar om je in een huwelijk te draaien. Daar zal ik wel voor zorgen.'

Rebecca deed een stap in haar richting en dwong zich iets te bidden wat ze zelfs in stilte niet wilde bidden. *Help me om vriendelijk te zijn, nu, hier.*

'Lady Elise...' – haar toon was vriendelijker dan ze voor mogelijk had gehouden – 'ik begrijp niet waarom u hier bent. Het schijnt dat u boos zou zijn geweest als u Quentin hier had aangetroffen, en nu bent u boos dat hij er niet is. Ik weet echt niet wat ik moet zeggen.'

'Zeg dat je mijn zoon nooit meer zult zien.'

'Dat kan ik niet beloven, persoonlijk noch professioneel, aangezien ik hier werk.'

'Niet meer.'

Daarop schreed ze de kamer uit en een zwakke geur van verschaald parfum was het enige bewijs van haar bezoek.

20

Een van de dingen die ik het meest mis van mijn thuis in Engeland, afgezien van mijn familie uiteraard, is mijn dienstmeisje. Hierin ben ik het volkomen met Katie eens. Vrouwenkleren zijn gewoon niet gemaakt om zelf aan te trekken. Ik kan je niet vertellen, Cosima, hoe vaak ik 's morgens naar de kamer van mevrouw Cotgrave ben gegaan om haar te vragen het een of ander dicht te knopen, en elke dag om te kijken of mijn haar van achteren goed zit. Zij krijgt het helemaal in haar eentje voor elkaar om zich aan te kleden en heeft nooit de wederdienst nodig waardoor ik me eindelijk weer gelijkwaardig zou voelen.

Vanmorgen had ik nauwelijks tijd om me zorgen te maken over mijn verschijning. Ik verwacht elke morgen de een of andere crisis, echt of ingebeeld. Maar ik had niet verwacht dat de ingebeelde soort uit mijn eigen familieslaapkamer zou komen...

'Argh! Eruit!' Dezelfde boze toon als gisteren, maar minder luid. 'Eruit! Eruit, zeg ik!'

Berrie deed haar slaapkamerdeur open en haar oog werd meteen getrokken naar een andere open deur in de gang. Daaruit verscheen een half aangeklede, verfomfaaide Simon MacFarland, die aan de pols de volledig aangeklede Eóin van veertien meevoerde. Simon, zonder overhemd en schoenen, scheen even humeurig als toen Berrie hem voor het eerst had gezien.

Hij zag haar en de boze blik die voor Eóin bestemd was, werd nog doordringender op haar gericht. 'U zou er goed aan doen een slot op die deur te zetten,' snauwde hij. 'Tenzij het uw bedoeling is dat iedereen in huis persoonlijk wakker wordt gemaakt door iemand die op het voeteneind van zijn bed komt zitten?'

Berrie probeerde een vermaakte glimlach te verbergen, maar

ze was er niet zeker van of het helemaal lukte. Eóin was hun stille zwerver, vooral in de vroege ochtenduren. 'Een dichte deur is meestal genoeg als afschrikmiddel, daarom zijn we voorzichtig met sloten. Zulke dingen zijn niet praktisch in een huis waar iemand een deur wel op slot kan krijgen, maar niet meer *van* het slot.' Ze pakte Eóin bij de hand om hem naar beneden te brengen en zei over haar schouder: 'We gaan over tien minuten buiten onze oefeningen doen. Katie is er dol op, dus misschien wilt u erbij zijn.'

Het gras was vochtig en glibberig van de nachtelijke regen en de ochtendzon deed de druppels glinsteren als een spontaan opgekomen diamantengewas. Zoals gewoonlijk bestond hun kleine legertje uit vier rijen van vijf, waaronder Berrie, mevrouw Cotgrave, en de verzorgers. Mevrouw Cotgrave had geprobeerd de start van hun mars aan te geven met een fluit, maar na de eerste dagen had ze het opgegeven omdat het voor een paar kinderen een te belastend geluid bleek te zijn. Een klap in de handen was luid genoeg en nu de meesten wisten wat er van hen werd verwacht, volgden ze zonder problemen. Niet precies in de maat, maar ze produceerden een fatsoenlijk marsgeluid omdat een paar jongens hun voeten hoog optilden en stampten als soldaten. De rest volgde minder bedreven en met minder lawaai.

Katie's rij bestond uit de twee meisjes en Jens en Eóin, die veruit de beste marcheerders waren. Ze had vast niet verwacht dat haar broer vandaag toe zou kijken, want Berrie had hem zeker vijf minuten eerder in de gaten dan Katie. Toen Katie hem zag, stond ze abrupt stil om te zwaaien en tot Berries ontzetting botste Tessie van achteren op Katie. Als een ontsporende trein lukte het Annabel en daarna de jongens niet om op tijd stil te staan. Ze vielen allemaal om de beurt en toen stond ook Bert, de leerling die vooropliep in de rij naast hen, stil. Alleen kwam dat minder goed uit, want hij bukte zoals hij bij bokspringen had geleerd. De jongen achter hem was niet gewaarschuwd en daar begon een nieuwe reeks valpartijen.

Niet uit het veld geslagen slaagden Berrie en mevrouw Cotgrave erin de rijen opnieuw te vormen en daar marcheerde het legertje om de gewone ochtendlijke oefeningen te voltooien.

'Zag je ons marcheren, Simon? En buigen? Weet je dat we zelfs in de regen kunnen marcheren? Dan moeten we allemaal die akelige jassen aan om droog te blijven, en daar hou ik niet van. Maar als ik er eentje aan moet om te marcheren, dan doe ik het.' Katie's stem klonk vrolijk en haar heldere ogen en roze wangen zagen er fris uit. Na twintig minuten marcheren, tien minuten huppelen, buigen en strekken, en twee minuten de frisse buitenlucht diep inademen om het af te maken, hadden de meeste gezichten een gezonde, frisse kleur.

Simon knikte met een uitdrukkingsloos gezicht.

'Ga je mee, Simon? Straks gaan we ontbijten. Maar zal ik je eerst mijn tuin laten zien? Ik heb aardappels en ik wil niet dat ze gaan stinken. Weet je nog, Simon, dat je me vertelde dat de aardappels ziek waren en dat er zo veel mensen waren gestorven en dat de Engelsen niet hielpen? Hoe moet ik het weten als ze ziek worden? Ik heb ook nog iets anders. Tomaten! Dat zijn grote rode bessen en ik kweek ze. Ze zijn nog niet klaar, maar mevrouw Cotgrave zegt dat de bloemen zitten waar later tomaten gaan groeien.'

Ze liep al weg en Simon volgde haar. Het was anders dan anders dat Katie even aanhankelijk was als de andere leerlingen, maar de opwinding over de aanwezigheid van haar broer had kennelijk de overhand.

Toen Katie in de eetzaal kwam, met haar broer nog in haar kielzog, was het er tamelijk rustig. Tessie neuriede zoals gewoonlijk en een paar van de jongens mompelden of schreeuwden en jankten. Nu en dan klonk een vermaning om een mond niet vol te proppen, een standje om langzamer te eten of een servet te gebruiken tussen Katie's gebabbel door. Het was een vredig ontbijt, en Berrie was er trots op. De meeste leerlingen dachten er zelfs aan om met bestek te eten.

Toen ze aan het eind van de maaltijd een dankgebed zei, voegde ze er in stilte haar hartgrondige dank aan toe dat de maaltijd zo goed verlopen was.

Berrie keek Simon na, die Katie volgde van de eetzaal naar het eerste klaslokaal. Daar zou ze niet alleen letters oefenen, maar ook andere leerlingen helpen. Berrie zag voor zich wat Simon vandaag zou zien: eerst lessen, kleur- en getalherkenning, benoeming van munten, gevolgd door handenarbeid en zingen. Voor de lunch kwamen alle klassen bij elkaar in de eetzaal om stille tijd te houden. In de middag waren er praktijklessen, waar de kinderen van de hoogste niveaus om beurten nagemaakte artikelen mochten uitkiezen, wegen en verkopen, zoals houten fruit en andere voedingswaren, en dan oefenden met betalen en wisselgeld teruggeven. Andere niveaus leerden huishoudelijke werkjes, en Katie koos altijd de keuken. Zolang ze niet in de buurt van het meel kwam, mocht ze graag helpen eten klaarmaken. Voor de jongens was er laarzen poetsen, eenvoudig timmerwerk, of boerenwerk.

Theetijd was tijd voor ontspanning, ook al een favoriet uur van ieders dag, ook voor Berrie. Sommigen konden cricket spelen, anderen maakten onder toezicht een wandeling, zaten op de schommel die aan een van de hogere bomen hing, luisterden naar een boek dat werd voorgelezen of maakten nu en dan een ritje naar het dorp in Jobbins wagen.

Tot nu toe was er de hele dag nog geen uitbarsting geweest en Berrie sprak nogmaals in stilte een dankgebed uit. Wat Simon MacFarland ook zou besluiten, het zou in elk geval niet gebaseerd zijn op het slechtste wat het landhuis te bieden had.

Berrie liep naar de kleine bibliotheek die vroeger het kantoor was geweest van Cosima's vader. Toen ze haar plaats innam achter het bureau, zag ze een grote envelop in het midden liggen. Er stond alleen op *Escott Manor*. Er zat geen postzegel op, wat betekende dat hij was bezorgd door een privébode. Waarom was hij niet meteen naar haar toe gebracht en hoelang lag hij er al?

Ze scheurde hem open en raakte meteen in de war door het formele uiterlijk van de brief. Brieven van meneer Truebody of de verschillende commissies waarmee ze tot nu had gecorrespondeerd, noemden altijd de volledige naam van het landhuis bij het adres. Deze brief scheen van een advocaat te zijn namens ene Finola O'Shea. De naam was haar onbekend.

Berrie's ogen gingen over de brief en de dikke bladzijden die volgden, en algauw zag ze nog meer namen staan: Rowena O'Shea geboren Kennesey, Mary Escott geboren Kennesey...

Hield Finola O'Shea op een bepaalde manier verband met Escott Manor?

Berrie las de laatste alinea en de moed zonk haar bij elk woord dieper in de schoenen.

... daarom: naar Ierse erfgewoonte, vanwege het hiervoor genoemde, bewezen feit dat Rowena O'Shea geboren Kennesey rechtmatig vijftig procent had moeten erven van de bezitting Escott Manor, eisen wij van de huidige landeigenaren Mary en Charles Escott, de betaling van de helft van de waarde van Escott Manor. De ongelukkige dood van Rowena O'Shea mag niet verhinderen dat haar geliefde kind wordt toegekend wat sinds tientallen jaren rechtmatig van haar was.

Berrie liet het papier uit haar trillende handen op het bureau vallen. De *helft* van Escott Manor... behoorde aan iemand anders toe?

21

Rebecca hing de telefoon op. Ze had Quentin mobiel gebeld, maar hem niet bereikt. Hij lag waarschijnlijk nog te slapen, zoals zij ook graag had gewild. Hopelijk werd hij wakker en zag hij de boodschap voordat zijn moeder bij hem voor de deur stond.

Ze douchte en kleedde zich aan, daarna dwong ze haar krullen in model. Van buiten zou ze niet laten merken dat het vroege bezoek haar iets had gedaan. Van binnen lag er een steen op haar maag die niet van wijken wilde weten.

Ze wenste dat hij had opgenomen, maar hij kende zijn eigen moeder natuurlijk veel beter dan zij en zou waarschijnlijk niet overrompeld worden zoals zij.

De steen in Rebecca's maag was geen angst dat Quentin hun relatie zou verbreken vanwege zijn moeder. Wat haar dwarszat, was de wetenschap dat iemand die belangrijk was voor Quentin, iemand die belangrijk zou moeten worden voor Rebecca, niet goedkeurde dat ze een paar werden. Tja, haar vader had vroeger gezegd dat ze van niemand toestemming nodig had, alleen van God en hem, zoals hij er grinnikend aan toevoegde. Maar alles liep natuurlijk makkelijker als de familieleden onvoorwaardelijk hun zegen konden geven. Op die van Elise had ze weinig hoop.

Rebecca liep naar haar kantoor, waar haar een lijst met e-mails en een stapel brieven van Berrie Hamilton wachtten. Ze was nog niet ver gekomen toen er aan de deur geklopt werd.

Voordat ze iets kon zeggen, stond Quentin voor haar. Zijn haar zat door de war, maar hij was onberispelijk gekleed in een spierwit katoenen overhemd en een kaki broek.

'Ze heeft toegegeven dat ze hier geweest is,' zei hij terwijl hij tegenover haar aan het bureau ging zitten. Geen begroeting, geen uitnodiging om samen te ontbijten. Hij keek haar alleen maar onderzoekend aan. 'Ben je... in orde?'

Ze glimlachte. 'Natuurlijk. Waarom zou ik niet?'

Hij hief zijn handen en ze kwamen met een plof in zijn schoot terecht. 'Ach, ik weet het niet, Rebecca. Misschien omdat je de afgelopen drie weken hebt zitten wachten op een bliksemoorlog, en vanmorgen stond ze ineens aan het voeteneind van je bed.'

Ze lachte. 'Ja. En hier ben ik. Nog helemaal heel.' Ze hield zijn blik vast. 'En nog steeds in dienst, neem ik aan?'

Híj kreunde, stond op en liep om het bureau heen om haar in zijn armen te nemen. 'Beschouw dit als je huis, Rebecca. Zelfs mijn moeder heeft niet de macht om dat te veranderen.'

Quentin kuste haar en fluisterde: 'Ik dacht al dat je je koffers weer gepakt had.'

'Ik zou niet weggaan zonder een gesprek.'

Hij hield zijn hoofd schuin. 'Dus je hebt je werkwijze veranderd?'

Rebecca schudde haar hoofd. 'Dat was voordat we een soort relatie hadden gekregen, een noodzakelijke opstelling. Maar nu... we hebben in elkaar geïnvesteerd, Quentin. De afkeuring van je moeder is nog aan de buitenkant. De tijd zal leren of we hem binnenlaten.' Ze zweeg even voordat ze eraan toevoegde: 'Ik laat de boel niet in de steek tenzij het wederzijds is – en niet zonder een verklaring. Ik vertrouw erop dat jij hetzelfde doet.'

'Afgesproken. Zullen we dat bezegelen met een kus?'

Ze bood geen protest.

Hij glimlachte. 'Klaar voor een lekker ontbijt van Helen?' vroeg hij. 'Ik heb honger gekregen van dat drama van vanochtend.'

Ze knikte en nam even de tijd om iets uit te printen. 'Ja, en deze nemen we mee. Een e-mail van Dana. Ik geloof dat ze iets te weten is gekomen over Berrie's school.'

Ze las het briefje hardop voor terwijl ze naar de keuken liepen.

Hallo!

Met genoegen kan ik je vertellen dat ik een vrouw heb ontmoet die Lorna Kettle heet, van wie de bet-betovergrootmoeder op de Escott Manor-school heeft gewerkt. Ik weet nog niet wat dit te maken heeft met een school die Mussenheuvel heet. Maar weet je: Escott Manor is maar een jaar open geweest! Ik heb toegang tot allerlei oude gegevens en ik heb zelfs het dossier van Royboy Escott gezien, dus ik weet zonder twijfel dat ik de juiste school te pakken heb.

Wordt er in de brieven van Berrie onthuld waarom de school maar zo kort heeft bestaan?

Ik hoop de gegevens die ik gevonden heb te kopiëren en mee te brengen als ik weer naar Engeland kom.

Tot dan,
Dana

Rebecca keek Quentin fronsend aan. 'Berrie's school is maar een jaar open geweest? Wat vreemd, ze had er zo haar hoop en dromen op gevestigd.'

'Misschien kunnen we uit de brieven te weten komen waarom.'

'Ik ben van plan de hele dag te gaan typen. Heb je zin om te helpen?'

Ze vroeg het maar half in ernst, maar Quentin knikte en voegde er grijnzend aan toe: 'Je weet vast niet dat ik mezelf beschouw als een van de snelste typisten van Engeland.'

'O, is dat zo?'

'Absoluut. Ik daag je uit voor een typwedstrijd na het ontbijt. Je zult eens zien wie de snelste is onder dit dak.'

22

*Vroeger plaagde ik Christabelle ongenadig met haar neiging om te pie-
keren. Ze is nog bang dat het mannetje uit de maan valt. Ik denk dat
ik misschien zelfs jou een paar keer te pakken heb genomen, vanwege de
zorgen die je in je huwelijk brengt, nu je weer een kind verwacht. Ik bid
elke dag voor je, hoor.*

*Je weet dat ik me betrokken voel, maar God heeft me een zoete vrede
gegeven over het kind dat je draagt, net zoals Hij me vrede gaf over je
zoon. Ik bid dat Hij jou dezelfde vrede geven zal.*

*Alleen wou ik maar dat Hij me die vrede ook geven zou voor mijn
school! Elke uitdaging die op ons pad komt, brengt onrust met zich
mee, terwijl ik weet dat ik op Hem moet vertrouwen. Ik heb geleerd
dat piekeren een soort virus is. Als je het eenmaal opgedaan hebt, is het
haast onmogelijk te genezen. Misschien moeten we ons er allebei tegen
teweerstellen, maar klaarblijkelijk weten we geen van beiden hoe we de
ander raad moeten geven.*

*Nadat ik de brief had gelezen die een bedreiging vormde voor de mis-
sie waar ik voor geschapen ben, liet ik onmiddellijk mevrouw Cotgrave
halen. Zij begrijpt beter dan wie ook de visie, en zij deelt mijn geloof dat
het idee voor de school van niemand minder dan God Zelf is gekomen
– eerst tot jou, Cosima, en toen tot de rest van ons. Dus hoe kunnen een
vrouw als Finola O'Shea en haar advocaat die visie bedreigen?*

'Ik zal natuurlijk contact op moeten nemen met meneer en mevrouw Escott,' zei Berrie tegen mevrouw Cotgrave nadat ze het
document had gelezen.

Mevrouw Cotgrave keek niet op van de papieren. 'Maar dat zal
wel enige tijd kosten, hè? In de laatste brief die je van hen hebt
gekregen, stond dat ze op het punt stonden om naar Afrika te ver-

trekken. Ze zijn waarschijnlijk al weg.'

Berrie sloot haar ogen. 'Ja, dat was ik vergeten. Met mijn broer dan. Hij weet wel wat er moet gebeuren. Maar ook dat kost tijd. Misschien moet hij hierheen komen en ik betwijfel of hij Cosima wil achterlaten of laten reizen in haar toestand, op z'n minst tot na de geboorte van de baby.'

'We kunnen meneer Truebody waarschuwen,' opperde mevrouw Cotgrave. 'Misschien weet hij iemand die ons kan helpen.'

'Ik wilde hem er eigenlijk niet in betrekken,' verzuchtte Berrie. 'Maar we hebben waarschijnlijk geen keus. Maar wat voor hulp kunnen we betalen?' Ze fronste. 'Ik zou het vreselijk vinden om mijn vader om nog meer geld te vragen, maar ik denk dat ik er niet omheen kan.'

Mevrouw Cotgrave glimlachte. 'God zal ons de weg wijzen, Berrie. Hij heeft ons hier gebracht met een doel en Hij zal ons nu niet in de steek laten.'

Er rees een golf van hoop in haar op. Die woorden had ze nodig gehad. Maar piekeren wordt niet makkelijk overwonnen als er zo'n groot verlies op het spel staat. 'Het wordt ongetwijfeld een juridische strijd – evenals een morele. Als die Finola O'Shea inderdaad de helft van dit landgoed kan opeisen, wat is dan de juiste weg?'

'Dan moeten we misschien ook met die vrouw gaan praten, denk je niet? Vragen wat haar motieven zijn om zoiets te doen – het principe van wat rechtmatig van haar is, of hebzucht.' Mevrouw Cotgrave glimlachte weer. 'Als alles wonderlijk goed gaat, kunnen we haar misschien overhalen zich aan te sluiten bij onze lijst van weldoeners.'

Berrie lachte vreugdeloos. 'Ja, dat zou inderdáád een wonder zijn, mevrouw Cotgrave. Echt een wonder.'

Met een gebed in haar hart ging Berrie te voet op weg naar het kantoor van meneer Truebody. Het was een bescheiden huis van twee verdiepingen, een huis in Tudorstijl en kantoor in één, net buiten het centrum van de stad. Er hing een uitnodigend bord op de deur: Tobias Truebody, kantonrechter. Kon ze maar geloven dat hij kon helpen.

Meneer Truebody las de brief met rimpels in zijn voorhoofd. Het scheen hem niet te verbazen dat ze met een probleem aankwam dat moest worden aangepakt.

'Zoals u weet bieden we in dit kantoor geen advocatendiensten, juffrouw Hamilton.' Zijn blik bleef op de brief gericht. 'Ik was bang dat zich iets dergelijks zou voordoen, nu er zo veel vrouwen betrokken waren bij de overname van het bezit.' Meer dan eens had hij bewezen bedenkingen te hebben bij een vrouw aan het hoofd van Escott Manor, zelfs terwijl zij en mevrouw Cotgrave verantwoording schuldig waren aan hem, de voogdijraad en de Krankzinnigheidscommissie – allemaal mannen.

Berrie lette niet op de irritatie die zijn woorden teweegbrachten. 'Misschien kunt u me helpen iemand te vinden, meneer Truebody – iemand die geen exorbitant honorarium rekent, want we kunnen niet veel betalen, zoals u weet.'

Hij knikte. 'Ja, ik ben op de hoogte van de dure aard van uw instituut.' Hij keek haar aan, in zijn leigrijze ogen stond niets anders dan hardheid. 'U beseft toch dat dit het einde van uw ziekenhuis kan betekenen? Voordat het zelfs maar van de grond is gekomen?'

Berrie's geduld was tot het einde beproefd. Ze griste de brief uit zijn hand, die gelukkig niet scheurde. 'Dank u voor uw tijd, meneer Truebody. Zoals u weet is mijn familie niet zonder invloed. Ik zal deze kwestie met hen bespreken. Als we nog een...' Ze zweeg voordat ze te ver ging. Berrie moest nog uitzoeken welke diensten hij verschafte waar ze blij mee was. Hij beheerde hun geld, bemoeide zich ijverig met hun papierwerk en was een sterke woordvoerder voor het bestuur. 'Als we kunnen bedenken op welke manier u ons zou kunnen assisteren, zullen we onmiddellijk contact met u opnemen.'

Toen verliet ze zijn kantoor zonder zich te bekommeren om de mogelijke consequenties van het beledigen van een man die zichzelf belangrijker achtte dan hij was.

23

Rebecca toeterde toen ze Dana en Padgett uit de trein op het perron zag stappen.

'Hier ben ik!' riep Rebecca, die naast de auto bleef staan.

Dana en Padgett snelden door het drukke station van Northamptonshire waar toeristen en reizigers uit de trein stapten, op haar toe. Padgett gooide zich in Rebecca's armen voor een enthousiaste knuffel voordat Rebecca Dana kon omhelzen. Eén ontmoeting en enkele tientallen e-mails en ze waren al bijna familie.

'Ik kan je niet zeggen hoe dankbaar we zijn voor de uitnodiging om op de Hall te komen logeren,' zei Dana. 'Aidan vond het een vervelend idee dat we met z'n tweetjes in een logement zouden slapen, al was het in een vriendelijk dorp als dat van jullie.'

'Quentin heeft het met alle plezier gevraagd en ik ben erg blij met jullie gezelschap.'

Ze draaiden zich om naar haar auto en Rebecca zag voor het eerst dat Dana een grote koffer vastklemde en Padgett een soort proviandtas op wielen meetrok. Rebecca fronste, ze had niet aan bagage gedacht toen ze in haar e-mail aanbood hen op te halen. Ze had alle onnodige dingen uit de auto gehaald en Dana kon voorin zitten, en Padgett met haar tas achterin. Dana's grote koffer was het probleem.

'We moeten de grote koffer bovenop vastbinden en maar hopen dat het niet gaat regenen tot we bij de Hall zijn,' zei ze, en pakte een touw van onder de passagiersstoel. 'Klaar?'

Dana keek sceptisch. 'Misschien moeten we hulp zoeken. Mijn koffer zit vol papieren – kopieën van dossiers van Escott Manor. Hij weegt een ton.'

Rebecca probeerde de koffer en beaamde dat hij inderdaad

zwaar was. Maar het was niets voor haar om al te snel om hulp te vragen. 'Je bent te lang getrouwd, Dana,' zei ze lachend. 'We kunnen het best zelf. Kom op.'

Met z'n tweeën tilden ze onhandig de koffer omhoog. Rebecca bond de koffer vast, in het vertrouwen dat haar knoopkunst niet verloren was gegaan na haar studietijd, toen ze al haar bezittingen op net zo'n dak had vervoerd.

'En nu racen voordat het gaat regenen!' Rebecca sprong achter het stuur en Dana en Padgett stapten in.

Gelukkig voor de kleren en vooral de papieren in Dana's bagage, haalden ze het naar de Hall voordat de eerste regendruppels uit de bewolkte lucht vielen. Nadat de Walkers geïnstalleerd waren in een suite van aangrenzende kamers in dezelfde vleugel als Rebecca's slaapkamer, aten ze gezamenlijk een door Helen opgediende lunch, terwijl ze praatten over Ierland en Amerika en Engeland. Padgett was zo'n kind dat het moederschap aantrekkelijk maakte met haar vlotte lach, haar beleefde manieren, en haar grote blauwe ogen. Toen Rebecca haar vertelde dat er vaak schoolkinderen op bezoek kwamen in de Hall, was de belangstelling van het kind gewekt.

'Ik ga naar school als we weer thuis zijn,' zei Padgett. 'Ik ben nu groot genoeg. Mama zegt dat ik de school leuk zal vinden. Ik kan mijn naam al schrijven. En ik kan ook tellen, helemaal tot tien. En ik kan klokkijken op een echte klok. Mama zegt dat ik het twee keer per dag goed heb. Is het al half tien? Dat is de tijd die ik goed heb.'

'Nog niet,' zei Dana lachend. 'Je hebt het vanmorgen gemist en ik denk dat je vanavond om die tijd al slaapt.'

'Maar ik blijf hier slapen, hè mama?'

'Dat klopt. In de kamer die Rebecca je heeft laten zien, vlak naast de mijne.'

'En waar slaapt je neef Quentin, mama? Dit is toch zijn huis?'

'Quentin woont een eindje verderop in het volgende dorp, in een huis dat een beetje lijkt op dit,' verklaarde Rebecca. Ze keek

Dana aan. 'De familie van zijn moeders kant heeft ook een land-goed in de familie gebracht, en zij geeft de voorkeur aan dat huis. Quentin woont daar als hij niet in de stad is.'

Dana glimlachte. 'Aidan vond het jammer dat hij niet weg kon van zijn werk om Quentin weer te zien. Ik geloof dat ze elkaar graag mochten. Komt hij hier dineren?'

'Zijn moeder heeft hem gevraagd haar vanavond te begeleiden naar een liefdadigheidsfeest, en vanmiddag zijn er vergaderingen met het bestuur, dus hij komt pas morgen. Anders was hij wel mee-gegaan naar het station om jullie op te halen.'

'O, dat zou leuk zijn geweest,' zei Dana grinnikend. 'Dan hadden we hem ook op het dak moeten binden, maar dan had hij in elk geval de koffer omhoog kunnen zeulen.'

Rebecca lachte, opnieuw dankbaar voor Dana's gezelschap. Mis-schien had ze te lang in de afzondering van het landleven gezeten.

'Dus binnenkort ontmoeten we zijn moeder wel een keer?'

'Dat weet ik niet zeker,' zei Rebecca langzaam. 'Misschien.' Re-becca nam Padgett op, die de korst van de restanten van haar sand-wich zat te trekken. 'Een maand geleden is er een nieuw lammetje geboren, Padgett. En weet je wat we nou nog niet hebben?'

Ze schudde haar hoofd.

'Een naam. Wil jij er eentje voor haar kiezen?'

Ze knikte met grote ogen. 'Mag ik haar eerst zien, zodat ik weet hoe ze eruitziet?'

Rebecca keek uit het raam van de ontbijtkamer, waar ze ge-luncht hadden. 'Het regent niet meer. Ik denk dat het wel lekker is om even naar de schuur te lopen.'

Ze wandelden naar de kinderboerderij, langs werkende tuin-lieden en in de verte een van de rentmeesters die de tarweoogst inspecteerde.

'Is dat ook Hollinworth-land?' vroeg Dana, wijzend naar het veld beneden.

'Ja, ze bezitten ruim achthonderd hectare. Vast niet gigantisch voor Amerikaanse begrippen. Behoorlijk naar Engelse begrippen. Het meeste is verpacht, al zo'n tweehonderd jaar.'

Dana zuchtte. 'Het is hier echt heel anders. De geschiedenis lijkt niet zo lang geleden.'

Rebecca vroeg de beheerder het nieuwe lammetje te halen en Padgett werd officieel voorgesteld aan het kleintje zonder naam. Lachend noemden ze allerlei namen waarvan Rebecca nog nooit had gehoord, waarschijnlijk uit een of andere Amerikaanse tekenfilm.

Eindelijk stak Padgett haar wijsvinger op. 'Mama! We moeten haar de naam geven die jij aan mij had willen geven. Wat vind je van Emma?'

Dana knikte. 'Dat heb ik altijd een mooie naam gevonden. Het zou aardig zijn om hem in gebruik te nemen, hè?'

'Mag dat, Rebecca?' vroeg Padgett. 'Haar Emma noemen?'

'Emma zal het zijn. Ik zal de stalknecht zo gauw mogelijk een bordje laten maken, dan weten alle bezoekers wie ze is.'

'Jippie!' zei Padgett. Ze bukte zich diep en praatte tegen het wollige wezentje dat ze achternaliep in het weitje.

Rebecca keek haar met plezier na. 'Het is een leuk kind,' zei ze tegen Dana.

'Dank je. We zijn zo blij met haar.' Ze schraapte haar keel om iets te zeggen, zweeg, en begon opnieuw. 'Ik zit ergens mee wat ik graag wil uitleggen.' Padgett ging op een afstand helemaal op in het lammetje en kon hen niet horen. 'Over wat Padgett zei toen we hier de vorige keer waren. Dat haar neefje Ben de reden was dat we haar geadopteerd hadden.'

'Je hoeft mij niets uit te leggen, Dana,' zei Rebecca. 'Ik heb geen conclusies uit die opmerking getrokken.'

'Ik wel,' zei Dana, ze trok een grimas, 'over mezelf. Ik moet gezegd hebben wat ze heeft gehoord, alleen kan ik me absoluut niet herinneren dat ik het gezegd heb. Aidan herinnert het zich vaag. Het is waar dat we niet wilden riskeren nog een kind met een handicap op deze wereld te zetten, maar toen we de adoptiepapieren invulden, hebben we gezegd dat we bereid waren een kind met een handicap te nemen. We hebben met Ben enige ervaring opgedaan en het leek ons goed om te doen. Niet een nieuw kleintje met problemen toevoegen – maar er eentje redden.'

'Maar Padgett is toch gezond.'

'Ja. Nu wel. Maar toen we haar adopteerden, dachten we dat ze leed aan Foetaal Alcohol Syndroom, vanwege de levensstijl van haar moeder. Padgett was achtergebleven in ontwikkeling en ondervoed. De biologische moeder hield vol dat ze niet had gedronken tijdens haar zwangerschap, maar niemand geloofde haar omdat Padgett zo lusteloos was. Maar het was waar, want toen Padgett eenmaal goed verzorgd en gevoed werd, bloeide ze op. En nu is ze kerngezond.'

Rebecca verwonderde zich over de droefheid in Dana's woorden. 'Daar bidt elke moeder toch voor,' zei Rebecca zacht.

Dana knikte. 'Ik ben ook blij, maar niet zonder schuldgevoel.'

'Hoezo? Je hebt haar leven voor altijd ten goede veranderd.'

'Ja, dat weet ik. Maar mijn zus… Zij heeft het kind dat ik had kunnen hebben als Aidan en ik niet hadden opgepast om niet zwanger te worden. Elke dag moet mijn zus Natalie moeilijkheden trotseren waar ik ook voor had kunnen staan. De achterstand van haar zoon, de frustraties, de pijn van het weten dat hij nooit voor zichzelf zal kunnen zorgen. Daarom kon ik niet geloven dat ik echt heb gezegd wat Padgett heeft gehoord, omdat het klonk alsof ik geen kind als Ben wilde en haar daarom had geadopteerd. Zo was het niet begonnen… maar ik ben wel zo opgelucht dat ik me schuldig voel.' Ze keek Rebecca recht aan. 'Egoïstisch, hè, om een perfect kind te willen?'

Rebecca lachte kort. 'Egoïstisch? Omdat je blij bent dat God je gezegend heeft met een gezond kind?' Ze schudde haar hoofd. 'Ik geloof niet dat Hij wil dat we ons schuldig voelen om de zegeningen die Hij ons schenkt. Kijk eens naar alles wat Quentin heeft. Moet hij zich schuldig voelen omdat hij gezond geboren is in een familie die dit allemaal heeft? Hij heeft trouwens inderdaad een bloedonderzoek laten doen, hoewel de huisarts na één blik op zijn stamboom volhield dat iets als fragiele X nooit zo lang verborgen had kunnen blijven.'

'Heeft hij de uitslag al?'

'Nee.' Rebecca keek om en wees naar het landhuis. 'Jij had best in zijn plaats in dit huis geboren kunnen zijn.'

Nu was het Dana's beurt om te lachen, en Padgett kwam naar hen toe met het lammetje in haar armen, dat zich binnen de kortste keren had losgewurmd. Ze was inderdaad een zegen; dat kon Rebecca zonder veel moeite zien.

Padgett was het soort zegen waarover Rebecca zichzelf in de afgelopen jaren niet had toegestaan te dromen. Ze had het teruggetrokken landleven verkozen boven een druk stadsleven. Ze had niet willen denken aan trouwen en kinderen krijgen.

Tot nu.

24

Ik weet dat we weinig of geen hulp van meneer Truebody hoeven te ver-
wachten bij onze rechtszaak. Waarom is het, Cosima, dat mannen het
vrouwen niet gunnen om een taak uit te voeren — zelfs geen taak die zij
jammerlijk hebben laten liggen?
Na mijn vertrek uit het kantoor van meneer Truebody ben ik op mijn
gemak naar het landhuis teruggekeerd en onderweg bij de kerk in de stad
langsgegaan. Daar ga ik graag heen, en ik kon er niet voorbijlopen. Ik
ben langer gebleven dan ik besefte, en het was allang donker toen ik weer
terugkwam.
Toen ik in het schemerige maanlicht het landhuis naderde, zag ik dat het
rijtuig van MacFarland er nog stond. Katie had nog een nacht bij ons
mogen blijven. Dat betekende natuurlijk dat haar broer er ook nog was.
Mevrouw Cotgrave was halverwege het gazon voordat we dicht genoeg
bij elkaar waren om te kunnen praten. Als ik de uitgesproken bezorgd-
heid op haar gezicht om mijn late komst niet had gezien, had ik het wel
gemerkt toen ze op me af kwam om me te begroeten…

'Wat is het laat, Berrie. Ik was bang dat het niet goed gegaan was.'

'Ik ben naar de kerk gegaan om te bidden. We hebben Gods hulp nodig, want van meneer Truebody hoeven we weinig hulp te verwachten.' De twee vrouwen liepen samen naar de voordeur van het landhuis. 'Is het vanavond goed gegaan?' Berrie hoopte dat er zo weinig mogelijk drukte was geweest nu Simon MacFarland er nog was. Allemensen, ze hoopte maar dat hij gauw vertrok. Zonder Katie.

'Wel aardig.' Ze glimlachte. 'Eóin is stiekem naar de familieslaap-kamer gegaan en heeft een kleinigheidje achtergelaten voor onze gast. Je weet hoe graag hij dingen verplaatst.'

'Wat was het?' Ze dacht aan een paar schoenen die hij in haar kamer had laten liggen. Mevrouw Cotgrave had minder geluk gehad; bij haar had Eóin een dode muis bezorgd.

'Alleen maar een pot, een pan en een lepel. Keurig netjes op het bed van Katie's broer uitgespreid. Meneer MacFarland heeft ze net naar de keuken teruggebracht en is zonder een woord naar zijn kamer gegaan.'

'Heeft hij niet gezegd of hij Katie meeneemt?'

Mevrouw Cotgrave schudde haar hoofd toen ze de salon binnengingen en ieder hun favoriete stoel innamen. 'Hij vroeg zich wel af waar je heen was gegaan, want hij wilde je spreken. Misschien heeft hij een besluit genomen.'

'En waar hebt u gezegd dat ik heen was?'

'Een boodschap doen. Hij is behoorlijk nieuwsgierig, want hij vroeg wat voor een boodschap, alsof hij het recht heeft alles te weten van ons doen en laten.'

De gedachte aan Simon MacFarland bracht alle zorgelijke gedachten weer terug in Berrie's hoofd en ze haalde de brief uit de tas waarin ze hem had meegenomen.

'Je moet via haar advocaat contact zoeken met die Finola O'Shea,' zei mevrouw Cotgrave. 'Nodig haar uit om hier te komen. Hoogstwaarschijnlijk heeft ze er geen idee van dat Escott Manor nu een school is.'

'Laten we hopen dat het verschil maakt en dat ze niet eist dat we allemaal vertrekken.'

'Kom, Berrie. Het is in de hand van God. Je hebt er om gebeden, net als ik. En God heeft me niet gezegd dat we onze deuren moeten sluiten vanwege deze brief. Heeft Hij dat tegen jou gezegd?'

Berrie schudde glimlachend haar hoofd. Een beweging achter mevrouw Cotgrave trok Berrie's aandacht. Even later stond Katie daar, in haar katoenen nachtpon zonder badjas of slippers. Ze trok rimpels in haar hoge voorhoofd.

'Moeten we de school sluiten, juf Berrie? Om een brief? Dat kunnen we niet doen. Het is ons huis.'

Berrie stond op, maar Katie draaide zich al op haar blote hielen om en snelde de kamer uit. Berrie wilde achter haar aan gaan.

'Ik ga wel,' zei mevrouw Cotgrave, moeiteloos langs Berrie heen lopend. 'Ik heb water opgezet; je moet een kop thee drinken en dan naar bed met jou.'

In plaats van weer te gaan zitten, hoe aanlokkelijk het ook was, ging Berrie naar de keuken op zoek naar thee. Ze ging aan de brede werktafel zitten, waar schone kommen in keurige rijen klaar stonden voor de ochtendpap. Niets in deze keuken deed haar denken aan thuis, het oude fornuis noch het eenvoudige maar duurzame servies. En toch dacht ze op dat moment aan haar familie en ze vroeg zich af of ze sneller dan ze had verwacht naar hen zou moeten terugkeren.

Boven haar kop thee boog Berrie haar hoofd in gebed. Aan het einde van elke dag bad ze speciaal voor die of die leerling, elk op hun beurt. Vanavond waren alle kinderen in haar gedachten. De school was nog maar net begonnen hen en hun families te helpen. Wat zou er van hen worden als deze brief een echt probleem bleek te vormen?

Ze wist niet goed wat haar gebed verstoord had, want ze hoorde niets. Ze keek op en daar stond Simon MacFarland. Hij had een wit overhemd aan en een zwarte broek, zijn dikke haar viel over zijn voorhoofd. Aantrekkelijk om te zien. Het irriteerde Berrie dat ze er aandacht voor had terwijl ze zo veel aan haar hoofd had – en terwijl de man in kwestie zo'n brutaal karakter had.

Ze ging rechtop zitten en wenste dat ze hem hartelijk kon begroeten, maar het lukte haar niet. Als hij was gekomen om haar te vertellen dat hij Katie mee naar huis nam, dan wilde ze het niet horen. Vanavond niet. Hij had twee dagen lang de kans gekregen om hun school te beoordelen, langer dan veel ouders nodig hadden gehad. Als hij haar school en het personeel onvolwaardig vond, dan betekende de brief misschien iets wat ze niet wilde geloven: dat het achteraf toch geen opdracht van God was dat ze hier zat, en dat de school gedoemd was te mislukken. Ze was een mislukking.

Voordat ze echt begonnen was.

'Katie kwam daarstraks naar mijn kamer.'

'Het spijt me. Ik dacht dat mevrouw Cotgrave...'

'Ja, ze volgde haar vlak op de hielen. Mevrouw Cotgrave heeft haar veilig in bed gelegd.'

Berrie ontving het nieuws met een knik. Toen hij geen aanstalten maakte om te vertrekken, besefte ze dat ze vanavond nog zijn beslissing onder ogen moest zien, of ze het leuk vond of niet. Ze sloeg haar vermoeide ogen naar hem op. 'Hebt u een besluit genomen over Katie's toekomst, meneer MacFarland?'

'Ik dacht van wel,' zei hij. Hij kwam naar de tafel en ging zitten.

Even kwam het in haar op dat ze hem thee moest aanbieden, maar ze bleef gewoon zitten wachten.

'Katie was van streek. Ze zei dat de school zijn deuren moet sluiten.' Simon keek Berrie recht in de ogen en ze deed haar best om niet te laten merken dat ze het betreurde dat hij van de situatie afwist. 'Mevrouw Cotgrave was niet erg duidelijk. Waarom zou u uw deuren moeten sluiten?'

Het was al zo'n chaos van gedachten in haar hoofd dat ze niet meer uit kon maken of het wel verstandig was om haar last met hem te delen. Veel meer had hij niet nodig om Katie mee te nemen. Zijn elegante rijtuig wachtte.

'Ik heb een brief gekregen waarin de helft van Escott Manor wordt opgeëist als wettige nalatenschap, wat kennelijk in de afgelopen tientallen jaren over het hoofd is gezien. Er staat in dat vijftig procent toebehoort aan familie van de Ierse vrouw van wie we dachten dat ze het in zijn geheel bezat.'

'Maar Escott is een Engelse naam. Ik dacht dat het allemaal in bezit was van een Engelsman?'

'Hij is aangetrouwd. De vrouw die het landgoed oorspronkelijk bezat, is een Ierse. Kennesey. Ze heeft klaarblijkelijk een zuster van wie de afstammelingen beweren dat ze de helft had moeten erven.'

'Er was vroeger een wet waarin die dingen geregeld waren. Op-gelegd door de Engelsen, juffrouw Hamilton.' Zijn toon was even hard als de blik in zijn ogen. 'Verdeel en heers – dat was het doel, dus uiteindelijk zouden er geen Ierse grootgrondbezitters meer over zijn.'

'U zou mij graag persoonlijk willen aanklagen voor een wet die lang voordat ik geboren werd, is ingesteld, meneer MacFarland.' Terwijl Berrie nog sprak, was ze blij dat hij niet wist dat haar broer, vader, grootvader en andere voorouders minstens voor een deel verantwoordelijk waren voor de wetten van Engeland waaraan hij kennelijk zo'n hekel had. Ze was te moe om naast haarzelf en haar school die ook nog allemaal te moeten verdedigen.

'Mag ik die brief eens zien?'

Even was ze in de war en gaf geen gehoor aan zijn verzoek. Toen hij zijn hand uitstak naar het document dat voor haar lag, nam ze het op en gaf het hem. Hij stond op en ging recht onder het licht van de muurlamp staan.

'Ik ken die advocaat niet, die MacTaggert.' Hij bladerde in het document. 'Maar ik kan vast wel meer over hem te weten komen. In elk geval is dit waarschijnlijk niets om u zorgen over te maken. Wat een Ierse gewoonte is geworden, is één ding. De Engelse wet, waaraan we zoals u weet allemaal onderworpen zijn, is een ander verhaal. Die vereist niet langer de gelijkwaardige verdeling van een bezit.'

'Dus in dit geval is het de *Engelse* wet die de rechten van de school beschermt?' Het was de eerste hoopvolle gedachte die ze had gehad sinds ze die gruwelijke envelop had opengemaakt.

'Ja, juffrouw Hamilton. Zoals in het hele leven kan men in de laagste schepping nog iets goeds vinden.'

Ze had vaag het idee dat hij haar met opzet probeerde te prik-kelen, maar ze hield haar mond. Ze kon het zich niet permitteren om hulp te weigeren, ongeacht waar die vandaan kwam.

Simon verdiepte zich weer in de brief. 'Een intimiderende brief, liefst met het briefhoofd van een parlementslid, zal wel voldoende zijn om deze kwestie uit de weg te ruimen.'

Berrie beet weer eens op haar tong. Vlak voor haar neus stond ongetwijfeld precies het parlementslid dat een gepast dominerende toon zou weten aan te slaan.

25

Rebecca zat aan haar bureau, met Dana tegenover zich. De vier jaar oude Padgett lag in de kamer die grensde aan die van Dana verderop in de gang te slapen als een roos. Het was niet laat, maar na een middag bloemen plukken, croquet spelen en nog een bezoek aan de kinderboerderij was het kind uitgeput.

Dana zocht in de stapel dikke bruine enveloppen die ze had meegebracht. 'De meeste kopieën zijn leesbaar,' zei ze, 'maar ik heb tot nu toe geen tijd gehad om er meer dan een paar te lezen. De vrouw die ik heb gesproken, zei dat haar oma haar deze gegevens had gegeven toen ze klein was, en dat ze haar had verteld dat veel vrouwen van hun familie in enigerlei ziekenhuis hadden gewerkt.'

'Was ze verpleegster?'

Dana schudde haar hoofd. 'Lerares voor kinderen met een ontwikkelingsachterstand. Ze zei dat deze gegevens haar hadden geholpen haar beroep te kiezen. Ik moet toegeven dat ik me in het begin een beetje ongemakkelijk bij haar voelde. Thuis zijn we altijd zo bang om iets onbeleefds te zeggen, en mevrouw Kettle categoriseerde de verschillende leerlingen uit deze gegevens als idioten en imbecielen en gekken, net zo makkelijk alsof ze het over blauwe of bruine ogen had. Voordat ze had uitgelegd dat het negentiende-eeuwse wettige termen waren, merkte ik dat ik opgelucht was dat mijn zus haar zoontje niet naar een leraar hoefde te brengen die zulke woorden gebruikte.'

'Ik heb geschiedenis gestudeerd, maar ik moet toegeven dat ik niet veel weet van ziekenhuizen en inrichtingen uit de Victoriaanse tijd,' zei Rebecca. 'Mijn vader is de echte deskundige op het gebied van dat tijdperk.'

'Mevrouw Kettle vertelde dat de mensen dachten dat zwakzinnigheid het gevolg was van milieu en gebrek aan opvoeding, en dat ze dus met een soort van Victoriaanse filantropie het probleem konden oplossen. Toen ze hadden uitgevonden dat biologie er wel eens een rol in kon spelen, iets wat niet veranderd kon worden... een daad van God, tja... toen lieten ze hun hoge idealen achter zich. Misschien had dat iets te maken met de sluiting van de school.'

'De datum komt overeen met Berrie's vroege brieven,' zei Rebecca, die het vel papier in haar hand bekeek. Elk woord paste in een klaarblijkelijk handgemaakte kaart, die met zijn horizontale en verticale lijnen even keurig recht was als een door de computer voortgebracht rapport. De letters waren hoog en vast, gelijk van vorm. Denkend aan Berrie's brieven nam Rebecca aan dat de netheid kon worden toegeschreven aan meneer Truebody.

'Ik heb maar een paar dossiers gelezen. Ik ben begonnen met de E van Escott omdat ik zeker wilde weten dat ik de juiste school had. Hier,' zei Dana, zoekend in een ander dossier, 'deze heb ik gelezen. Hier heb je de gegevens van Roy Escott, die alles bevestigen.'

Rebecca speurde de lijst af. Edwards, Eppingham, Escott.

Kandidaat: Roy Escott, vijftien jaar
Waarneming arts: Non compos mentis
Donerende familieleden: Cosima Hamilton-Escott (zuster); Peter Hamilton (zwager)

Rebecca keek op naar Dana. 'Non compos mentis...' Ze wist wat het betekende; het gaf haar alleen een schok om het in een dossier te zien staan.

Dana's gezicht betrok. 'Idioot.'

Rebecca pakte Dana's hand en gaf een kneepje. 'Een juridische term, Dana; denk eraan. En hij was je neefje niet.'

'Maar hij was net als hij,' fluisterde Dana. Ze zuchtte diep en veegde een traan weg. 'Wat doe ik raar, hè? Ik weet niet waarom ik de laatste tijd zo sentimenteel ben. Ja, Royboy werd een wettelijke idioot genoemd, zoals bepaald door wat destijds een Krankzinnigheidscommissie werd genoemd. Mevrouw Kettle definieerde het voor me: idioten verschilden in zoverre van gekken dat gekken hun verstand waren kwijtgeraakt, terwijl idioten zonder verstand waren geboren. Woorden, alleen maar woorden.'

Rebecca kneep weer in haar hand. 'Het is een familielid waar het over gaat, maar hij is allang dood en wordt door zulke termen niet gekwetst, ook al leefde hij nog. Hij zou niet weten wat het betekende.'

'Misschien niet. Maar wie van hem hield beslist wel.'

Rebecca keek weer neer op de bladzijden. 'Ik zie dat Cosima en Peter Hamilton "donerende familieleden" werden genoemd voor Royboy.'

'Elke kandidaat moest twee respectabele mensen hebben die beloofden zijn kosten te dekken en de patiënt terug te nemen als de termijn was verstreken. Regels – die heeft elke school, ook nu nog.'

'Staat er in die schoolgegevens ergens iets wat verklaart waarom Escott Manor maar zo'n korte tijd open is geweest?'

'Nee, niet dat ik weet, maar ik heb nog niet alles gelezen. Alles wat ik heb gezien, dateert tussen 1852 en 1853, en is vooral beperkt tot vooruitgang en behandeling van patiënten. Ik denk dat bepaalde behandelingen nu nog wel gebruikt worden, zoals belonen met lievelingseten, kalmeren met muziek, en taal leren met plaatjes. Mijn zus heeft me dingen laten zien die de therapeuten doen met Ben, en dat is net zoiets.'

Rebecca las de gegevens van Royboy.

Vorige woonplaats: Escott Manor
Vorige behandeling: Escott Manor
Suïcidaal? Nee
Duur van de aandoening: Levenslang

Hoe simpel stonden die woorden op papier. Hoe eindeloos was het waarschijnlijk in de realiteit.

Het rapport vermeldde de dingen die hij geleerd had:

Tellen; eten met een vork; letters opnoemen (hoewel niet gelezen); urine en feces ophouden behalve in geval van agitatie; zonder hulp uitkleden (merk op: niet aankleden).

Punten van zorg: beperkte spraak, overdreven vertrouwend, gebrek aan onderscheidingsvermogen op elk gebied van het leven. Moet uit de buurt worden gehouden van boeken in verband met neiging tot verscheuren van banden.

Royboy's gegevens, merkte Rebecca op, waren kariger dan die van anderen. Ze bladerde door registers en zag instructies voor de ene leerling die uit de buurt moest worden gehouden van messen en scherpe voorwerpen, en voor een ander die met water morste als hij de kans kreeg, stoelen omver gooide en dingen in het vuur smeet.

Tjonge, wat moest het moeilijk zijn geweest om zo'n huis te leiden, vooral omdat er vuur gebruikt werd om op te koken, te verlichten en te verwarmen in een vaak druilerig, koud klimaat.

Ergens anders was sprake van iemand die zijn bed in brand had gestoken. Het bloed bonsde in haar slapen. Was de school daarom gesloten? Misschien had een patiënt brand gesticht. Wat zou dat vreselijk zijn geweest voor Cosima, die al meer familieleden aan brand had verloren.

Rebecca werd vervuld van medelijden. Ze spreidde de bladzijden uit en merkte één grimmige overeenkomst op in bijna alle gegevens.

Duur van de aandoening: Levenslang

Een levenslange gevangenisstraf van intellectuele uitdaging. Geestelijke achterstand. Idiotie.

Ze dacht aan Padgett, die zo vlakbij lag te slapen. Rebecca keek naar Dana, die een paar brieven zat te lezen die Rebecca had uitgetypt.

Rebecca vond het helemaal niet egoïstisch van Dana dat ze wilde wat elke vrouw wilde: een gezond kind. Was vragen om het normale te veel gevraagd?

Zo ja, dan vroeg Rebecca ook te veel. Het enige wat ze wilde, was houden van Quentin en hopen op een toekomst met hem. Het 'normale'.

26

Ik heb het zo druk gehad dat ik niet heb kunnen schrijven, maar ik wilde je vertellen over de dag dat ik het rijtuig van Simon MacFarland nakeek, dat hem meenam. Hij was gezwicht en Katie mocht blijven. We hadden afgesproken voor een heel jaar en hij had beloofd regelmatig op bezoek te komen. Onaangekondigd, waarschuwde hij me.

Toen hij me vertelde dat hij wegging, en zei dat hij zijn best zou doen om onze juridische problemen op te lossen, bood hij ook ongevraagd advies dat ieder spoortje dankbaarheid dat zich in me geroerd mocht hebben, tenietdeed. Pas nu kan ik het opschrijven zonder van binnen te zieden van woede.

'Ik doe het voor Katie,' zei hij, 'niet omdat ik geloof dat dit huis ook maar enig verschil zal maken in het leven van al die zogenaamde leerlingen. Het is geen wonder dat de Krankzinnigheidscommissie jullie een ziekenhuis noemt in plaats van een school. De kinderen die hier zitten kunnen niets leren en u zou er goed aan doen te aanvaarden dat uw taak een onmogelijke is.' Wat had ik hem graag willen tegenspreken, bewijzen dat hij ongelijk had. Zijn zusje had al geleerd om een mand te maken. Bovendien bereikt ze iets wat van veel meer belang is: onafhankelijkheid. Maar ze was niet het soort leerling dat hij bedoelde. Hij had het over degenen die helemaal niets kunnen maken (manden, tekeningen, opgevouwen servetten) voordat ze hier kwamen of nu. Misschien heeft hij gelijk en zullen ze inderdaad nooit iets kunnen.

Maar moet ik wat wij afgezien daarvan te bieden hebben een mislukking noemen? Op z'n minst geven we toch de families verlichting en de kinderen zelf een plaats waar tenminste voor een tijdje iemand is toegewijd aan hun verzorging. Is dat niet genoeg?

Sinds die dag wens ik dat hij niet was weggegaan, al was het maar om mijn gelijk te bewijzen.

Toen ik die dag weer achter mijn bureau zat, vond ik een briefje gericht aan de Bank van Engeland, ondertekend door Simon MacFarland en aan mij toevertrouwd, voor de uitkering van een bedrag dat de voorlopige afspraak voor Katie's verblijf van één jaar ver overschreed.

Ik ben deze brief vanochtend vroeg voor de oefeningen begonnen en ben teruggekomen om je goed nieuws te vertellen. Duff is terug en vertelt me dat onze school goed ontvangen is en dat we binnenkort verscheidene nieuwe families op bezoek krijgen. Hij was blij te horen over Katie's familie, want zijn onderzoek had hem in kringetjes rondgeleid. Hij had meteen een familie MacFarland gevonden, maar Innis MacFarland had hem onmiddellijk weggestuurd. Ze ontkende dat ze ooit van Katie had gehoord en dreigde hem te laten arresteren als hij ooit weer voet op haar land zette.
Ik ben blij dat ik Innis MacFarland nooit heb hoeven ontmoeten.
Maar het is fijn om Duff hier te hebben. Vandaag nog, toen we de lijst doornamen van families die ons in de toekomst leerlingen zouden kunnen sturen, werden we onderbroken door iets waarover ik vergeten was te piekeren…

'Juffrouw Berrie,' fluisterde een stem in de open deur van Berrie's kantoor, waar Berrie zat met Duff tegenover zich.

Berrie keek op en Decla stak haar hoofd om de hoek van de witte deur met zes panelen. Haar ogen waren groter dan anders.

'Er is een vrouw.' Decla keek over haar schouder. 'Ze moet in haar eentje binnengekomen zijn. Ik zag dat ze op deze verdieping in alle kamers naar binnen keek, zonder een woord te zeggen.'

Berrie wisselde een blik met Duff, die opstond uit zijn stoel die bij hem in het niet viel. Ze moest denken aan Simon MacFarland toen Duff zich in zijn volle lengte oprichtte. Wat waren die Ieren toch groot en sterk!

Berrie stond ook op, ze was nieuwsgierig geworden. 'Laat ons eens zien waar ze is, Decla.'

Het dienstmeisje ging voor door de gang, langs de eetzaal en de blauwe salon die ze vaak gebruikten om stille tijd te houden, naar de open deur van de kleinere salon waar families in beslotenheid afscheid namen. Daar stond een vrouw, met haar rug naar Berrie en Duff toe. Een luifelhoedje bedekte haar gezicht terwijl ze de kamer in gluurde.

'Kan ik u helpen?' zei Berrie.

De schouders van de vrouw schokten naar voren; toen draaide ze zich naar hen om. Berrie zag dat de vrouw niet zo jong was als haar armzalige gestalte suggereerde. Ze was met haar een meter vijftig duidelijk helemaal volgroeid. Haar haar had de kleur van donkere honing en de ogen die Berrie aankeken waren grijsgroen, in een gezicht met een smetteloos witte huid. Tenger en fijn, als een pop.

'Ik herinnerde me deze kamer nog,' zei de vrouw. 'Het is de enige die ik herken.'

'Bent u hier eerder geweest?' vroeg Berrie.

De vrouw knikte, deed een stap naar voren en stak haar hand uit. 'Mijn naam is Finola O'Shea en ik ben hier als kind op bezoek geweest. Voordat mijn moeder stierf.'

Berrie voelde haar wenkbrauwen omhoog schieten en vocht tegen een uitbarsting van paniek. 'Bent u Finola O'Shea?'

De vrouw knikte. 'Inderdaad. Mijn verontschuldigingen voor mijn onaangekondigde komst, maar toen ik hoorde dat het landhuis is veranderd in een openbaar gebouw kon ik een bezoek niet weerstaan.'

Berrie's waakzaamheid vermengde zich met een steekje van schuldgevoel omdat ze haar instinct niet had gevolgd en de vrouw had uitgenodigd, die in elk geval tot voor kort dacht dat ze recht had op de helft van dit landgoed. Hadden Berrie en mevrouw Cotgrave niet allebei geloofd dat het probleem dat gesteld werd door Finola O'Shea's oorspronkelijke contactpersoon misschien niet alleen juridisch was, maar ook moreel?

'Welkom op Escott Manor, juffrouw O'Shea,' zei Berrie. 'Ik ben Beryl Hamilton, directrice. En dit is Duff Habgood, onze hoofdverzorger. We kunnen u een rondleiding geven als u wilt.'

Ze knikte. 'Ja, dat zou ik graag willen.'

Berrie aarzelde. 'U weet toch wat voor soort school we zijn?'

De vrouw knikte opnieuw. 'Voor gehandicapten. Ik ben me goed bewust van de gedachte achter deze school. Ik stam af van de familie Kennesey. Ik had twee broers die getroffen waren door zwakzinnigheid, en als ze niet gestorven waren, hadden ze hoogstwaarschijnlijk hier op school gezeten.'

Berrie wist van Finola's moeder af. Cosima had Berrie verteld van de tragedie, hoe haar tante Rowena twee van haar zoons en ook haar twee neefjes had meegenomen naar de cottage in het bos en die in brand had gestoken. Alleen Royboy was ontkomen.

'Uw neef is hier,' zei Berrie zacht. 'Royboy.'

Finola keek Berrie aan. Haar ogen werden vochtig en ze wendde haar blik af en stak een gehandschoende hand uit naar de haard.

'Weet u,' zei ze met een aarzelende glimlach, 'dat ik deze haard vroeger reusachtig vond? Nu zie ik dat het een heel gewoon formaat is, want ik ben bijna even hoog als de schoorsteenmantel.'

Berrie keek naar Duff, die een scheve mond trok bij de waarneming van de vrouw. Haar kruin raakte nauwelijks de onderkant van de schoorsteenmantel.

'Ik ben bang dat u veel andere kamers niet zult herkennen,' zei Berrie, eveneens rondkijkend. 'Dit is de enige die we gelaten hebben zoals hij was. Andere ruimtes zijn omgebouwd voor verschillend gebruik, en de voorwerpen die de Escotts niet hebben meegenomen naar Engeland toen ze verhuisden, zijn verkocht en vervangen door praktischer artikelen voor de leerlingen die we onder ons dak hebben.'

'Eigenlijk was ik nog zo klein toen ik voor het laatst op bezoek was, dat het me verbaast dat ik me deze kamer herinner.'

Er volgde een ogenblik van stilte en Berrie kon aan niets anders denken dan dat het een ramp zou zijn als ze de helft van het landgoed aan deze vrouw zou moeten geven. Haar was weliswaar verzekerd dat de kwestie juridisch geregeld was, maar ze was er helemaal niet zeker van dat Finola O'Shea dat ook vond.

'Juffrouw Berrie...' – Duffs stem was zoals altijd zacht en respect-vol – 'wilt u dat ik met de rondleiding begin?'

'O!' Wat dom om haar eigen uitnodiging te vergeten. Misschien was dat maar het beste, dat Duff de rondleiding gaf terwijl Berrie op zoek ging naar mevrouw Cotgrave. Ze kon beter zo gauw mogelijk weten dat de bezoekster er was. 'Ja, Duff, dat zou fijn zijn. Kom maar naar de eetzaal als je klaar bent. Dan drinken we thee.'

Ze verlieten de kleine salon, Berrie ging op weg naar de keuken en Duff nam juffrouw O'Shea mee de trap op naar de klaslokalen.

Berrie verzocht de thee te serveren in de eetzaal en ging op zoek naar mevrouw Cotgrave. Ze konden niet allebei tegelijk gemist worden bij de leerlingen, dus Berrie vertelde haar alleen over de bezoekster, vroeg niet of ze bij hen kwam zitten maar wel om te bidden voor een goede afloop van het bezoek.

De thee stond klaar voordat Duff en juffrouw O'Shea terug waren. Toen ze binnenkwamen, was Berrie blij te zien dat Finola O'Shea glimlachte.

'Ik heb beslist bewondering voor wat u hier doet, juffrouw Hamilton.'

'Dank u,' zei Berrie tegen haar. 'We hebben geprobeerd de school tot een thuis te maken voor ons allemaal, personeel evenzeer als leerlingen.'

'Dat is te zien.'

Berrie bood thee aan terwijl Duff onbeholpen op een afstandje bleef staan. Ze wist dat hij talloze plichten uit te voeren had, waarvan niet de minste was om kennis te maken met de nieuwe leerlingen voor wie hij verantwoordelijk zou zijn. En toch scheen hij onwillig om te gaan, terwijl hij vanmorgen in haar kantoor verlangend was geweest om aan de slag te gaan en zich net als de rest een bepaalde routine eigen te maken.

'Duff, wil je bij ons komen zitten?'

Hij knikte en kwam een stap dichterbij, maar juffrouw O'Shea stak haar hand op. 'Als u geen bezwaar hebt, juffrouw Hamilton, er is een kwestie die ik persoonlijk met u zou willen bespreken.'

Berrie keek naar Duff, wiens wangen donkerroze werden, wat een scherp contrast vormde met zijn donkere haar. Voordat ze iets kon zeggen, boog hij voor hen en ging de kamer uit.

Berrie schonk thee in voor juffrouw O'Shea, niet in staat haar groeiende onrust te overwinnen. Geloofde deze vrouw nog steeds dat ze recht had op de helft van het landgoed? Berrie had de wet aan haar kant, maar deugde het? Misschien vond deze vrouw dat het een oneerlijke beslissing was.

'Ik ben gekomen om mijn excuses aan te bieden, juffrouw Hamilton.'

De woorden waren buitengewoon, maar zeer welkom. 'En waarom is dat, juffrouw O'Shea?'

'Noemt u me alstublieft Finola. De verontschuldiging is voor een onlangs opgestarte juridische procedure door ene meneer MacTaggert, een vriend van mijn broer. Mijn oudste broer is degene van wie de poging uitging om aanspraak te maken op een erfenis.'

'Ik wist niet dat je een broer had,' zei Berrie. Alleen Finola O'Shea was genoemd als mogelijke ontvanger van een te halen erfenis.

'Ja. Hij heeft het namens mij gedaan, voor mijn toekomst.' Ze keek over haar schouder. 'Ik ben berooid, ziet u, ik heb geen huis en ik kan nergens heen.'

'Ik neem aan dat je broer daarom alleen jou heeft genoemd als mogelijke begunstigde.' Berrie fronste. 'Was dat alle hulp die hij te bieden had? Een rechtszaak? Waarom woon je niet bij hem totdat je trouwt en een eigen huishouding vestigt?'

Finola keek weer over haar schouder. 'Ik ben al getrouwd – of was – met een man die bij me weg is gegaan en me niets heeft achtergelaten, zelfs niet zijn naam. Na de nietigverklaring maakte hij duidelijk dat ik er niet langer recht op had, gerechtelijk of anderszins.'

Berrie werd overspoeld door een golf van medelijden. 'Wat erg.' Toen fronste ze weer. 'Maar ik begrijp nog steeds niet waarom je broer niet behulpzamer is dan simpelweg een advocaat in de arm te nemen om alle middelen te beproeven om aan geld te komen.'

Finola schudde haar hoofd. 'Hij vond het een poging waard. Toen ik eenmaal wist wat hij van plan was, smeekte ik hem om ermee op te houden, maar meneer MacTaggert had de brief al verstuurd. Niet dat het iets geholpen heeft, want hij kreeg een brief waarin stond dat er geen geld kwam. Van niemand minder dan een parlementslid! En toen ontdekte ik dat het landhuis nu een school is, daarom ben ik gekomen om het met eigen ogen te zien.'

'Dat verklaart niet waarom je broer je niet kan helpen nu je geen andere opties hebt. Hij zal je toch niet buiten je huis sluiten, het huis waarin jullie allebei zijn opgegroeid?'

Finola glimlachte, maar de tranen stonden haar in de ogen. 'Dat heeft hij al gedaan.'

Heel even dacht Berrie aan de domme ruzies die ze in de loop der jaren met allebei haar broers had gehad, waarvan geen enkele ernstig genoeg was om iemand te verbannen. 'Maar waarom?'

'Hij vreest de vloek,' fluisterde ze. 'Ik heb hem, net als mijn moeder. Hij is bang dat ik… net als mijn moeder ben. Onveilig. Daarom heeft mijn man me verlaten – vanwege Conall, mijn eigen lieve zoon. Mijn man heeft betaald voor een nietigverklaring, zodat hij vrij is om met iemand anders te trouwen.' De tranen stroomden nu vrijelijk. 'Ik weet niet wat dat voor mijn zoon betekent. Is hij nu naast zwakzinnig ook nog een bastaard?'

'Natuurlijk niet,' zei Berrie. 'Waar is je zoon nu?'

'In Dublin, bij mijn vriendin Nessa O'Donnell. Ik kan niet te lang een beroep op haar doen, anders gooit haar eigen man haar eruit samen met mijn zoon.'

'Hoe oud is je zoon?'

'Vier jaar.'

Berrie streelde de trillende hand van de vrouw, deze vrouw die niemand anders was dan de nicht van Cosima. Berrie moest iets doen en niet alleen omwille van Cosima. Had Christus Zelf niet gezegd dat je Hem hielp als je de minste van Zijn broeders hielp?

27

Rebecca keek toe hoe Quentin Padgett voor zich op het paard tilde. Ze paste makkelijk op het dekje dat onder het gladde Engelse zadel uit kwam.

Het was een mooie dag om te rijden, een zacht windje bracht de lucht in beweging die anders wellicht te warm was geweest voor mens of dier. Onder de wolkeloze hemel waren het gras groener, de heggen breder en de tarwevelden van goud.

'We draven alleen een beetje rond waar je moeder ons kan zien, goed?'

Padgett knikte enthousiast onder de zwarte, stevige cap en gilde van verrukking toen de pittige merrie van start ging. Het paard was een kastanjebruine Kisber halfbloed, mooi en sterk, en Quentin een zelfverzekerde ruiter.

'Ik kan zien waarom je van hem houdt,' zei Dana naast Rebecca. 'Hij is gewoon schattig.'

Rebecca grinnikte, maar wist niets te zeggen. Niets waarmee ze zich niet bestempelde als dwaas en verliefd.

'Hoelang hebben jullie nu een relatie?'

'Nog niet zo lang. Ongeveer vanaf de tijd dat we voor het eerst van jou hoorden, eigenlijk. Om de een of andere reden breng ik die twee dingen zelfs met elkaar in verband.'

'Uit de website van de Hall maak ik op dat je deskundig bent op het gebied van bruiloftplanning. Komt dat binnenkort handig van pas? Voor jou en Quentin?'

Rebecca had bewondering voor de ontspannen manier waarop Dana een dergelijke vraag stelde, alsof het voor de hand lag gebaseerd op het gedrag van Rebecca en Quentin. 'Je doet de vrijpostige reputatie van je land eer aan.'

In Dana's helderblauwe ogen stond niets anders dan hartelijke belangstelling. 'Mijn zus noemt me bemoeizuchtig. Ik wijs haar er altijd op dat ik dat van haar heb. En je hebt mijn vraag niet beantwoord.'

'Ja, dat weet ik.' Rebecca grinnikte, ze vond eigenlijk dat ze het daarbij moest laten, maar om de een of andere reden had ze er geen bezwaar tegen om te praten. Misschien kwam het door de ongedwongen vriendschap die tussen hen was ontstaan... of misschien was het een troost om iemand in vertrouwen te nemen die aan de overkant van een grote oceaan woonde, ver weg van de Engelse roddelbladen. 'Het is een beetje snel om al aan trouwen te denken. Maar we zijn geen tieners meer. We moeten onderhand weten wat we zoeken in een levenspartner.'

'Zo praatte ik ook voordat ik Aidan ontmoette,' zuchtte Dana. 'Toen ik vrijgezel was, wenste ik dat ik maar ineens getrouwd kon zijn als ik 's morgens wakker werd, zonder al dat gedoe van elkaar leren kennen.'

'Dat is een mooie droom! Dan ga ik daar ook maar op hopen, als het voor jou zo goed heeft gewerkt.'

'Maar dit is toch echt de mooiste tijd. Het is zo opwindend om iemand te leren kennen die je echt wilt kennen. Je zult prachtige herinneringen hebben als je getrouwd bent.'

'Ja, als ik wist dat we die kant op gingen. Maar er zijn complicaties.'

Dana's blik ging naar Quentin, die het sterke paard langzaam liet rondstappen door de grazige weide. 'In Amerika hebben we dan wel geen adel, maar we hebben wel snobs. Ik kreeg het idee dat de krant Quentin als een snob probeerde af te schilderen. Zo zie ik hem helemaal niet, en jij natuurlijk ook niet, anders had je geen relatie met hem.'

'Hij is allesbehalve een snob.'

Dana draaide zich om naar de Hall, en haar blik bleef hangen. 'Vertel eens hoe het hier gaat met een bruiloft, Rebecca.' Ze grinnikte. 'Liever gezegd, vertel eens hoe *jullie* bruiloft hier eruit zou zien.'

Rebecca liet zich al te makkelijk verleiden en vertelde over haar plannen tot in details als welke bloementuin ze zou kiezen voor de plechtigheid en welke muziek er gespeeld zou worden. Dana deed mee en vertelde dat ze bij zo veel Amerikaanse trouwerijen was geweest dat ze er nog wel een paar dingen bij kon verzinnen. En ze stelde voor in plaats van nummers voor de tafelschikking gebruik te maken van favoriete voorouders, ter ere van hun nagedachtenis. Rebecca moest lachen om de tafel waaraan Dana zou kunnen zitten – de tafel van Cosima of van Geen-Baken-Bill, die ze graag gekend zou hebben.

Hun gesprek eindigde toen Padgett riep dat Dana moest kijken, en Dana haalde een camera uit haar zak. Padgetts vrolijke lach werd vastgelegd.

Al gauw gingen ze naar binnen, waar Dana Padgett mee naar boven nam om haar in bad te stoppen. Rebecca volgde Quentin naar de bibliotheek.

'Je schijnt een hechte vriendschap te hebben gesloten met mijn nicht en haar dochter. Al dat fluisteren en lachen.'

Rebecca glimlachte, maar ze was niet van plan te vertellen waar ze het over gehad hadden. 'Klopt. Ze is verrukkelijk, en haar dochter ook.'

Het was hun eerste ogenblik samen sinds zijn terugkeer en het duurde niet lang voordat Quentin Rebecca in zijn armen nam.

'Hoe was je liefdadigheidsfeest?' vroeg ze. 'Succesvol, hoop ik.'

'Best.'

'Is dat alles? Alleen maar best?'

Hij scheen tot in zijn vingertoppen te verstrakken, maar ze kon zich niet voorstellen waarom. Tenzij zijn moeder van de gelegenheid gebruik had gemaakt om hem van haar gelijk te overtuigen. Rebecca bad snel om wijsheid. *Aandringen en doorvragen, of wachten en vertrouwen?*

'Wist je dat Helen en William Risdon de komende twee weken op vakantie gaan?' vroeg ze. 'Normaalgesproken zou het geen probleem zijn. We hebben maar één plechtigheid op het programma – een bruiloft aanstaande zaterdagochtend – en we gebruiken dezelfde koks en bedienend personeel voor het feestmaal naderhand, dus dan zullen ze niet gemist worden. Ze zijn ruim op tijd terug voor de Featherby-jury die voor volgende maand op het programma staat. Als je het niet erg vindt, maak ik gebruik van de keuken, zodat Dana en Padgett niet uitgehongerd raken zolang ze hier zijn.'

Hij streelde haar wang. 'Ik kan iemand laten komen als je wilt.'

Ze schudde haar hoofd. 'Nee, ik vind het niet erg. Dana is niet lastig en ze zegt dat Padgett bijna een jaar lang op pindakaas en jam heeft geleefd. Dus dat moet lukken.'

'Ik kan helpen,' zei hij. 'Met pindakaas en jam tenminste.'

Rebecca lachte. 'Misschien kunnen we dat toevoegen aan de rondleiding. Hier ziet u hoe de neef van de graaf van Eastwater zijn wereldberoemde sandwich met pindakaas en jam klaarmaakt.'

Ze wilde zich losmaken uit zijn armen om op de bank te gaan zitten, maar hij hield haar stevig vast. 'Weet je, Rebecca, ik heb je gisteren gemist. Zou je meegegaan zijn als ik het gevraagd had?'

Ze nam hem nieuwsgierig op. Hij deed zo ernstig. 'Ik moest hier zijn voor Dana en Padgett.'

Hij schudde zijn hoofd. 'Nee, als er niets in de weg had gestaan, zou je dan dit veilige wereldje van je achtergelaten hebben om mee te gaan naar de stad, de persmuskieten voeren, mijn partner spelen op een feest van de high society?'

'Dat hangt ervan af,' zei ze grinnikend. 'Wie was de begunstigde van dit liefdadigheidsfeest?'

Hij glimlachte traag. 'Barnardo's.'

'Dan beslist wel, ja.'

Ze genoot van zijn omhelzing, blij dat hij geen zin had om haar los te laten. 'Quentin, het blijft waar dat ik het geen prettig idee vind om onder de sluiter van een journalistencamera te leven. Maar als dat de prijs is die ik moet betalen om bij jou te zijn, dan ben ik bereid die te betalen.'

Zijn glimlach werd breder en versmolt in een kus.

28

Mijn lieve Cosima,
Het doet me pijn om te zien hoe slecht je nicht Finola is behandeld. Ze
treurt nog steeds om het leven met een echtgenoot en een huis dat voor
haar verloren is gegaan. En haar zoon is verrukkelijk. Hij moet erg lij-
ken op Royboy toen hij zo oud was. Hij kan niet praten, maar kan veel
langer stilzitten dan de meeste andere leerlingen. We lezen hem voor en
laten hem plaatjes zien en zingen voor hem, en over het algemeen is hij
heel gelukkig.
Ik ben bang dat Finola nog wel erg moet wennen. Ze was zo dankbaar
toen we onze deuren openden voor haar zoon. We hadden verwacht dat
ze hier ergens opnieuw zou willen beginnen, misschien in Dublin, waar
ze werk zou kunnen vinden. Maar ze wilde haar zoon niet achterlaten
en bewees helaas al vlug dat ze voor de meeste baantjes niet geschikt is
(net als ik, moet ik toegeven, voordat ik geroepen werd voor de visie van
deze school). Ze bezit echter een grote vaardigheid voor handwerken en
op dat gebied zou ze best werk kunnen vinden als ze zich ervoor in-
zette. Voorlopig doet ze verstelwerk voor ons en we hopen haar mettertijd
op andere terreinen mee te laten helpen.
Simon MacFarland, onze onverwachte verdediger op juridisch gebied, is
teruggeweest voor zijn eerste onaangekondigde bezoek. Het was overdui-
delijk dat hij vergeten was hoe belangrijk het voor iedereen is om vast te
houden aan de dagelijkse gang van zaken, ook voor Katie. Hij wilde haar
meenemen om het dorp in te gaan, maar ze weigerde te vertrekken.
Ik voel me nogal bedrogen dat hij nu al twee keer vertrokken is zonder
me de kans te geven te bewijzen dat hij ongelijk heeft over deze school
– en over mij. Gisteravond tijdens mijn wandeling om het huis had ik
allerlei dingen bedacht die ik zou kunnen zeggen om hem te overtuigen,
maar nu hij weg is, is het allemaal voor niets geweest.

Berrie klapte in haar handen op de muziek, en veel leerlingen klapten mee. Sinds Duffs terugkomst was hij binnen een week de lieveling geworden van de meeste kinderen, en niet alleen om zijn muziek. Hij vond in elk kind gevoel voor humor en ontlokte hun vaker een lach dan de rest van het personeel. Hij zei iets grappigs, kietelde iemand of maakte hun haar door de war, trok een gek gezicht naar kinderen die veel dingen niet begrepen maar wel het vermogen bezaten om gekheid te snappen. Duff zorgde dat een vrolijke lach bij het dagelijks leven ging horen.

Vooral scheen hij bijzonder gesteld te zijn op Finola's zoon Conall. Als hij niet in de klas aan het werk was, liep hij steeds vaker met het vierjarige kind op zijn schouders.

Het was laat op de avond en Duff speelde het wijsje waarmee hij altijd afsloot, een lievelingsslaapliedje. Berrie's blik dwaalde door de ruimte terwijl ze meezong en het kon haar niet ontgaan op wie Duffs ogen het meest bleven rusten. Op Finola O'Shea.

Tot nu toe leek Finola niet geïnteresseerd. Ze dacht misschien dat er geen sprake kon zijn van een nieuw huwelijk. Als ze nog meer kinderen kreeg, zouden ze waarschijnlijk net zo zijn als Conall. Berrie wist nog precies hoeveel angst Cosima had gehad voor trouwen en kinderen krijgen, en ze nam aan dat Finola met veel meer reden hetzelfde voelde.

Berrie kon er niet omheen dat ze gemengde gevoelens had met betrekking tot Duffs duidelijke belangstelling voor Finola. Jaloezie maakte er geen deel van uit, al kon ze niet ontkennen dat het prettig zou zijn als een man op zo'n manier naar haar keek. Na lord Welby had niemand meer interesse in Berrie getoond, en zijn belangstelling was snel afgenomen toen ze begon te praten over een doel in het leven dat wellicht niet bevredigd kon worden door een huwelijk, kinderen krijgen en een eindeloze kennissenkring.

Eerder vroeg Berrie zich af wat het voor de school betekende als twee personeelsleden een relatie kregen. Ze was gewaarschuwd dat iedere ongepastheid onder het personeel streng afgekeurd zou worden door de Krankzinnigheidscommissie. Dat begreep ze; ze konden het zich niet permitteren het vertrouwen van de ouders kwijt te raken.

En daarom wist ze niet of ze zich zorgen moest maken als Duff Conall naar zijn bed bracht, het bed dat hij deelde met zijn moeder in de donkere hoek van de meisjesslaapzaal boven. In dit huis was stellig geen afzondering te vinden, maar zelfs zoiets onschuldigs zou als onfatsoenlijk gezien kunnen worden door iemand die had gemerkt hoe Duff naar Finola keek.

Berrie zuchtte en probeerde haar zorgen los te laten. Nu zat ze zich alweer allerlei moeilijkheden in haar hoofd te halen, zelfs niet-bestaande.

29

Rebecca haalde de gebakken worstjes uit de pan. Ze had al leren koken toen ze twaalf was, nadat ze huishoudelijke taken op zich had genomen toen de slopende ziekte van haar moeder haar beroofde van energie. Rebecca's vader verlichtte haar taak door zijn openlijke lof voor haar prestaties. Volgens het voorbeeld dat hij had gesteld, bleven ze allebei druk bezig door hun zorgen heen en lieten de ziekte hun dag uitmaken: behandelingen en thuiszorg, plus het vervullen van de verantwoordelijkheden die Rebecca's moeder moest laten liggen. Het was minder pijnlijk om afgeleid te worden door werk dan toe te zien hoe ze zwakker werd, en druk bezig zijn hielp het verdriet om haar verlichten toen ze een jaar later stierf. Rebecca was de gretige leerling en huishoudster, terwijl haar vader de kostwinner en alleenstaande ouder was. De drukte had de plaats van haar moeder niet ingenomen, maar het had de pijn verdoofd.

Quentin was in de tuinkamer met behulp van Padgett de tafel aan het dekken met servies en bestek. Dana had hulp aangeboden bij het klaarmaken van de maaltijd, maar was ineens naar het toilet vertrokken toen ze thuiskwamen uit de kerk.

Toen Dana even later de keuken binnenkwam, zag ze bleek en scheen ze te griezelen van de etensgeuren.

'Alles goed?' vroeg Rebecca, die het laatste worstje uit de pan haalde. Ze wist dat ze op het gebied van koken niet tegen Helen of de chefkoks van lady Elise op kon, maar er was niets aangebrand en de worstjes waren vers.

Dana knikte. 'Beter dan een paar minuten geleden. Sorry dat ik niet heb geholpen.'

'Geeft niks. Het fruit was klaar, Quentin heeft het sap meegenomen, en hier zijn de pannenkoeken.'

'Pannenkoeken?'

'Padgetts idee.' Rebecca gaf de schaal met meloen aan Dana. Die was minder geurig dan de worst en de pannenkoeken, en ze vond het beter die zelf maar naar binnen te brengen. 'We zijn klaar.'

Ze vonden de anderen in de lichte tuinkamer, de tafel was gedekt maar Quentin en Padgett zaten niet op hun plaats te wachten, maar stonden bij de vogelkooi.

'Mama!' riep Padgett toen ze binnenkwamen. 'Dit is Winston. Weet je dat hij nog ouder is dan jij? Quentin zegt dat Winston oud genoeg is om mijn opa te zijn.'

'Na het eten mag je me helpen hem te voeren,' zei Quentin.

'Wat eet hij?'

'Nootjes, zo uit je hand.'

Quentin voerde haar mee naar de tafel, waar ze allemaal hun plaats innamen, behalve Quentin die naar de theewagen liep om de kan met gekoeld sinaasappelsap te pakken. Toen ze aan tafel zaten, boog hij zijn hoofd.

Rebecca vond het heerlijk om hem te horen bidden. Als ze ooit getwijfeld had aan zijn geloof, dan had ze die ideeën laten varen toen ze hem voor het eerst hoorde bidden. Ze had gevraagd waarom hij niet had gebeden toen zijn moeder die avond was komen dineren, en daarvoor had hij zich verontschuldigd en toegegeven dat bepaalde gewoonten zich nu pas begonnen te vormen.

'Er is vanmiddag een markt in het dorp,' zei Quentin. 'Ik dacht dat we er wel heen konden gaan, als jullie willen.'

'Lijkt me leuk,' zei Dana.

'Dat is het ook,' bevestigde Rebecca, met een blik naar Padgett. 'Je kunt appelsneeuw proeven en sprookjescakejes.'

'Wat is dat?'

'Om het wat minder charmant te zeggen,' zei Quentin, 'appels met custard en cakejes. Niet op hetzelfde bord natuurlijk. Ik denk dat je het lekkerder zult vinden dan *bubble and squeak*.'

'En wat is *dat*?' Nu was het Dana die het vroeg.

'Een opgebakken prakje van rundvlees en aardappelpuree met kool en uien.'

'Hm... die zal ik misschien samen met Padgett aan me voorbij moeten laten gaan.'

Ze praatten nog wat door over de dingen die Dana en Padgett moesten zien, en Rebecca was blij te zien dat Dana onder het eten meer kleur kreeg. Wat haar die ochtend na de kerk had gemankeerd, was klaarblijkelijk verdwenen. Maar hoe graag Dana ook meer van Engeland wilde zien, ze wilde niet het doel waarmee ze was gekomen uit het oog verliezen. Ze stond erop de ochtenden te besteden aan het uittypen van Berrie's brieven en te kijken hoe de schoolgegevens daarin pasten.

Ze waren net klaar met eten toen Rebecca tikkende voetstappen hoorde weerklinken, even later gevolgd door een bekende stem die Quentin riep.

Hij nam zijn servet op, veegde onnodig zijn mond af en verontschuldigde zich. Rebecca stuurde een zorgvuldig gestileerde glimlach Dana's kant op.

'Quentins moeder is op bezoek.'

'O, mooi!' zei Dana. 'Eindelijk krijg ik haar te zien.'

Rebecca knikte en vroeg zich af hoelang het zou duren voordat Dana's gretigheid verzuurde. *God, help me niet alleen op mijn tong, maar ook op mijn gedachten te passen.*

Elise's stem bereikte hen eerder dan zijzelf en Quentin. 'Je moet toch echt iemand in dienst nemen om op dit huis te letten, Quentin. Er deed niemand open en ik kon zo naar binnen lopen. Hoorde je me niet kloppen?'

'Nee, mam. Kom binnen en eet een hapje met ons mee.'

'Daar is het nog een beetje te vroeg voor. Ik word thuis verwacht voor de lunch. En als je met "ons" weer die commercieel manager bedoelt: ik eet niet met het personeel. En in dezelfde kamer met die vreselijke vogel.'

Rebecca voelde eerder dan ze zag hoe Dana's blik naar haar toe schoot, maar ze keek niet op.

'Weet u, mam, dat was ongelooflijk ongemanierd.' Quentins stem klonk vriendelijk, alsof hij haar een compliment gaf in plaats van een standje.

Toen waren ze in de tuinkamer en toen Elise stilstond op de drempel schreeuwde alleen de vogel een begroeting – een irriterende krijs. Rebecca wist dat de etiquette niet van haar eiste dat ze opstond. Ze deed het toch; er was nog een stoel nodig als Elise besloot te blijven. Nu Helen en William er niet waren, was Rebecca bereid om de rol van bediende te vervullen.

'Wat is dat?'

'U kent Rebecca al, mam. Die andere twee lieflijke dames zijn mijn Amerikaanse nicht Dana Walker en haar dochtertje Padgett.'

Elise zag er zoals altijd beeldschoon uit in een wit linnen pakje en een hoed met veren, met schoenen en bijpassende handtas van ongetwijfeld duur ontwerp. Ze keek op Dana neer met allesbehalve een hartelijk Engels welkom.

'Een Amerikaanse nicht, Quentin? Ik geloof niet dat dat mogelijk is, aangezien noch je vader, noch ik broers of zussen in Amerika hebben.'

Hij lachte. 'Tja, ach, ik weet niet precies hoe ver we van elkaar af staan, maar we hadden dezelfde bet-betovergrootouders, Cosima en Peter Hamilton. Dus zijn we toch een soort neef en nicht, vindt u niet?'

'En u bent helemaal uit Amerika gekomen om mijn zoon te ontmoeten?' Elise's blik schampte over Padgett heen. 'Met een kind nog wel?'

Dana stond ook op, misschien omdat Rebecca het had gedaan. Alleen Padgett bleef zitten, maar zonder te eten stapelde ze de plakken pannenkoek op het midden van haar bord.

Dana stak haar hand uit. 'Met mijn man, die op het ogenblik in Ierland is. Hij werkt als consultant aan een project in het graafschap Kilkenny. Padgett en ik zijn een weekje op bezoek bij Quentin en Rebecca.'

'Wat aardig.' Lady Elise keek naar Padgett. 'Als u maar zorgt dat uw kleintje niets kapotmaakt.'

'Uiteraard.'

'Padgett is al die tijd dat ze hier is een schatje geweest,' zei Quentin, terugkerend naar zijn plaats aan tafel. 'Laten we alsjeblieft allemaal gaan zitten en mam, neem mijn stoel even dan haal ik een andere.'

'Ik blijf niet. Waar zijn Helen en William? Er deed niemand open en er is niemand om een nieuw couvert te brengen als ik wel besloten had om te blijven.'

'Helen en William zijn op vakantie, lady Elise,' zei Rebecca. 'Maar er is meer dan voldoende als u wilt gaan zitten.'

'Waarom zitten jullie al voor het middaguur te eten?'

'We komen net uit de kerk en we rammelden allemaal. Rebecca heeft meteen iets in elkaar geflanst.'

'Dus nu laat je haar al koken, Quentin? Ik dacht dat ze beheerder was van de Hall?'

'We koken samen nu Helen er niet is. Ik ben weer aan de beurt voor het diner. Komt u gerust als u het niet erg vindt om proefkonijn te zijn. Ik denk dat niemand wat voor konijn dan ook zou willen zijn tot mijn kookkunst is bewezen. Wat denk jij, Padgett? Ga je vanavond meer eten dan nu?'

'Maak je dan sandwiches met pindakaas en jam?'

'Daar kunnen we altijd nog op terugvallen. Ik dacht meer aan gebraden vlees. Ik ben voor een varkenshaasje met limoenpepersaus.'

'Klinkt heerlijk,' zei Dana.

Padgetts eetbare toren viel om en ze keek op naar Elise. Ze hield haar hoofd schuin en keek geboeid.

'Mag ik uw hoed aaien?'

Elise staarde het kind aan alsof het een onverstaanbare taal had gesproken.

In het pijnlijke uitblijven van een antwoord pakte Dana over de tafel heen haar dochters hand. 'Ik denk niet dat mensen graag willen dat je hun kleren aanraakt, hoeden of anderszins. Ben je klaar met je eten?'

Padgett knikte hoopvol en de vraag leek haar te verbazen terwijl er nog zo veel op haar bord lag.

'Zullen we dan naar buiten gaan om een wandelingetje te maken?'

Padgett stond verlangend op en ging naast Quentin staan. 'Quentin zei dat ik Winston mocht voeren als we klaar waren met eten.'

'Ja, dat heb ik gezegd,' antwoordde hij en toen de vogel zijn naam herkende, begon hij weer te krijsen.

Ze liepen naar de kooi, waar Winston met zijn vleugels fladderde toen Quentin het deurtje opendeed.

'Kan ik dan ten minste een kopje thee voor u halen, lady Elise?' vroeg Rebecca.

'Nee, ik kwam Quentin halen. Hij was verdwenen voordat ik de kans kreeg hem te laten weten dat er vanmiddag gasten komen en ik wil graag dat hij erbij is.'

'Sorry mam, maar ik heb al andere plannen.' Hij hield zijn hand over Padgetts kleine hand terwijl ze de vogel een nootje aanbood. 'Goed zo. Nu pakt hij het wel aan.'

En dat deed de vogel, zo zachtjes alsof hij wist dat hij met een kind te maken had. Padgett rende naar haar moeder toe. 'O! Mama, zag je dat? Hij pakte het zo uit mijn hand.'

'Ja, ik zag het. Was het leuk?'

Padgett knikte en keek weer naar Elise. 'Waarom was u niet in de kerk met Quentin en Rebecca?'

Misschien had Elise een selectief gehoor, want Padgetts vraag scheen niet tot haar door te dringen.

'Mam, Padgett vroeg je iets,' zei Quentin terwijl hij het deurtje van de kooi dichtdeed.

Ze keek Padgett verbaasd aan. 'O ja? Wat dan?'

'Waarom gingen we niet bij u zitten in de kerk? Wij zitten altijd bij mijn oma.'

'Ik was er niet,' antwoordde Elise.

'Gaat u nooit naar de kerk?'

Dana trok haar dochter dicht tegen zich aan. 'Zoiets hoeven we niet te vragen, liefje. Niet iedereen gaat naar de kerk; daar hebben we het al eens over gehad.'

Maar Padgett bleef naar lady Elise kijken. 'Mag ik u dan iets anders vragen?'

Elise keek weer op haar neer. 'Wat dan?'

'Hoe ziet God eruit?'

Ze trok een geëpileerde wenkbrauw op. 'En waarom denk je dat ik zoiets moet weten? Denk je soms dat ik zo oud ben dat ik erbij was toen Hij alles schiep?'

Padgett schudde haar hoofd. 'Nee, mama zei dat dat zo lang geleden is gebeurd dat er niemand meer leeft uit die tijd. Mama zegt ook dat we naar de kerk gaan om meer over God te weten te komen. Maar u hoeft niet meer te gaan, dus dat betekent dat u alles over Hem weet. Daarom vraag ik, hoe ziet Hij eruit?'

Quentin barstte in lachen uit, maar hij was de enige ondanks dat de verleiding groot was voor Rebecca.

'Ik heb geen flauw idee, meisje. En jij bent een beetje brutaal voor je leeftijd.'

'Ja, u hebt gelijk,' zei Dana. 'Ik denk dat we nu maar een wandelingetje gaan maken.'

'Ik geloof dat ik maar met je meega.' Rebecca volgde Dana naar de deur.

'Kijk mam, u hebt de kamer vakkundig leeggeruimd. Zou u niet kunnen leren een beetje hartelijker te zijn tegen de mensen, zodat ze niet meteen op de vlucht slaan zodra u uw mond opendoet?'

Hij probeerde haar nog steeds te vleien, en het volgende ogenblik nodigde hij haar uit de vogel te voeren, terwijl Rebecca Dana volgde tot ze buiten gehoorafstand waren.

Buiten wandelde Rebecca naast Dana, en Padgett rende vooruit naar de kinderboerderij.

'Lieve help,' fluisterde Dana, 'er liggen inderdaad een paar hindernissen voor je, hè? Met haar als aanstaande schoonmoeder?'

Rebecca trok een grimas. 'Quentin probeert me te helpen de zonnige kant te zien.' Ze zuchtte. 'Ik hoef me in ieder geval niet af te vragen wat ze denkt.'

Ze keek om naar de ramen van de tuinkamer die op hen uitkeken en wenste dat ze Quentins positieve houding kon delen. Misschien zou lady Elise haar op een dag verdragen, maar Rebecca wist niet of dat wel genoeg was.

30

Heb ik ooit gezegd, Cosima, dat ik nooit een gevecht uit de weg ging?
Hoe godvrezend is dat, vraag ik me af? Ik ben de ergste soort zondaar,
die niet alleen de daad doet, maar er achteraf ook nog van geniet.
Het is verschrikkelijk, maar die man haalt het slechtste in me naar bo-
ven...

Berrie voltooide de ochtendoefeningen met de leerlingen en liet
mevrouw Cotgrave voorop gaan naar binnen. Iemand had tijdens
de mars een sjaal laten vallen en Berrie ging hem ophalen. Ze had
vandaag geen haast. Tijdens de ochtendoefeningen was Simon gearriveerd en Berrie besloot hem te laten begroeten door Katie of
misschien mevrouw Cotgrave. Hoewel haar eerste gedachte was
afstand te houden, verwonderde ze zich over het gemak waarmee
ze hem in stilte Simon noemde. Omdat Katie zo vaak over haar
broer sprak bij zijn voornaam, vond Berrie het moeilijk om niet
op die manier aan hem te denken.

Na de eerste twee korte bezoeken was hij nog een paar keer
teruggekomen, en zonder tegen Berrie te praten, hield hij Katie's dagritme aan. De laatste keer dat hij 's morgens vroeg was
gekomen, had Berrie haar verrassing laten blijken, en dat was de
enige keer dat hij haar gesproken had, om te vertellen dat hij in de
Quail's Stop Inn logeerde. Nadat hij destijds gewekt was door Eóin
was het logement een stuk aantrekkelijker geworden.

Simon had vast en zeker de nieuwe leerlingen wel gezien, allemaal jongens. Als hij eenmaal begreep dat steeds meer ouders hun
kinderen toevertrouwden aan haar en haar personeel, kreeg hij
misschien eindelijk genoeg vertrouwen om Katie langer dan een
week aaneengesloten achter te laten.

Berrie ging naar binnen, waar ze de eerste les van vandaag zou geven. Royboy en een nieuwe leerling die Grady heette, zaten aan de ene kant van een tafel in het derde klaslokaal. Katie zat met Tessie en Annabel aan de andere kant. Simon was er ook, maar hij ging niet zitten. Hij verschool zich in een hoek, met één schouder tegen de muur.

Berrie nam een stapel plaatjes op die ze had getekend. De kinderen kenden de gang van zaken. Ze overhandigde de verzameling aan Katie, zodat ze kon voorgaan in het proces van taal door herkenning. Iedereen deed mee, behalve Royboy, die naar de anderen keek en nu en dan lucht tussen zijn strakke lippen door blies om een geluid te maken tussen gefluit en gesputter. Ze namen de kalender door, en het weer, en de namen van bekende voorwerpen die ze had getekend.

Algauw was Katie door alle plaatjes heen en Berrie liet de leerlingen opstaan. De kleinste verandering, zelfs een verwachte, bracht lawaai teweeg vanuit alle hoeken, en het duurde even voordat ze hun aandacht weer gevangen had. Uiteindelijk liet ze twee leerlingen op elkaar af lopen alsof ze elkaar op straat tegenkwamen, om elkaar netjes aan te spreken. Zelfs Royboy's 'hoe maakt u het' klonk vandaag duidelijk en goed getimed. Berrie keek naar Simon, die zwijgend toekeek, en vroeg zich af of hij de school een mislukking vond.

Toen de taak er bijna op zat, ging ze voor in het lokaal staan, waar alleen Katie en Grady elkaar nog moesten begroeten. Grady was een lange jongen voor zijn veertien jaar, de langste van alle leerlingen. Ze liepen op elkaar toe, maar Katie had haar vriendelijke begroeting nog niet geuit of Grady duwde haar op de grond.

Berrie stapte naar voren. 'Nee, Grady!' zei ze streng, en liep langs hem heen om Katie overeind te helpen. Amper zag ze twee schaduwen dichtbij komen, een uit elke kant van haar blikveld, voordat Grady haar ramde. Ze snakte naar adem en probeerde overeind te krabbelen, toen ze Simon op Grady af zag gaan. Hij sloeg van achteren twee sterke armen om de jongen heen om hem beweginggloos te maken.

'Laat hem los!' eiste Berrie, toen ze Grady's ogen zag volstromen met paniek omdat hij stevig vastgehouden werd door iemand die hij niet kende en niet kon zien.

'Nee. Deze jongen hoort in de boeien geslagen te worden.'

Aan tafel begon Annabel te gillen en Royboy te janken. Katie, die nu weer overeind stond, ratelde tegen haar broer over hoe stout Grady was en dat hij vanavond geen toetje kreeg.

Berrie ging vlak voor Grady staan, die bang keek als een kind van twee, de leeftijd waarop hij ongeveer functioneerde. Hoewel ze hem aankeek, bracht ze haar gezicht niet in zijn blikveld. Ze sprak tegen hem vanuit de rand van zijn blikveld. 'Het is goed, Grady. Alles is in orde met je; hij houdt je alleen maar stevig vast. Luister naar me. Hou op met worstelen, dan mag je gaan zitten. Goed? We gaan nu zitten.'

Het worstelen werd alleen maar erger en Berrie zag wel dat Simon niet van plan was om hem los te laten. 'Katie,' zei Berrie vriendelijk, 'zou je meneer Duff willen gaan halen? Je kunt hem vinden in de werkruimte, waar de jongens schoenen maken. Ga hem halen, Katie.'

'Meneer MacFarland,' vervolgde Berrie toen Katie weg was, en het verbaasde haar niet dat haar stem verzoenend klonk, 'brengt u Grady alstublieft terug naar zijn stoel en help hem te gaan zitten.'

'U hoeft niet tegen me te praten alsof ik een van de kinderen ben,' zei Simon, die Grady naar zijn stoel terug sleepte. Hij liet de jongen zitten en legde zijn handen op Grady's schouders. 'Hij is een gevaar voor u en de anderen, en hij hoort hier niet te zijn.'

Berrie verstijfde. 'Dat zullen we niet hier bespreken, als u het niet erg vindt.' Ze keek naar Grady, die zonder succes probeerde Simons handen af te schudden. 'Grady, je moet op je plaats blijven zitten tot meneer Duff komt. Begrijp je dat?'

De jongen schudde alleen maar weer met zijn schouders, een

nieuwe poging om zich te bevrijden uit Simons greep. Hij probeerde te gaan staan, maar Simon drukte hem naar beneden.

De andere kinderen in de klas maakten nog steeds hun verschillende geluiden. Tessie, de enige die relatief rustig was, zat zoals gewoonlijk te neuriën. Als Berrie Grady beter kende, zou ze hem weten te kalmeren, maar hij was pas een paar dagen geleden aangekomen. Duff zou wel weten wat hij met hem moest beginnen, want hij trok meer met hem op en dan kon ze Royboy meenemen naar de gang, waar hij makkelijker zijn kalmte kon terugvinden. De anderen zouden vanzelf bedaren op hun stoel als de rust om hen heen was weergekeerd.

Als Simon MacFarland maar niet in de weg stond.

Even later kwam Duff binnen met Katie in zijn kielzog. Berrie had geen idee wat Katie tegen Duff had gezegd dat hij er zo snel was, maar hij moest bezorgd geworden zijn. 'Alles in orde met u?' vroeg hij zacht.

Berrie knikte. Nooit van haar leven zou ze toegeven dat er iets mis was terwijl Katie's broer erbij was. 'Wil je Grady meenemen voor een wandeling?' Toen ze naar buiten keek en zag dat het regende, voegde Berrie eraan toe: 'Beneden naar de salon en terug helpt misschien, of een rondje door de hal.'

Toen Grady weg was, pakte Berrie een nieuwe stapel papieren, waar niets op stond. Royboy werd al kalmer en ze stelde vast dat hij niet de gewone wandeling door de hal hoefde te maken om zijn rust terug te vinden. Ze vroeg Katie de anderen te helpen met schrijfoefeningen, een taak die voor iemand als Royboy weinig meer was dan wat krabbelen. Maar de meisjes waren bedrevener en het was iets waarvan ze allemaal genoten. Algauw was alles weer tot rust gekomen en Berrie liep naar de deur. Ze wist dat Simon al haar bewegingen gadesloeg. Ze hoefde niet naar hem te kijken om hem te vragen haar te volgen naar de gang.

Ze liet de deur op een kier staan zodat ze de kinderen kon horen, en keek Simon aan. 'Ik heb liever niet dat u zich er nog eens mee bemoeit, meneer MacFarland.'

'Bemoeien? Ik houd hem tegen en u zegt dat ik me ergens mee bemoei?'

'Er was niets met mij aan de hand en met Katie ook niet. We werden er alleen door verrast.'

'O, was dat een verrassing, dat u door de lucht zeilde? U of Katie had uw hoofd wel kunnen stoten tegen de tafel of iets kunnen breken bij de val. Toen ik besloot Katie hier achter te laten, ging ik ervan uit dat u een toelatingsgesprek voerde met aanstaande leerlingen en dat er geen gevaarlijke personen werden toegelaten onder dit dak.'

'En dat doen we ook. Grady is langer dan anderen en misschien een beetje onbesuisd, maar hij is niet kwaadaardig. Hij is hier nieuw en hij zal leren...'

'Spaar me uw pogingen om te doen of er niets gebeurd is. U kent de jongen evenmin als ik, en ik zeg dat hij een gevaar is voor iedereen om hem heen. Het was dom van u om hem in een lokaal toe te laten zonder een mannelijke verzorger in de buurt.'

Berrie perste haar lippen op elkaar. Ze beantwoordde zijn toornige blik met dezelfde boosheid. Het deed er niet toe dat zijn voorstel verstandig kon zijn; ze wilde geen bemoeienis van hem. 'Ik heb liever niet dat u de baas speelt in mijn school. En waag het niet ooit nog een van mijn leerlingen aan te raken.'

Zijn wenkbrauwen gingen omhoog. 'Wat had ik dan moeten doen, blijven toekijken zodat hij u uit het raam kon gooien?'

'Dat heeft hij niet gedaan en dat zou hij ook nooit doen.'

Simon schudde zijn hoofd. 'Het heeft geen zin om daar ruzie over te maken, want we weten geen van tweeën wat hij had kunnen doen als ik hem niet had tegengehouden.' Als hij ook maar in het minst afgeschrikt was door haar verontwaardiging, dan liet hij het niet merken. Hij deed een stap dichterbij zodat hij hoger dan ooit boven haar uittorende. 'U laat hem geen les bijwonen zonder een mannelijke verzorger in de buurt, als u die geliefde school van u open wilt houden.'

★

Die avond laat wreef Berrie in haar ogen en keek naar de klok op de hoek van haar bureau. Over elven. Ze moest echt naar bed; het was 's morgens vroeg dag op deze school. Ze hoopte maar dat de volgende dag geen nieuwe ruzie met Simon zou brengen. Na hun woordenwisseling van die ochtend had ze hem de rest van de dag ontlopen.

Ze stond op met een laatste blik op de papieren voordat ze de lamp doofde. Ze had zich vast voorgenomen bij alle terreinen van deze school betrokken te blijven, van toelating en onderwijs tot de voeding en persoonlijke verzorging van elke leerling. Niemand was verbaasder geweest dan zijzelf na deze uitspraak, omdat ze besefte dat het bij het werk hoorde om op een uiterst persoonlijke manier de rommel van andere menselijke wezens op te ruimen. Zelfs haar moeder was verbaasd geweest, ze moest gedacht hebben aan wat Berrie vroeger van zichzelf geloofde: dat ze te zwak was om echt werk te doen.

Maar ze had bewezen dat iedereen het mis had gehad, ook zijzelf. Haar enige zorg was nu dat ze niet zo betrokken kon zijn als ze wilde. Er was simpelweg te veel werk om zich overal mee te kunnen bemoeien. Nu al gaf ze maar één les, in plaats van de drie waarmee ze was begonnen. Het papierwerk kon op zichzelf al een hele dag kosten, zelfs met de hulp van een secretaris twee keer per week.

Ze deed de deur dicht, haalde de sleutel uit haar zak en sloot het kantoor af. Ze liep naar de hal omdat ze haar dag wilde beëindigen met een wandeling over het terrein. Dat was precies wat ze vanavond nodig had – frisse lucht en dan naar bed.

In de familiesalon brandde licht. Er had toch niemand een lamp aan gelaten? Dat was gevaarlijk met al die ronddwalende kinderen. Alleen de muurkandelaars, die zo hoog hingen dat de meeste kinderen er niet bij konden, bleven branden als iedereen naar bed was.

Maar toen ze langs de open deur van de salon liep, hoorde ze Finola's stem.

'... het was mijn eigen vader die mijn trouwdag bepaalde. Hij wilde het achter de rug hebben voordat hij stierf, en ja hoor, twee dagen na de plechtigheid was mijn pa er niet meer. Het hele dorp sloeg die dag een pint achterover – ter ere van hem.' Ze moest Berrie's schaduw hebben gezien, want ze keek haar kant op. 'O! Ik zag je niet, Berrie. Ga zitten.'

Berrie keek enigszins verbaasd, want ze had half en half verwacht dat ze met Duff zat te praten, die Finola soms achternaliep als een hondje zijn baas. Maar hij bleef haast nooit op tot na tien uur en zijn dagen waren zo vol dat hij zijn rust nodig had.

Maar daar zat Simon, stijfjes en niet op zijn gemak. Hij zat met een boek in zijn hand in de buurt van een van de twee brandende lampen. Een knus tafereeltje, ware het niet dat hij een gepijnigde blik op zijn gezicht had. Ze vroeg zich af of dat al zo was voordat zij binnen was gekomen.

Ze schudde haar hoofd. 'Nee, ik wilde alleen weten waarom er licht brandde. Ik ga zo naar bed.'

Simon legde het boek opzij en stond op. Hij boog zich kort voor Finola. 'Ja, het is al laat en ik ga ook. Goedenavond, juffrouw O'Shea.' Toen wendde hij zich tot Berrie. 'Wilt u me misschien uitlaten, juffrouw Hamilton?'

Afgrijzen kroop langs haar ruggengraat omhoog. Ze wilde niet horen wat hij te zeggen had. Was hij de hele dag bezig geweest met uit te zoeken hoe hij kon zorgen dat de school gesloten werd?

Zonder een woord draaide ze zich om en ging hem voor naar de deur. Ze zette zich schrap voor een nieuwe ruzie en wenste maar één ding: de energie om zich te handhaven.

'Ik ben gebleven om mijn excuses aan te bieden, juffrouw Hamilton.'

Berrie zette grote ogen op. 'Pardon?'

Hij wreef zijn handpalmen tegen elkaar en zijn frons maakte duidelijk dat hij geen zin had om het te herhalen. 'Ik wil me verontschuldigen voor mijn woorden van vanmorgen... over het sluiten van deze school. Dat had ik nooit moeten zeggen en ik verzeker u dat het niet mijn bedoeling is.'

Te verbijsterd om iets te zeggen, staarde Berrie hem aan.

Simon keek haar ernstig aan. 'Ik was bezorgd om die leerling – Grady, heet hij geloof ik – en dat ben ik nog steeds. Maar in andere kwesties hebt u tot nu toe voldoende veiligheidsmaatregelen genomen, en als u het met me eens bent dat er beter op hem gelet moet worden dan op andere leerlingen, dan weet ik zeker dat eventuele problemen in de toekomst vermeden worden.'

Ze sloeg haar armen over elkaar. Had hij haar echt opgezocht om zijn excuses aan te bieden? Misschien trok ze te snel de slechtste conclusies als het Simon MacFarland betrof. Ze moest echt leren haar tong in bedwang te houden bij deze man. 'Dank u.' Verder vertrouwde ze niet op haar stem.

Hij bracht een hand naar de deur en duwde hem open. 'Ik vertrek nu en kom waarschijnlijk niet eerder dan over veertien dagen terug. Ik heb afscheid genomen van Katie, dus ze weet dat ik er morgenochtend niet ben.' Hij wilde weggaan, maar bleef halverwege de deuropening stilstaan. 'U moet toch echt iets doen aan de lange dagen die u maakt, juffrouw Hamilton.'

Toen vertrok hij en trok de deur achter zich dicht voordat ze kans kreeg om iets te zeggen. Niet dat ze een woord te zeggen had. Als de vermaning bedoeld was als verwijt dat ze hem zo lang had laten wachten, had ze hem een snauw teruggegeven. Het vreemde was dat zijn toon verrassend vriendelijk was geweest, net als de toon die hij gewoonlijk voor Katie bewaarde.

En die waarneming liet haar sprakeloos achter.

31

Rebecca klikte het licht aan en ging achter haar bureau zitten. Ze keek naar de klok. Het was belachelijk laat om te gaan werken; de zon was al uren onder. Ze was nalatig deze zomer. Ze was achter met haar e-mailcorrespondentie, had sinds gisteren de post niet opengemaakt, en moest nog vergaderen met het marketingbedrijf over nieuwe brochures. Dat was gelukkig opgeschoven tot ze de uitslag hadden van de Featherby-jury.

Maar ze had met veel plezier de rondleiding verzorgd voor Dana en Padgett en moest er niet aan denken het uittypen van de oude brieven of het lezen van de schoolgegevens uit te stellen. Meer dan een week was voorbijgevlogen. Vandaag was ze met Quentin, Dana en Padgett naar Cambridge geweest. Met z'n vieren waren ze een soort familie geworden en de enige die ontbrak, was Aidan, die er in de geest bij was als je hoorde hoe vaak Dana over hem sprak.

Haar oog viel op een lange, witte envelop, en ze vroeg zich af of haar vader alweer een personeelsadvertentie van de National Trust had doorgestuurd. Er stond geen afzender op, maar ze zag aan de afgestempelde postzegel dat hij tussen de post had gezeten die ze vanmorgen had opgehaald. Ze sneed de envelop open, maar in plaats van een brief haalde ze er een krantenartikel uit, met de datum van gisteren. De foto was niet erg duidelijk – een paar zat aan een kleine, witte tafel op een veranda. De man droeg een wit overhemd en een donkere broek – Quentin, zag ze toen ze beter keek. En hij was niet alleen.

Quentin en lady Caroline Norleigh zaten knusjes buiten aan de maaltijd, zo knus dat lady Caroline een soort ochtendjas droeg in plaats van de haute couture waar ze normaal mee pronkte als ze op de foto ging.

Een laatste afscheid? Of heeft deze vrijgezel al een einde gemaakt aan zijn korte relatie met commercieel manager Rebecca Seabrooke en is hij teruggekeerd naar zijn eigen soort, lady Caroline Norleigh? Het paar verscheen pasgeleden kort op een liefdadigheidsfeest voor Barnardo's. Het schijnt dat lady Caroline opnieuw te gast is op Endicott Cottage, waar niet alleen lady Elise Hollinworth woont, maar sinds deze zomer ook haar zoon Quentin Hollinworth. Is hij daar om de band met een oude vlam aan te halen, terwijl zijn nieuwe geliefde op een steenworp afstand zit te wachten op Hollinworth Hall? Onmogelijk te raden waarom hij haar op de Hall alleen heeft gelaten, tenzij hij wist dat lady Caroline in de cottage op hem zat te wachten. Ach, de adel! Ze blijven zorgen voor vermaak.

Rebecca dwong zich het korte artikel nog een keer te lezen. Als verdoofd bekeek ze de foto, zich schrap zettend tegen de pijn die wachtte om haar in zijn greep te krijgen zodra ze hem toeliet. Het was geen mooie foto, hij was nogal korrelig. Hij was kennelijk van een afstand genomen en in kwaliteit achteruitgegaan toen hij werd vergroot om de personen herkenbaar te maken. Maar hoe graag Rebecca ook wilde dat het anders was, er was geen twijfel aan wie het waren.

Huiverend slikte ze het brok in haar keel weg. Moest het zo gaan – dat ze de staat van haar relatie met Quentin in de krant moest lezen in plaats van van Quentin zelf te horen? De afgelopen anderhalve week had ze de dagen grotendeels met hem doorgebracht. Hij was nog maar net weg. En al die dagen had hij er geen woord over gezegd dat hij weer contact met lady Caroline had.

Was ze op dit moment in de cottage en begroette ze hem nadat hij een dag was weggeweest?

Rebecca liet het artikel vallen alsof ze zich gebrand had.

De deur van haar kantoor ging open en één stuurloos ogenblik dacht ze dat hij het was, om haar alles te vertellen. Maar natuurlijk was het Dana, die Padgett op bed had gelegd.

'Wat is er?' vroeg Dana terwijl ze tegenover haar aan het bureau ging zitten.

Rebecca had nu geen behoefte aan gezelschap en wenste dat ze alleen was om haar pijn makkelijker te kunnen verbergen, en de schaamte van een publieke afwijzing. Ze was de afgelopen drie jaar tevreden geweest met zichzelf; ze was eraan gewend. Ze weigerde toe te geven aan haar tranen en glimlachte flauw en vreugdeloos. Toen ze voelde dat ze kon vertellen wat ze voelde zonder in tranen uit te barsten, gaf Rebecca Dana het artikel.

'O,' fluisterde Dana toen ze het gelezen had.

Rebecca voelde haar onderlip trillen en beet erop. 'En ik dacht dat ik me alleen maar zorgen hoefde te maken over een humeurige lady Elise.'

'Dit betekent niets,' zei Dana. 'Wat is het nou eigenlijk voor een foto? Hij ziet eruit alsof ermee geknoeid is.'

'Waarschijnlijk genomen vanuit een helikopter,' zei Rebecca. 'Ze vliegen af en toe over het landgoed heen, op zoek naar verhalen.'

'Nou, daar heb je het al. Het is een verzonnen verhaal. Ze zitten samen op de veranda. Zijn moeder was er waarschijnlijk ook bij, maar die hebben ze weggepoetst.'

'Dat maakt niet uit.'

'Wat bedoel je?'

'Hij heeft het me niet verteld.' Verbazend, haar stem klonk niet half zo radeloos als ze zich voelde. Ze kon Dana niet aankijken. Als ze medelijden zag, zou ze instorten. 'Ze is daar, ze logeert bij hen. Dat had hij me moeten vertellen.'

Dana legde het artikel opzij. 'Ja, hij had het je moeten vertellen. Maar misschien wilde hij niet dat je overhaast de conclusie trok die je nu trekt.'

'Vast en zeker niet,' zei Rebecca. 'Pas op het juiste moment, nadat hij gekozen heeft wie van ons tweeën het wordt.'

'Dat is overhaaste conclusies trekken, Rebecca. Misschien vond hij haar aanwezigheid daar niet belangrijk genoeg om te vermelden.'

Rebecca lachte sarcastisch. 'Misschien kun je op die foto niet zien hoe mooi ze is. Hier.' Ze rukte de onderste bureaulade aan de rechterkant open, de lade die ze nooit opende behalve wanneer ze wist dat ze alleen was, onder het mom van haar rol als archivaris van de familie Hollinworth. In haar functieomschrijving had nooit gestaan dat ze een plakboek bij moest houden van het doen en laten van de familie; dat was haar eigen idee geweest. Nu werd duidelijk waarom. En al die jaren had ze gedacht dat ze over haar liefde voor Quentin heen was.

'Deze foto's geven je een beter idee,' zei Rebecca bitter. 'Hier zie je hen op de bruiloft van Leo Endicott – de toekomstige graaf van Eastwater, Quentins neef. Zie je hoe verbluffend knap ze is? Ze past er prima tussen, vind je niet?' Ze bladerde verder. 'En hier, op Ascot. En nog een – een tuinfeest dat zijn moeder gaf, waar de fotograaf zo'n beetje zijn leven waagde om die foto te maken dat ze staan te zoenen.'

De tranen stonden in haar ogen, maar Rebecca lette er niet op. Dana keek niet naar de foto's; ze keek naar Rebecca.

Rebecca leunde achterover in haar stoel, uitgeput van haar korte, maar hevige ontreddering. 'Zielig, hè? Dat ik ze bewaard heb?'

Dana schudde haar hoofd. 'Ik had waarschijnlijk hetzelfde gedaan als Aidan ooit in de krant stond. Wat gelukkig nooit gebeurt.'

Rebecca keek weer neer op het plakboek. 'Ik ga ze in de vuilnisbak gooien. Dat had ik al lang geleden moeten doen.'

Ze verzamelde de foto's, een bescheiden maar beschamend handjevol.

'Je vergeet er een,' zei Dana, die de nieuwste editie oppakte.
'Nee.'
'Wil je deze houden?'

Rebecca knikte. 'Die krantenknipsels wezen me erop dat Quentin buiten mijn bereik was. Die oude mag ik dan niet meer nodig hebben, maar ik denk dat ik deze voorlopig moet houden... om me erop te wijzen dat hij nog steeds buiten mijn bereik is.'

Op dat moment ging de telefoon. Rebecca maakte geen aanstalten om het fotoboek opzij te leggen en op te nemen.

'Wil je dat ik opneem?' vroeg Dana, met uitgestoken hand.

'Nee.' Haar resolute stem hield Dana gelukkig tegen. De telefoon bleef rinkelen. 'Het is Quentin. Hij is de enige die zo laat op dit nummer belt.'

'Ik vind dat je met hem moet praten, Rebecca. Je moet hem vertellen over de krant. Vertellen hoe je je erdoor voelt. Vragen wat er aan de hand is.'

Rebecca deed of ze haar niet gehoord had, griste de krantenknipsels van het bureau en bracht ze naar de vuilnisbak buiten – ver van het kantoor, waar ze ze niet meer kon terughalen.

32

Heb ik je verteld, Cosima, dat we 's avonds bij elkaar komen, met
z'n allen in ons tijdelijke gezinnetje, om de dag zo kalm mogelijk te
eindigen? Dat deden we vanavond ook, alleen hing er zo'n dichte mist
dat het gevaarlijk zou zijn om naar buiten te gaan. En daarom gingen
we naar de blauwe salon voor de gezinstijd, waarbij we liedjes zingen
of verhaaltjes vertellen of iets waar we trots op zijn. Katie had het niet
verwacht, maar ik nam een tekening van haar mee om aan iedereen te
laten zien. Het is een buitengewoon voorbeeld van haar vaardigheid, en
ik sluit hem bij deze brief in zodat je het met eigen ogen kunt zien.
Zoals je ziet is het een prachtige vogel die op een nest zit. Vind je niet
dat de potloodstreken van de vleugel je doen geloven dat het diertje weg
zou vliegen als je hem wilde aanraken?
Katie's broer Simon was vanavond bij ons. Ik zeg je, Cosima, die man
is een raadsel. Ik weet nooit of hij blij is dat zijn zusje hier zit, of dat
hij op het punt staat haar mee te nemen. Zelfs na vanavond, de eerste
keer dat we in elkaars gezelschap waren en erin slaagden elkaar langer
dan enkele ogenblikken te verdragen zonder ruzie te krijgen.

'Vertel juf Berrie eens over je reizen, Simon. Alsjeblieft? Over je
reizen?'

Hij wilde niet, dat zag Berrie meteen aan zijn donkere blik en
zijn neerhangende mondhoeken. Op hetzelfde moment bood ze
weerstand aan haar teleurstelling. Het was dwaas om over zijn reizen te willen horen, die man aan wie ze zo'n hekel had. Toch deed
de onschuldig gestelde vraag Berrie denken aan de keren dat ze
haar eigen broers hetzelfde had gevraagd. Peter, die naar Gibraltar
en Egypte was geweest, en zelfs naar China. En Nathan, die naar
Amerika ging en naar India en Afrika, die nu nog in Afrika zat en

van tijd tot tijd naar huis schreef over al zijn avonturen. Urenlang had ze naar hen kunnen luisteren. Zelf was ze maar één keer op reis geweest, over de Ierse Zee – een onstuimige reis, die haar hier had gebracht voor haar levenswerk. Een ervaring die haar voldoening had gegeven omdat hij haar naar het werk had gebracht waarvan ze hield – werk dat veel belangrijker was dan dromen over zeereizen naar verre landen.

Toch was het aardig geweest om nog een verhaal te horen.

'Alsjeblieft, Simon? Wat heb je gezien?'

Berrie keek op, één vreselijk ogenblik bang dat ze het zelf had gezegd. Gelukkig zag ze hem naar zijn zusje kijken, met een onwillige grijns op zijn gebeeldhouwde gezicht.

'Ik zag de zon ondergaan met niets dan water tussen ons schip en de lucht, zo ver als ik kon kijken.'

'En wat heb je geproefd?'

'Kokosnoten in Afrika, olijven in Spanje, druiven in Italië.'

'En wat heb je geroken?'

Berrie keek naar het tweetal en zag dat het een soort spelletje was dat ze allebei kenden. Maar voor Berrie was het de enige glimp die ze zou opvangen van de rest van de wereld waar ze alleen over gelezen had.

'Mijn schip bracht me naar Corsica, waar de kusten naar dennenbomen roken. Ik trok door de heuvels, viel in slaap op de varens die onder de bomen groeiden, ik at geroosterde wilde varkens die geleefd hadden van eilandkastanjes. Toen voeren we naar andere eilanden, naar Menorca en Sicilië en Kreta en nog meer – te veel om op te noemen. Ik zag kastelen waar ze belangrijke mensen hadden opgesloten, en honden die voor kleine kinderen konden zorgen, de zon die onderging en de lucht en het water en alles om me heen purper schilderde. En weet je wat ik heb geleerd?'

Katie schudde lachend haar hoofd.

'Dat families over de hele wereld precies op onze familie lijken. Zussen en broers die voor elkaar zorgen, al wonen ze nog zo ver weg. Weet je wat ze dachten toen ik vertelde dat ik uit Ierland kwam?'

'Wat dan?'

'Dat we in een heel vreemd en prachtig land wonen, precies zoals wij denken dat zij in een vreemd en prachtig land wonen.'

Ze giechelde, en herhaalde de zin dat zij in een vreemd en prachtig land woonde. Berrie's blik bleef rusten op Simon, en ze merkte pas dat ze naar elkaar gelachen hadden toen het gebeurd was. Het Britse Rijk – een vreemde en prachtige plaats.

Misschien wel.

33

Rebecca roerde haar thee aan de keukentafel. Het was onmogelijk om in deze ruimte te zijn, met zijn hoge planken en doeltreffende uitrusting voor bijna elk formaat gezelschap, zonder te denken aan de eerste keer dat Quentin haar had gekust.

Ze had nauwelijks de helft van haar thee op, maar het was het enige wat haar maag kon verdragen. Het was nog vroeg; ze was uren geleden wakker geworden na heel weinig slaap. Ze wist dat Padgett wakker was; ze had haar met haar pop horen spelen op haar lievelingsplekje – boven aan de trap op het ovale Perzische tapijt. Van daar kon ze iedereen uit een slaapkamer of kantoor horen komen, en tegelijkertijd alles horen wat er beneden gebeurde, tot de keuken aan toe. Dana was waarschijnlijk ook wakker, al was ze nog niet naar beneden gekomen voor het ontbijt.

Rebecca liet haar thee op de keukentafel staan. Al kon zij niet eten, Dana en Padgett moesten iets hebben. Aan wat voor kwaal Dana tegenwoordig ook leed, eten scheen te helpen.

Rebecca haalde een pan uit de kast en ingrediënten uit de hoge koelkast om roereieren op toast te maken, een eenvoudige doch voedzame maaltijd. Als ze de geur kon verdragen met de knoop in haar maag, dan zou het ontbijt vredig verlopen. Ze waren een mooi stel vriendinnen, Dana en zij, met hun misselijkheid. Alleen wist Rebecca de oorzaak van de hare.

Quentin zou komen. Hij kwam elke dag, sinds hij was verhuisd – de dag nadat hij haar hier aan deze keukentafel had gekust. Ze staarde naar de plek en beleefde het ogenblik opnieuw. Wat had het voor hem betekend?

Dana zag er niet beter uit dan Rebecca zich voelde toen ze de keuken binnenkwam. Haar duidelijk zichtbare ongemak verdreef

Rebecca's zelfmedelijden. 'Ga zitten,' commandeerde ze. 'Ik heb thee, eieren en toast klaar.'

'Alleen maar thee en toast, geloof ik,' zei Dana.

Rebecca zette het eten op tafel en nam plaats tegenover haar. 'Heb je wel eens eerder last gehad van deze misselijkheid, Dana?'

Dana schudde haar hoofd, nam een slok thee en een hap toast.

'Dana,' zei Rebecca zacht, 'weet je waarom je de laatste tijd zo misselijk bent?'

Dana zuchtte wanhopig en knikte. 'Ik heb geprobeerd er niet aan te denken, maar het kan maar één ding zijn. Ik herinner me de symptomen; mijn zus heeft ze twee keer gehad. En beide keren kreeg ze zeven maanden later een baby.'

Rebecca wist dat de gewone felicitaties niet waren wat Dana wilde horen. 'Je moet naar de dokter, of tenminste een zwanger-schapstest doen. Ik kan wel voor je naar de drogist gaan.'

Dana pakte haar hand. 'Maar Quentin komt zo. Je moet er zijn, om met hem te praten over die foto.'

Rebecca schudde haar hoofd. 'Ik ben een genie in het verzinnen van uitsteltactieken.'

'Het helpt je niets; je moet met hem praten.'

'Dat komt wel een keer.'

'Wil je dat ik iets zeg, als hij komt voordat je terug bent?'

Rebecca schudde haar hoofd. 'Ik wil niet dat je je zorgen maakt omwille van mij, Dana. Je hebt genoeg aan je hoofd.'

De tranen sprongen Dana in de ogen. 'Ik wil liever aan Quentin en jou denken. Ik wil helpen. Dat is beter dan piekeren over een baby krijgen – een baby die bij Berrie op school had gehoord als die niet al die jaren geleden gesloten was.'

Rebecca omhelsde haar. 'Niet denken, Dana. Het zou ook heer-lijk kunnen zijn. Een broertje of zusje voor Padgett. Een baby krij-gen met een man van wie je zoveel houdt.'

Dana klampte zich aan haar vast. 'Maanden van piekeren en wachten tot je ziet of alles goed is. Dat heb ik met Natalie gedaan;

ik wil het niet zelf hoeven doen.'

Rebecca maakte zich los om Dana streng in de ogen te kijken. 'We slagen er allemaal in te doorstaan wat God ons geeft. Hij zal ons ervoor toerusten.'

Dana knikte niet overtuigd.

'Ik ben over een paar minuten terug. Eet intussen wat. Dan voel je je beter.'

Rebecca snelde de deur uit.

In de dichtstbijzijnde drogisterij had Rebecca geen flauw idee welk merk het betrouwbaarst was. Ze bestudeerde een paar pakjes en besloot uiteindelijk de drogist te vragen welke test het betrouwbaarst was. Twintig minuten en zes pond vijftig later liet ze de bediende de test in een zakje doen en ze vertrok.

Waar ze prompt tegen een jonge man met een camera opbotste, die vlug een stap opzij deed en een foto van haar maakte.

34

Ik moet je een geheim vertellen, Cosima. Vergeef me dat ik deze brief begin zonder de gewone dingen van de dag te vertellen, maar ik kan op dit moment niet helder denken. In je laatste brief zei je dat Peter me de raad zou geven bij Simon uit de buurt te blijven, een raad die ik maar al te zeer ter harte heb genomen. Mijn broer heeft het goed gezien dat Simon zo onwankelbaar Iers is, dat hij bereid zou kunnen zijn om buitengewone maatregelen te nemen om Ierse onafhankelijkheid te bewerkstelligen. En geloof me, op persoonlijk gebied wil ik niets met hem te maken hebben. Echt niet.

In de afgelopen twee maanden dacht ik dat we elkaars gezelschap aardig goed konden verdragen. De laatste keer dat hij op bezoek was, twee weken geleden, heb ik je verteld hoe ik genoot van zijn reisverhalen. Ik dacht opgelucht dat we konden leren elkaar te tolereren, omdat hij zo vaak bij Katie op bezoek komt dat het een noodzakelijkheid is dat haar broer en ik leren om aardig tegen elkaar te zijn. Goed, we hebben meestal niet veel tijd om te praten, omdat Katie de neiging heeft alle gesprekken te overheersen, maar vanavond is er iets gebeurd dat ik moeilijk zal kunnen vergeten, moet ik toegeven. Door het aan jou te vertellen hoop ik het in de juiste verhoudingen te kunnen zien. Ik ging naar buiten voor mijn avondwandeling en dacht dat Simon al was teruggegaan naar het logement waar hij tijdens zijn bezoek verblijft. Het was een heldere avond met een fonkelende sterrenhemel en ik liep te bidden tot ik achter me iets hoorde. Ik keek om en daar stond hij...

'Meneer MacFarland?'
'Ja, ik ben het.'
'Ik verwachtte niemand buiten. Ik schrok.'
'Vergeef me.'

Het was zo'n vreemde plaats om te zijn, aan de zijkant van het huis, waar geen deur of tuin of wat dan ook voor belangwekkends te vinden was. 'Was u ergens naar op zoek?' Het was een absurde vraag, vooral omdat het donker was, maar Berrie was te nieuwsgierig om niet te vragen naar de reden van zijn onverwachte verschijning.

Simon aarzelde maar even, keek van haar weg en toen weer terug om haar blik vast te houden. 'Ja, eigenlijk wel. Naar u.'

Het verbaasde haar dat hij haar gezelschap zocht zonder dat Katie bij haar was.

'Ik zag u toevallig vertrekken en ik vroeg me af waar u op dit uur heen ging.'

Zijn wantrouwen was even duidelijk als de sterren aan de hemel. 'Het lijkt me duidelijk, meneer MacFarland, dat uw bezoeken nog steeds niet alleen ten doel hebben om uw zuster te zien, maar om mij te controleren, te zien of u mij op een overtreding kunt betrappen zodat u kunt zeggen: "Aha! Ik wist wel dat ze van de onkundige soort was, en ik heb het volste recht om mijn zusje weg te halen."'

Hij nam de beschuldiging ernstig op, zonder het te ontkennen. 'En waarom bent u buiten?'

'Ik loop elke avond om het huis heen, meneer MacFarland. Om te kijken of alles in orde is.'

Zijn blik hield de hare vast alsof hij probeerde te bepalen of ze de waarheid sprak. 'Misschien moet u een nachtwaker in dienst nemen. Of tenminste die taak overlaten aan een van de mannelijke verzorgers, lijkt mij. Die lange – Duff noemt u hem, geloof ik – die schijnt uw bevelen graag uit te voeren.'

Hoe kon ze bekennen dat haar avondwandeling niet alleen dienstbaarheid aan de school was, maar ook een manier om zich op te laden? Als het niet regende, verheugde ze zich op het avondlijke ritueel vanaf het moment dat de zon begon te zakken. Om alleen te zijn, zonder dak tussen haar en God, om de frisse lucht in te ademen die 's avonds wonderlijk anders geurde dan tijdens hun ochtendoefeningen, om de sterren te zien in al hun schitterende blauw. Om te bidden.

'Ja, u hebt vast gelijk.' Niet dat Berrie van plan was om Duff te vragen haar taak over te nemen. Ze begon weer te wandelen.

Alsof hij voelde dat het een leugen was en het – of haar – niet wilde laten passeren, raakte Simon haar arm aan om haar tegen te houden. Het contact was effectief. Ze draaide zich verwachtingsvol naar hem om.

'Het is niet veilig om alleen te zijn in het donker.'

'Onze dichtstbijzijnde pachter zit een heel eind de heuvel af, een gezin van vijf personen die volkomen tevreden hun leven leiden zonder om onze school rond te snuffelen. Een eenzame plaats geeft zelden moeilijkheden.' Het ergste wat ze te vrezen had, was een boomwortel waar ze in het donker een paar keer over gestruikeld was.

'Het is niet veilig omdat het afgelegen is, zeker niet zo'n groot landhuis. En afgezien van het menselijk roofdier zijn er nog andere dingen die de nacht onveilig kunnen maken. Vleermuizen, knaagdieren, wie weet zit er een wilde hond in de buurt.' Hij grinnikte, iets wat Berrie zelden had gezien naar haar toe. Ze staarde naar zijn mond, niet in staat haar blik af te wenden. 'En u weet toch hoeveel problemen kabouters kunnen geven? En wie moest er weten dat u hulp nodig had, helemaal alleen hier in het donker?'

Ze keek weer voor zich. 'Probeert u vaak anderen angst aan te jagen?'

'Ik wijs u op dingen die u al in overweging had moeten nemen, en daarom uw meneer Duff had moeten vragen dit voor u te doen.'

Het viel haar op dat hij 'uw meneer Duff' zei. Was dat dan de reden dat Simon haar buiten was komen zoeken? Had hij vermoed dat ze naar buiten was gegaan voor een rendez-vous met Duff? Een schandaal zou hem goed uitkomen: dan kon hij in één klap haar te schande maken en de school laten sluiten.

'Dank voor uw bezorgdheid, meneer MacFarland, maar ik verzeker u dat ik niet alleen ben als ik 's avonds aan het wandelen ben. Mijn God is mijn schild en mijn beschermer.'

'Ik vind het niet eerlijk om God, Die het al zo druk heeft, extra werk te bezorgen met dom gedrag, u wel?'

Ze wist niet op welke misleidende gedachten achter die verklaring ze het eerst moest ingaan. 'Niet dat ik mijn gedrag als dom zie; maar je kunt *God* en *druk* niet in één adem noemen zonder Hem minder te maken dan Hij is, vindt u niet?'

'Dat is waar. Maar ik herinner me dat er ook een vermaning is om Hem niet te beproeven. Waarom opzettelijk Zijn bescherming afdwingen als het veel logischer is om een nachtwaker te nemen of deze taak aan een van de mannelijke verzorgers op te dragen?'

'Ik wil het gráág zelf doen!' Het was niet Berrie's bedoeling geweest om de waarheid op te biechten, maar het viel haar in dat als ze het eerder had gedaan, dit gesprek niet zo ver was gegaan en niet zo'n geïrriteerde ondertoon had gekregen. 'Ik hou van de avondlucht, de sterren en de maan, de schaduwen en de geluiden. Dus ik ga de taak aan niemand anders overgeven, als u het beslist wilt weten.'

Ze wilde weer doorlopen, maar weer werd ze tegengehouden door een hand op haar arm. Ze draaide zich om, geschrokken omdat zijn aanraking zo zacht was dat ze niet zeker wist of het zijn bedoeling wel was om haar tegen te houden.

'Het spijt me,' zei hij.

Ze fronste verward haar wenkbrauwen. 'Wat spijt u?'

'Dat ik wantrouwig jegens u ben geweest, u gevolgd heb, in de rede gevallen, geërgerd. Ik geloof dat mijn wandaden – echt of althans door u zo ervaren – in die volgorde kwamen.'

Ze lachte een beetje. 'Ik geloof van wel.'

'Dus mijn verontschuldigingen zijn aanvaard?'

Ze knikte. Ze zou doorgelopen zijn, dezelfde weg terug als ze gekomen was, naar de voorkant van het landhuis en naar binnen, maar iets hield haar vast.

'Soms, als u naar me kijkt,' zei hij zacht, 'zie ik het diepste wantrouwen. Ik vraag me af of u denkt dat ik u alleen maar in een slecht daglicht wil stellen. Ik ben u alleen uit bezorgdheid gevolgd, juffrouw Hamilton. Niets meer.'

Wat had hij haar goed doorzien, wat had hij haar precies geobserveerd.

'Zelfs nu,' fluisterde hij, 'gelooft u me niet.'

'Nee, ik geloof van niet,' zei ze en ze wilde langs hem heen lopen. Hij zette een klein stapje in haar baan, en ineens was hij veel dichterbij dan ze had verwacht. Toen kwam hij ineens vlak voor haar staan en bukte dieper, zodat zijn gezicht op gelijke hoogte met het hare was. Ze bleef stilstaan, wist dat ze moest terugwijken als hij het niet deed. Ze verroerde zich niet.

'Ik denk niets lelijks over u,' fluisterde hij. 'Het is zelfs zo dat ik...'

Hij maakte zijn zin niet af en Berrie kon het niet voor hem doen. In plaats daarvan staarde ze naar zijn gezicht, zo helder in het maanlicht, alsof het de eerste keer was dat ze hem zag en er een ongeziene kracht was die haar blik naar de zijne trok. Ze moest zich afwenden, en toch bleef ze staan, haar ogen in de zijne. Het kon niet veel langer dan een ogenblik geduurd hebben, maar het leek veel langer.

Simon begon weg te lopen en Berrie haastte zich hetzelfde te doen. Ze kon niet zo dicht bij hem willen zijn; dit was de man die altijd het slechtste in haar naar boven bracht.

Zacht sloot hij zijn hand om haar elleboog. Weer was hij te dichtbij... en toch niet dichtbij genoeg. Een vreemde gedachte ging door haar hoofd toen ze zag hoe hij naar haar gezicht keek en hoe zijn blik aan haar lippen bleef hangen. Heel even dacht ze aan een kus. Ze moest haar gezicht afwenden, een stap naar achteren doen. Maar ze deed het niet.

Toen waren zijn lippen op de hare in een kus die ze slechts één keer in haar leven had gekregen – in Engeland van lord Welby. De man die eens had gezegd dat hij met haar vader wilde praten, maar het nooit had gedaan.

Maar dit was Simon MacFarland die haar kuste, en nog verbazingwekkender was dat ze niets deed om hem tegen te houden. Ze sloeg haar armen om zijn hals en kuste hem hartstochtelijk terug.

De blik op zijn gezicht toen hij zich van haar losmaakte, deed haar vermoeden dat hij net zo verbaasd was door de kus als zij.

Hij verstijfde en deed een hele stap naar achteren. 'Dat was nogal... onverwacht. Ik moet u weer om vergeving vragen. Ik heb geen excuus. Ik vind niet eens...'

Hij zweeg abrupt, en hoewel ze het volledig met hem eens dat de kus onverwacht was, wilde Berrie dat hij zijn zin afmaakte. 'U vindt me niet eens aardig?'

Simon schudde zijn hoofd. 'Ik wilde zeggen dat ik vind dat een man niet eens een vrouw moet kussen voordat ze getrouwd zijn of op het punt staan om te gaan trouwen.' Hij schraapte zijn keel. 'Als dat is wat u verwacht van iemand die zich zojuist vrijheden met u heeft veroorloofd, dan verzeker ik u dat ik bereid ben te doen wat fatsoenlijk is en uw gezelschap te zoeken met de mogelijkheid van... een huwelijk.'

Het ontging Berrie niet dat zijn stem uitgesproken zuur klonk bij die laatste woorden. Ze klemde haar handen tot vuisten. 'Wat een *fatsoenlijk* aanzoek, meneer MacFarland. Laat me u van twee dingen verzekeren. Ten eerste ben ik van plan om nooit te trouwen. En ten tweede, zelfs *als* ik ervoor openstond kan ik u verzekeren dat ik me nooit het hof zal laten maken door iemand die nagenoeg stikt bij de gedachte aan mij als zijn vrouw.'

Hij verstijfde. 'U wilt me wel vergeven, hoop ik, dat ik een bepaald soort echtgenote in gedachten heb? Een soort die u duidelijk nooit zou kunnen zijn. Ik heb niet iemand nodig die stapelverliefd is en blind voor mijn fouten, maar ik geef de voorkeur aan een vrouw die op z'n minst mijn gedachten en meningen respecteert en erkent.'

'Gaat u dan met uw charmante huwelijksaanzoek naar iemand die dat voor u kan zijn. Ik heb wel eens begrepen dat als je iemand respecteert en erkent, je wellicht hetzelfde terugkrijgt.'

Ze draaide zich om en wilde weglopen, hij maakte geen aanstalten om haar te volgen. Goed dan. Ze had hem niet nodig om haar naar de voordeur te begeleiden.

'Als het uw bedoeling is om ruzie te maken, juffrouw Hamilton, dan kan ik verscheidene andere onderwerpen bedenken dan een serieus onderwerp als het huwelijk. Uw loyaliteit aan Engeland bijvoorbeeld. Of uw werktijden. Het feit dat u uw familie en thuis hebt verlaten, suggereert zelfs dat u om een of andere reden weggevlucht kunt zijn, en ik moet me wel afvragen waarom. Er zijn ongetwijfeld nog meer onderwerpen die een ruzie tussen ons kunnen opwekken.'

'Ongetwijfeld. Uw volkomen veronachtzaming van manieren staat boven aan de enorm lange lijst van uw fouten.' Ze staarde hem met half dichtgeknepen ogen aan. 'Mijn trouw aan Engeland ter tafel brengen in de hoop die uit mij weg te argumenteren, is hetzelfde als proberen weg te argumenteren dat ik een vrouw ben. Ik ben wat ik ben – een Engelse vrouw. En wat betreft mijn redenen om mijn thuis en mijn familie te verlaten, ik kan u verzekeren dat die niets met een vlucht van doen hadden. Ik word volledig gesteund door mijn liefhebbende ouders, twee succesvolle broers, een zus en een schoonzus, die allemaal meer voor me betekenen dan wie ook. U hebt duidelijk geen idee dat iemand door God geroepen kan zijn om iets te doen en bereid kan zijn om de gemakken van thuis op te offeren om aan die roeping te beantwoorden. En dat brengt me bij een nieuw punt op de lijst: uw definitie van God is me zo vreemd dat ik me afvraag of u wel een geloof hebt, meneer. Zo ja, dan is het een geloof waar ik totaal niets van begrijp.'

'Mijn geloof is in elk geval veel praktischer dan het uwe. Ik heb geen hersenschimmige ideeën over een God Die betrokken wil zijn bij mijn leven. Wat opofferen betreft, u hebt geen flauw idee hoe vaak ik dat heb gedaan. Een eigen leven bijvoorbeeld, omdat ik mij wijd aan mijn land, dat te veel van me nodig heeft. Bovendien heb ik twee zussen, die geen van tweeën mijn bescherming willen, maar niettemin nodig hebben.'

Ze rolde met haar ogen. 'Misschien niet. Voor Innis kan ik niet spreken, hoewel u zei dat ze op het punt stond te gaan trouwen, maar Katie is hier veilig en gelukkig.'

Simon sloeg sceptisch zijn armen over elkaar. 'Kunt u oprecht volhouden dat ze hier op school een baan heeft, zoals u haar laat geloven? Dat ze voor u niet gewoon een van de vele leerlingen is?'

Berrie keek hem strak aan. 'Ik geloof met hart en ziel dat Katie na verloop van tijd meer hulp dan last zal geven. Uiteindelijk zal ze op de meeste, zo niet alle gebieden waarop we lesgeven een voorbeeld zijn voor de anderen.'

'Uiteindelijk,' zei hij spottend.

'Misschien heeft God Katie precies voor dat doel gemaakt – geduldig anderen helpen taal te leren begrijpen en manden maken en servetten vouwen. Afgezonderd in uw huis kan ze dat niet doen.' Ze wilde zich eindelijk omdraaien en naar binnen gaan, en hem naar het logement laten vertrekken, maar in stilte vroeg ze zich af of haar woorden ook maar enige indruk hadden gemaakt.

Eindelijk zei hij iets: 'U bepleit een toekomst voor Katie, iets wat ik me nooit voor haar heb kunnen indenken. Ik wilde haar alleen maar veilig bewaren.' Er klonk een onverwachte toon door in zijn stem, een toon van consideratie in plaats van overtuiging.

'Iedereen heeft een toekomst,' fluisterde ze, 'maar zou Katie niet beter af zijn als ze meer mocht dan alleen maar veilig zijn? Waarom denkt u niet aan alles wat ze kan, in plaats van aan alles wat ze niet kan?'

Simon glimlachte bijna. Ze zag een glimp van iets soortgelijks in zijn mondhoek. 'Sinds het ogenblik dat ik u ontmoet heb, juffrouw Hamilton, hebt u me voortdurend stof tot nadenken gegeven. Eerlijk gezegd had ik niet gedacht dat Katie hier langer zou blijven dan het jaar dat ik heb toegestaan.'

Het verbaasde Berrie dat hij toegaf dat hij in zeker opzicht nalatig was geweest met betrekking tot zijn zusje. Een fout van zichzelf toegeven – ze was ervan overtuigd geweest dat Simon MacFarland dat nooit zou doen.

Maar dat was niet verbazingwekkender dan zijn kus, en de herinnering eraan deed haar hart onbedwingbaar bonzen. Hij moest weggaan, en nu meteen, zodat ze kon proberen de herinnering geheel en al uit te wissen.

35

De hele weg naar het dorp moest Rebecca denken aan hardrijden door tunnels, opgejaagd door een paparazziauto die prinses Di had gedood, al waren er geen tunnels tussen de drogisterij en de Hall. Nooit stond ze zichzelf toe de snelheidslimiet te overschrijden. Hoe durfde hij haar te volgen? Ze zag hem in haar achteruitkijkspiegel.

Maar als de journalist van plan was om nog meer foto's te maken, dan gaf hij het op toen ze het privéterrein van Hollinworth Hall opdraaide.

Ze parkeerde haar Mini naast Quentins auto, die kennelijk aangekomen was. Ze stapte niet uit, maar bleef roerloos zitten, het stuur in haar handen geklemd, en ze keek naar het pakje dat ze had gekocht. Had de man in de drogisterij ze gezien? Misschien. Er waren beslist een paar klanten geweest toen ze de zwangerschapstests aan het bekijken was. Hij wist wat ze had gekocht, en zou logischerwijs aannemen dat het voor haarzelf was. Hoelang zou het duren voordat heel Londen niet alleen las over het dubbelzinnige liefdesleven van Quentin Hollinworth, maar ook dat een van de vrouwen zo'n test had gekocht?

Was ze maar zo verstandig geweest om Dana mee te nemen en haar het artikel te laten kopen. Maar dat had er niet in gezeten; de arme Dana was die ochtend bijzonder bleek geweest.

Rebecca overwoog de mogelijkheden en keek naar zichzelf in de achteruitkijkspiegel. Misschien wist de journalist niet wie ze was. Ze sloeg zich tegen het hoofd. Natuurlijk wist hij dat.

Een tikje op het raam deed haar uit haar ellende opschrikken. Daar stond Quentin, hij bukte om glimlachend maar verbaasd naar binnen te kijken.

Ze stapte uit aan de andere kant en keek hem aan over het dak van haar Mini.

'Ik had je niet naar buiten zien komen.' Haar stem klonk net zo gespannen als ze zich voelde.

'Kwam ik ook niet. Ik zat al in mijn auto om te vertrekken toen ik je aan zag komen. Is alles in orde?'

'Nee.' Rebecca had liever de tijd gehad om tot bedaren te komen, maar stak toch van wal. 'Er is net een foto van me gemaakt door een journalist.'

Hij kwam naar haar kant van de auto. 'Ik ben bang dat je daaraan zult moeten wennen, schat.'

Hij nam haar in zijn armen en even liet ze hem. Ze had zijn troost nodig. Toen bedacht ze dat zijn omhelzing géén troost was, toen het beeld van lady Caroline in ochtendjas weer door haar hoofd speelde. Rebecca maakte zich los en deed een stap naar achteren. In plaats van hem de hele waarheid te vertellen, hield ze het zakje in haar hand omhoog. 'Ik was een zwangerschapstest aan het kopen, Quentin. Hoe snel zal dat in de krant staan, denk je?'

'Een wat?' Hij keek eerst onthutst en toen weer verbaasd. 'Waarom?'

'Voor Dana. Ik moet het je eigenlijk niet vertellen; haar man weet het nog niet eens. Je weet wat die journalist zal zeggen, wat hij de hele lezende wereld zal vertellen. Wat de mensen zullen denken.'

Hij glimlachte kalm. 'Je hebt me eens verteld dat het je niet veel kon schelen wat de mensen dachten.'

'Wel als ze feiten verkeerd interpreteren... en als een van de lezers mijn vader kan zijn! Wat zal hij denken als hij zoiets leest?'

Quentin legde zijn handen op haar schouders, maar zijn poging om haar tot bedaren te brengen mislukte. 'We vertellen hem de waarheid, hoe eerder hoe beter, voordat hij erover leest. Dat is de enige manier.' Toen zei hij zacht en langzaam: 'Eigenlijk is er nog iets met die hele mediahype dat je moet weten. Ik ben er gisteravond zelf pas achtergekomen. Ik heb geprobeerd je te bellen, maar je lag zeker al te slapen.'

Ze schudde haar hoofd. 'Ik hoorde de telefoon wel, maar ik heb niet opgenomen.'

Hij fronste zijn wenkbrauwen. 'Waarom niet?'

Ze gaf geen antwoord, maar vroeg: 'Wat wilde je me vertellen?' Ze had bedoeld het hem te laten vertellen, maar kon haar mond niet houden. 'Een kleinigheidje dat je vergeten was te vermelden – dat lady Caroline weer bij je logeert?'

'Ja – ik bedoel, nee, helemaal niet. Ze logeert niet bij mij; ze logeert bij mijn moeder. En je wist het dus? Hoe lang al?'

'Iemand stuurde me een krantenknipsel. Ik moet het gisteren met de post hebben gekregen, maar ik heb het gisteravond pas opengemaakt. Vlak voordat je belde.'

'En dus besloot je maar om niet met me te praten? Wilde je me er niet naar vragen?'

Rebecca probeerde langs hem heen te lopen, ze wilde er zelfs nu nog niet naar vragen. De garage was smal aan zijn kant en hij stond in de weg. Hij bleef stevig op zijn plaats staan.

'Een vriend van mij uit Londen belde op en zei iets over het artikel. Ik wist van niets. Ik had het je eerder verteld als ik het had geweten.'

'Als je wat had geweten? Dat ik er toch achter zou komen dat jij en lady Caroline weer onder één dak woonden? Dat wist je lang voordat het artikel gepubliceerd werd.'

Ze had een afschuw van deze woordenwisseling, van haar woorden en de jaloerse, rancuneuze toon erachter. Het leven was zo veel makkelijker geweest voordat ze haar gevoelens voor hem had toegegeven. Waarom had ze dat ooit gedaan?

Quentin zweeg. Hij scheen net zo onaangenaam getroffen als zij. Hun eerste ruzie.

'Je hebt het recht om boos te zijn,' zei hij eindelijk zacht. 'Ik had je dagen geleden al, toen ze net aangekomen was, moeten vertellen dat mijn moeder haar uitgenodigd had om op de cottage te logeren. Dat is mijn moeders poging om ons weer bij elkaar te brengen. Caroline is de zus van een graaf, net als moeder zelf, en daarom... voldoet Caroline. Het is allemaal een opzetje – waar ik niets mee te maken heb gehad.'

Ze zuchtte. 'O, Quentin, dat verbaast me totaal niet. Maar je had het me moeten vertellen... meteen vanaf het begin.'

'Je mag mijn moeder toch al niet. Het had het alleen maar erger gemaakt als ik het je verteld had. En het betekent niets voor me dat ze er is.'

Rebecca keek hem onderzoekend aan. 'Dus je wilt me vertellen dat je totaal niets voelde toen ze in haar negligeetje aan de ontbijt-tafel verscheen? Neem me niet kwalijk, Quentin, maar dat vind ik moeilijk te geloven.'

'Goed, ik ben een man, maar ik beheers mijn daden volkomen. Wat er in mijn hoofd zit, is het belangrijkste, Rebecca. En ik wil haar niet. Ik wil jou.'

Hij wilde haar weer in zijn armen nemen, maar ze stak haar vrije hand op. In de andere klemde ze nog steeds Dana's zwanger-schapstest. 'Ze is geschikt voor je, Quentin. Daar is je moeder van overtuigd en de krant ook. Er stond in dat je terug was gegaan naar "iemand van je eigen soort".'

'Je gelooft toch niet alles wat je in de krant leest. Ze staan op het punt om een onjuist verhaal naar buiten te brengen over de aanschaf die je daar in je hand hebt.'

Ze moest onwillekeurig glimlachen. Ze wilde vasthouden aan haar voorzichtigheid, hem lichamelijk en overdrachtelijk op af-stand houden, maar toen hij zijn mond op de hare drukte, had ze geen greintje weerstand.

Het was niets voor haar om de voorzichtigheid overboord te zetten; maar op het moment had ze geen flauw idee wat ze anders moest doen dan zijn kus beantwoorden.

36

Je brief staat vol met heerlijk nieuws, Cosima. Nu heb ik niet alleen een neefje, maar ook nog een nichtje! Ik heb ervan genoten hoe je haar beschreef en ik was blij te horen dat God je vrede heeft gegeven met betrekking tot haar. Je hebt vast en zeker gelijk dat ze niets heeft van die zogenaamde vloek, net als haar oudere broer. Je weet toch nog wel hoe Royboy als baby was, en je zou het meteen zien als een van je kinderen soortgelijke trekken had. Wat een vreugde! Ik zal het heerlijk vinden om in je volgende brieven te lezen hoe het gaat met dit nieuwste lid van onze familie.

De plannen die God heeft voor ons leven blijven me verbazen, Cosima. Hij heeft mij een enorme hartstocht gegeven voor het welslagen van deze school; ik bewaak hem zoals een adelaar zijn nest. Maar de laatste tijd heb ik een strijd in me ontdekt, en hoewel die te wijten is aan Simon MacFarland (alweer!), is dit een onverwachte wending voor me.

Ik weet zeker dat hij volkomen vergeten is dat hij me niet alleen gekust heeft maar ook ten huwelijk gevraagd. En ik wilde dat ik dat kon vergeten. We maken elke keer als we elkaar spreken ruzie. Ik moet hem blijven verafschuwen, hè?

Maar soms mis ik het dromen over een echtgenoot, hoewel ik mezelf voorhoud dat ik nooit genoeg tijd kan hebben voor mijn werk en een gezin. Maar nu ik me de laatste tijd op mijn werk heb gestort, blijf ik zitten met het gevoel dat er iets ontbreekt. Ik wijs mezelf erop dat dit nu mijn gezin is, en de kinderen tijdelijk van mij zijn. Dus wil je voor me bidden, mijn vriendin?

Dat Simon zo vaak op bezoek blijft komen helpt ook niet echt. Het is me gelukt hem bij elk bezoek te negeren, tot gisteravond. We waren weer buiten, gelukkig niet alleen dit keer...

Het was een heldere avond en een van de andere verzorgers had een vuur aangestoken in een ronde kuil die hij een paar weken geleden had gegraven, en gemarkeerd met witte stenen zodat de leerlingen zich niet te dicht in de buurt waagden. Duff zat op een boomstronk met zijn viool in zijn hand, terwijl de meeste kinderen op de omgehakte boomstam zaten, op bergen hooi of op dekens. Katie had Berrie uitgenodigd om naast haar op een deken te komen zitten, en Simon zat aan Katie's andere kant.

'Er is me vandaag iets opgevallen,' zei Katie tegen Berrie terwijl de anderen zongen. Katie had een heldere stem en zong het mooist van alle kinderen. Maar ze zat met een stralende glimlach te kijken.

'Wat is je opgevallen, Katie?' vroeg Berrie. Katie zei vaak de meest verrassende dingen, simpel maar op haar manier diepzinnig. En toen ze de vogels om het landhuis had gezien, had ze haar eerste tekening van hen gemaakt. Berrie had geprobeerd de verschillende soorten te benoemen, want haar broer Peter had haar dat van kleins af aan geleerd. Katie hield zich aan de oude gewoonte om ieder klein vogeltje een mus te noemen. Ze had gezegd dat God hield van de kleine musjes, want Hij had er niet alleen heel veel van gemaakt – veel meer dan van grotere vogels – en meer kleuren en liederen gegeven, maar Hij had hun ook meer moed gegeven. Ze had nog nooit een grote vogel achter een andere vogel aan zien gaan die vele malen groter was dan hij, maar meer dan eens had ze een mus een kraai zien opjagen die te dicht bij zijn nest kwam.

Katie glimlachte naar Berrie. 'U weet toch dat ik dingen zie, juf Berrie? En dat de dingen die ik zie door andere mensen vaak over het hoofd worden gezien?'

'Ja, Katie, dat is waar.'

'Vandaag heb ik iets aan u gezien.'

Berrie keek langs Katie heen naar haar broer en hoopte dat hij niet luisterde. Katie's observaties waren vaak heel eerlijk en waar, maar niet altijd vleiend. Over mevrouw Cotgrave's moedervlek had Katie opgemerkt dat er een haar in het midden groeide.

'En aan Simon ook.'

Als Simon nog niet geluisterd had, dan nu wel. Zonder iets te zeggen keek hij Katie aan.

'Ik heb gezien, juf Berrie, dat mijn broer Simon en u veel op elkaar lijken.'

Berrie kon haar verrassing niet verbergen, maar stelde vast dat Simon ook reageerde. Zijn wenkbrauwen gingen nog verder omhoog dan de hare.

'Waarom vind je dat, Katie?' vroeg Simon.

'Eén ding is dat jullie allebei altijd aan het werk zijn. Weet je dat juf Berrie een hoop werk te doen heeft in haar kantoor, Simon? Net als jij thuis en als je naar Londen gaat. En nog iets is dat jullie allebei tegen anderen zeggen wat ze moeten doen. Dat is goed als jullie zeggen wat ik moet doen, maar ik denk dat jullie daarom soms ruziemaken, omdat jullie allebei gewend zijn dat anderen doen wat jullie zeggen. En nog iets is dat jullie allebei na het eten de gedroogde abrikozen op jullie bord laten liggen, dus dat betekent dat jullie allebei niet houden van gedroogde abrikozen. En het laatste is dat jullie soms dezelfde blik op jullie gezicht hebben, alsof je weet dat de ander gaat zeggen wat je moet doen en dat bevalt jullie niet omdat het jullie werk is, zeggen wat anderen moeten doen. Dus daarom vind ik dat jullie veel op elkaar lijken.'

Berrie keek van Simon naar de anderen, blij dat Duff niet was opgehouden met spelen en buiten hen weinigen hadden gehoord wat Katie had gezegd. Het was belachelijk om iets gemeen te hebben met iemand die niet alleen een hekel aan háár had, maar ook aan de school.

'Dat is heel interessant, Katie,' zei Simon.

Hij klonk niet in het minst geïrriteerd. Hij glimlachte zelfs terwijl hij het zei, en dat was heel vreemd.

'Ik heb ook een verschil gezien.' Katie fronste en trok rimpels in haar hoge voorhoofd. 'Een verschil dat er eigenlijk niet zou moeten zijn.'

Berrie wisselde een blik met Simon en merkte op dat hij Katie net zo min aanmoedigde om door te gaan als zij.

'Dat is dit,' zei Katie. 'Het is God. Juf Berrie bidt altijd, Simon. Net als jij vroeger. Weet je nog wat je me allemaal geleerd hebt over God? Dat Hij net is als de lucht? En ik heb nog iets bedacht waar Hij op lijkt. Woorden. Wist je dat je woorden niet kunt zien? We kunnen brieven schrijven, maar dat zijn beelden van geluid. Die kun je niet in je hand houden. En tijd. Gisteren is iets wat je ook niet kunt aanraken of vasthouden, maar we weten dat het echt is omdat we ons herinneren wat we deden. Dus God is zoals je zei als lucht, en Hij is als woorden en ook als gisteren. Omdat jij me dat verteld hebt, begrijp ik niet waarom je niet meer bidt. Is God weggegaan van jou, maar niet van mij en juf Berrie? Waarom zou Hij dat doen?'

Simon keek weg en staarde in het licht van het vuur. Hij fronste, en het was voor het eerst dat Berrie het zag dat het niet door haar of haar school kwam.

'Hij is niet weggegaan, Katie,' zei Simon uiteindelijk, zo zacht dat alleen Berrie en Katie het konden horen.

Katie glimlachte breed, het tegenovergestelde van de frons van haar broer. 'Dan hebben jullie dus helemaal geen verschillen, jij en juf Berrie. Is dat niet fijn?'

Duff had het laatste lied uitgespeeld en mevrouw Cotgrave was al bezig de leerlingen naar binnen te leiden. Berrie bleef achter terwijl de anderen naar binnen gingen, ze schudde de deken uit en nam de tijd om hem zorgvuldiger op te vouwen dan noodzakelijk. Het was waar dat ze Katie's broer even interessant vond als irritant, maar ze had toch niets gezegd of gedaan waaruit Katie op kon maken dat ze gráág iets gemeen wilde hebben met haar broer.

Ze had het idee van trouwen jaren geleden opgegeven, misschien al na haar eerste uitgaansseizoen in Londen. Ze wist waarom ze geen enkel aanbod had gekregen; omdat elke keer als een man haar met belangstelling bekeek, ze hem vlug over te veel onderwerpen aan een kruisverhoor onderwierp. Het geloof voornamelijk, en dan politiek en opleiding, kinderopvoeding en sociale vaardigheden, het strafsysteem en buitenlandbeleid. Ze kon er niets aan doen; dat waren de onderwerpen die haar het meest aantrokken als haar vader en haar broer aan tafel zaten. Ze weigerde zich te gedragen alsof ze niets van zulke dingen wist terwijl ze over alles een mening had.

Maar alle mannen die ze dat eerste jaar had ontmoet, en toen het tweede jaar, leken slechts het lichaam van een echtgenote te willen en niet de geest. Zelfs lord Welby.

Ze keek naar Simon, die met zijn zusje meeliep. Hij kon niet jonger zijn dan zij, misschien zelfs een jaar of twee ouder. Waarom was hij niet al getrouwd?

Berrie kapte de verbazingwekkende gedachtereeks af die alleen veroorzaakt was door Katie's eenvoudige observatie. Het deed er niet toe of ze gelijk had. God had geen huwelijk voor Berrie bedoeld; daar was ze zeker van. Hij had belangrijker dingen voor haar om zich aan te wijden dan huwelijk en gezin. Dit was nu haar familie, alle kinderen die andere ouders aan de school hadden toevertrouwd. Niets kon daar verandering in brengen.

Bovendien, al had ze het verkeerd begrepen en wilde God wel dat ze op een dag trouwde, dan nog wilde ze geen man met wie ieder gesprek op ruzie uitliep.

Berrie keerde langzaam terug naar het landhuis, ze ging vanavond niet wandelen. Ze herinnerde zich maar al te goed de laatste keer dat ze dat had gedaan toen Simon er nog was. Ze keek om en zag dat Duff het dovende vuur verzorgde. Ze fronste. Aan de rand van het vuur stond Finola te kijken hoe Duff water gooide over de laatste vlammen.

Misschien ging Berrie toch maar een wandelingetje maken en zou ze Finola vragen om mee te gaan. Het was niet verstandig om gelegenheid te geven voor iets ongepasts – of ze zich daar nu wel of geen zorgen over hoefde te maken.

37

Rebecca zat bij Padgett op bed en ze hadden elk een kleine plastic pony in hun hand. Ze probeerde Padgetts fantasieverhaal te volgen over pony's die een lammetje gingen redden dat Emma heette en dat in een ravijn gevallen was, maar Rebecca was in gedachten bij Dana in de badkamer. De zwangerschapstest kon het beste 's morgens meteen na het opstaan worden gedaan, en daarom hadden ze gisteren de hele dag wanhopig afleiding gezocht. Een treinreisje naar Stratford-upon-Avon, een openluchtuitvoering van Hamlet waar Padgett doorheen geslapen was. Op hun gemak lunchen, tot laat winkelen.

Quentin had mee gewild, maar hij had het zich door Rebecca uit het hoofd laten praten. Ze had hem verteld dat het alleen was omdat Dana een vriendin nodig had, en hem tegengesproken toen zijn blik haar zwijgend verweet vast te houden aan haar ongerustheid over lady Caroline. Rebecca geloofde zijn geruststellende woorden en dat zei ze hem ook. Maar terwijl ze piekerde over Dana vroeg Rebecca zich toch af waar hij de dag had doorgebracht en of lady Caroline er deel van had uitgemaakt – op zijn initiatief of op dat van zijn moeder. Na gisteravond dacht ze dat als jaloezie een rol speelde in de relatie, God toch achteraf bezien niet de ontwerper ervan kon zijn.

Rebecca keek op haar horloge. Dana zat al meer dan vijf minuten daarbinnen. Rebecca hoorde niets van achter de badkamerdeur, niets wat erop wees wat Dana doormaakte. Ze wilde roepen, maar overhaasten hielp ook niet. En daarom deed ze maar mee terwijl Padgetts pony het lammetje redde.

Eindelijk werd de deurknop omgedraaid en Rebecca's blik schoot naar de deur. Dana kwam niet de slaapkamer binnen; ze

bleef vlak achter de badkamerdeur staan, buiten Rebecca's ge-
zichtsveld. Padgett ging op in haar spel en merkte niets.

Rebecca liet haar pony naar de zogenaamde stal draven en trok
zachtjes aan een van Padgetts vlechten. Ze begonnen los te raken
van het slapen en Dana zou ze straks opnieuw moeten vlechten. 'Ik
geloof dat deze pony trek heeft in ontbijt. En jij?'

'Ik heb geen honger,' zei ze, en ging door met haar verhaal.
Rebecca gleed van het bed af en keek Dana aan. 'En?'

Ze zag doodsbleek, maar dat was elke ochtend zo en pas na het
eten kwam haar kleur terug. Er was één verschil. Haar ogen waren
rood. 'Positief.'

Een golf van ontsteltenis ging door Rebecca heen; het zou een
vreugdevol ogenblik voor Dana moeten zijn, maar het was iets heel
anders. Rebecca stapte naar haar toe en pakte Dana's hand. 'Oké.
Dus nu weet je het zeker.' Ze keek over haar schouder naar Padgett, die nog steeds niets merkte, en weer naar Dana. 'Ga je Aidan
bellen?'

Dana zette grote ogen op – niet van verlangen, maar van afgrijzen. Ze deed een stap naar achteren. 'Wil jij Padgett meenemen
naar beneden? En haar ontbijt geven?'

Rebecca knikte. 'Ik maak thee en toast voor je. Kruidenthee,
geen cafeïne. En een glas melk, misschien havermout, en een banaan...' Ze wist dat ze doordraafde, dat de woorden geen enkele
troost waren, maar het maakte geluid en zwijgen leek erger.

Na het ontbijt nam Padgett haar pony's mee naar buiten en
Rebecca keek haar na door het raam. Ze kon goed alleen spelen,
overal waar ze ging nam ze haar fantasie mee.

Een uur later kwam Dana de keuken binnen. Haar haar was nat
van de douche, haar gezicht nog bleek en haar ogen opgezwollen,
haar neus rood, allemaal tekenen van tranen. Rebecca sneed een
banaan om door de havermoutpap te doen die ze had klaarge-
maakt. Ze wilde iets zeggen, een soort hemelse wijsheid te hulp
roepen die Dana's angst voor de toekomst kon bezweren, angst om
het kleine leventje dat in haar groeide.

Maar Rebecca was wel wijzer dan lege hoop te bieden. Toen haar moeder ziek werd, had ze geleerd dat je dat niet moest doen; ze had geprobeerd niet te luisteren als anderen haar probeerden moed in te spreken met hun holle beloften. Alle maanden dat ze had gehoopt dat haar moeder beter zou worden, hadden het alleen maar moeilijker gemaakt om haar dood te aanvaarden. Hoop was de vijand geworden, in elk geval een tijdlang.

Pas toen haar vader haar erop had aangesproken en had willen weten of ze dan liever haar moeder nooit gekend had, zodat haar de pijn maar ook het genoegen van haar als moeder bespaard was, begon Rebecca te aanvaarden dat het leven een wonder was, hoe lang of kort het ook duurde. Toen besefte ze dat hoop soms alleen gevonden werd in een eeuwig perspectief.

'Heb je Aidan gebeld?'

Dana verstijfde. 'Nee.'

Rebecca zei niets.

'Ik wil de schooldossiers verder doornemen,' zei Dana. 'Ik denk dat ik dat maar ga doen voordat ik je verder help met het uittypen van Berrie's brieven, als je het niet erg vindt.'

'Goed, hoor,' zei Rebecca zacht. 'Maar weet je zeker dat dat het beste is? De dossiers zijn een beetje...'

'Te realistisch?' Haar stem klonk vreemd onverzettelijk, alsof ze Rebecca uitdaagde om iets anders te zeggen.

'Ik dacht dat je het met me eens was dat Berrie's brieven interessanter zijn, niet zo klinisch.'

'Je moet niet denken dat die dossiers me iets kunnen vertellen wat ik niet al weet.' Dana staarde recht voor zich uit, haar stem klonk hard. Een andere stem dan ze tot nu toe van Dana had gehoord, hoe ongerust ze ook was geweest.

'Misschien,' begon Rebecca zacht, 'weet je al te veel. Het kan niet dat alles wat er nu in je hoofd omgaat ook met deze baby zal gebeuren.'

Dana bleef voor zich uit staren en Rebecca had geen idee of haar woorden welkom waren of storend, of ze ontvangen werden als een aanbod van lege hoop. Ze was de afgelopen drie jaar te geïsoleerd geweest hier op het platteland. Sinds haar studietijd was ze niet meer een vriendin – een goede vriendin – voor iemand geweest. Ze wist niet goed meer hoe het moest.

'Eet,' drong Rebecca aan. 'Je voelt je altijd beter als je iets in je maag hebt.'

Dana nam de warme havermoutpap aan. Ze had niet alles opgegeten, maar wel zo veel dat de tint van haar huid niet meer overeenkwam met de fletse kleur van de inhoud van de kom.

'Rebecca,' zei Dana nadat ze de restanten van haar maaltijd in de vuilnisbak had gegooid, 'zou jij straks met Padgett naar de kinderboerderij willen wandelen terwijl ik de rest van de papieren doorneem? Ik wil graag zo veel mogelijk doen zonder dat zij me elke vijf minuten komt storen.'

Rebecca knikte, al had ze liever geweigerd. Dana was al terneergeslagen genoeg; het lezen van die dossiers zou daar geen verbetering in brengen.

Maar Rebecca hield Padgett urenlang op de boerderij. Ze voerden de dieren, Padgett mocht op de pony rijden, en Emma vasthouden, die te snel en beweeglijk begon te worden om het lang goed te vinden.

Rebecca keek toe en vroeg zich af wat de toekomst voor dit kleine meisje in petto had. Was ze straks de grote zus van een gehandicapt broertje of zusje? Zelfs dat kon beter zijn dan alleen, zoals Rebecca was geweest. De gezondheid van haar moeder was nooit goed geweest en haar vader had haar verteld dat het een wonder was dat ze de volledige zwangerschap van Rebecca uit had kunnen dragen. Er was geen sprake van dat ze meer kinderen had kunnen krijgen. Het hebben van een broertje of zusje met achterstandsproblemen bracht zijn eigen problemen mee, maar dat had elke relatie. Was Padgett niet beter af met nog iemand om van te houden in haar leven? Of zou het nieuwe kleintje een last zijn, zoals Dana vreesde?

Voordat ze Dana kende, voordat ze Cosima's dagboek had gelezen, had Rebecca niet veel nagedacht over zulke kinderen. De school-groepen brachten eigenlijk altijd vooral slimme, welgemanierde kinderen mee. Slechts zelden was er op de Hall iemand gekomen met een kind dat een of andere intellectuele beperking had.

Zelfs toen Quentin de uitslag afwachtte van het bloedonderzoek naar het fragiele X-syndroom had Rebecca zich er niet in verdiept hoe het zou zijn om een kind met een cognitieve uitdaging te hebben. Ze geloofde de artsen, en die hadden gelijk gehad. Quentin had een negatieve uitslag gekregen. Zoals Dana had voorspeld, kwam er in Quentins tak geen fragiele X voor.

Rebecca benijdde Dana niet om haar angsten; ze wist niet eens of ze haar wel kon troosten, aangezien ze onlangs niet in staat was geweest haar eigen angsten te overwinnen voor levensveranderende beslissingen. Ze wist wel dat ze Dana's vriendin zou zijn en haar zou steunen waar ze kon.

Rebecca zou geen lege hoop bieden, maar misschien kon het geen kwaad om haar te wijzen op de Eeuwige. Dat kon ze tenminste vol vertrouwen bieden.

Tegen lunchtijd nam Rebecca Padgett mee naar de keuken, in de hoop dat Dana Aidan inmiddels had gebeld. Hij had er niet alleen recht op het te weten, maar hij was waarschijnlijk de enige die haar hier echt doorheen kon helpen.

Rebecca liet Padgett een boterham smeren met jam, die wiebelig van mes naar tafel reisde en toevallig voor een klein deel op het brood terechtkwam. Rebecca hielp haar lachend, dankbaar voor één ding: ze hoefde in elk geval niet aan zichzelf te denken. Het was dwaas om aan Caroline Norleigh te blijven denken.

Terwijl Rebecca sandwiches maakte voor Dana en zichzelf, stuurde ze Padgett naar het kantoor om haar moeder te halen. Al was ze nog niet klaar met lezen, ze moest toch eten.

'Mama is er niet,' zei Padgett. Ze keek naar Rebecca op met grote blauwe ogen waarin niet de minste bezorgdheid stond. Ze vertrouwde erop dat Rebecca wel wist waar ze haar moeder dan moest gaan zoeken.

'Heb je in haar slaapkamer gekeken?'

Padgett schudde haar hoofd.

'Zullen we samen gaan kijken? Misschien moest ze naar de wc.'

'Het toilet,' verbeterde Padgett.

Rebecca nam het kind bij de hand en knikte lachend, al werd ze besprongen door zorgen. Het was zo stil dat ze wist dat er niemand in de badkamer was; ze kon uit elke kamer in de Hall water horen stromen. Boven was de stilte nog dieper. Het verbaasde haar niet dat de kamers van Dana en Padgett leeg waren.

'Dan is ze zeker een eindje gaan wandelen,' zei Rebecca, die voorging naar beneden. 'Kom, we gaan kijken.'

Ze gingen de voordeur uit. Als Dana aan de achterkant naar buiten was gegaan en in de buurt was geweest van de kinderboerderij, hadden ze haar gezien. Rebecca vroeg zich af wat Padgett dacht, of ze het raar vond dat haar moeder naar buiten was gegaan maar niet naar hen toe was gekomen.

'Daar is ze!'

Rebecca volgde Padgett rechtstreeks naar de vijver, waar Dana op de bank zat. Die bood een vredig uitzicht over het water en het landschap achter het Hollinworth-land. Rebecca ging niet vaak deze kant op, ze gaf de voorkeur aan het uitzicht aan de achterkant.

'Het is lunchtijd, mama.' Padgett kroop bij haar moeder op schoot. 'Waarom zit je hier helemaal in je eentje?'

'Ik moest een poosje nadenken.' Dana glimlachte naar haar dochter. 'Zullen we gaan eten?'

Ze stond op, met Padgett in haar armen. Rebecca stapte op haar toe en stak haar armen uit naar het kind. 'Vind je het goed als ik je draag, Padge?'

Het kind knikte en stak haar armpjes uit naar Rebecca, maar Dana liet haar niet los. 'Als er iets mis zou gaan omdat ik haar draag, dan was het al gebeurd.'

Iets in de manier waarop ze het zei, maakte dat Rebecca zich afvroeg of Dana soms hoopte dat iets een einde zou maken aan deze zwangerschap. Ze verwierp de gedachte; het had geen zin om iets te zien wat er wellicht niet was, zeker iets wat zo oneerlijk was tegenover Dana.

'Alles goed?' vroeg Rebecca, toen Padgett erin berust had bij haar moeder te blijven en haar hoofdje op Dana's schouder had gelegd.

'Kon niet beter,' zei Dana sarcastisch. 'Ik ben een lijst aan het maken van alle dingen waar ik me in de toekomst zorgen over zou willen maken. Ik heb stof genoeg, zeg.'

'Ben je boos, mama?' vroeg Padgett. Ze kon de woorden niet begrijpen, maar ze hoorde dezelfde toon als Rebecca.

'Nee.' Dana glimlachte weer, maar nu een beetje stijver. 'Alleen een beetje verdrietig. Het geeft niks om je soms zo te voelen.'

'Oké, als je maar niet boos bent,' grinnikte Padgett. 'Ik hoop dat je niet lang verdrietig blijft. Want dan word ik verdrietig.'

Dana boog dichter naar Padgett toe en wreef haar neus tegen haar dochters neus. 'Weet je wat? Nu voel ik me een stuk beter. Geef me een kusje.'

Padgett kuste haar moeder op de wang, wurmde zich los en holde vooruit om als eerste bij de deur te zijn.

'Voordat je het vraagt: nee, ik heb Aidan niet gebeld.' Dana stond stil en draaide zich naar Rebecca om.

De transformatie was ontstellend; het ene moment had ze Padgett ervan overtuigd dat alles in orde was, zodat Rebecca bijna ook overtuigd was geweest. Maar het was niet in orde. De blik op haar gezicht bewees het. Rebecca zei niets.

'Hoe moet ik het hem vertellen, Rebecca? Ik kan er niet eens aan denken zonder doodsbenauwd te worden.'

'Ik ken Aidan niet goed, Dana, maar ik weet wel dat hij van je houdt. Hij zou anders kunnen reageren dan je denkt.'

Ze sloeg haar armen over elkaar. 'Ik maak me geen zorgen over zijn reactie. Hij zal me erop wijzen dat er vijftig procent kans is dat alles in orde is, en de eerste zijn om te zeggen dat alles goed komt. Misschien kan hij zelfs zichzelf daarvan overtuigen.'

'En hij kan gelijk hebben.'

'Alsjeblieft! Ik hoef geen twee optimisten om me heen.'

Ze hoorden Padgett roepen dat ze moesten opschieten, dat ze honger had, en ze liepen verder naar de voordeur.

Rebecca wenste dat ze meer kon doen dan een schuilplaats bieden, een huis dat niet eens van haar was. Ze wenste dat ze wist hoe ze hoop moest bieden voor de naaste toekomst in plaats van op de eeuwigheid, tastbaarder.

Maar ze wist niet hoe.

38

Mijn lieve Cosima,
Wat naar om te moeten beginnen met slecht nieuws, maar het gaat
over je nicht Finola en haar zoon Conall. Maar geen zorgen over hun
gezondheid, hoor! Het is een juridische kwestie. Omdat Conall nog zo
klein is, hebben wij geen vergunning voor leerlingen van zijn leeftijd. De
commissie zegt dat we hem niet mogen houden, ook al is zijn moeder
hier bij ons. Het is een probleem dat zelfs Simon MacFarland niet kan
oplossen, en dus zal Finola ons moeten verlaten. En we hebben geen
idee waar ze heen moet. Misschien dat haar broer van gedachten veran-
dert, maar dat betwijfel ik, gezien het feit dat hij sinds ze hier is niet
op bezoek is geweest of contact met haar heeft gezocht. Dus moet ik wel
geloven dat hij haar totaal niet mist.
Ze heeft haar spullen al ingepakt en zegt dat ze teruggaat naar haar
vriendin in Dublin, waar ze zich zal klaarmaken om haar broer te
smeken haar weer in huis te nemen…

'Ik weet gewoon niet wat ik zeggen moet,' zei Berrie tegen Finola, die met haar twee tassen vol en Conall naast zich bij de deur
stond.

Vreemd genoeg was Duff nergens te zien. Jobbin stond buiten
in de motregen te wachten om Finola naar de stad te rijden, waar
ze kon wachten op een spoorrijtuig naar Dublin.

'Er valt niets te zeggen,' antwoordde Finola. Ze overhandigde
haar tassen aan Jobbin, die ze achter in de wagen legde. Hij zou nat
zijn tegen de tijd dat ze op hun bestemming waren, want de koetsier stond bloot aan het weer, maar Finola en Conall konden in elk
geval beschut onder het canvas dak zitten dat zich uitstrekte boven
de achterkant. 'Ik verwacht altijd slecht nieuws; dat overkomt me

al sinds mijn kindertijd. Nessa begrijpt het wel. Ze is een O'Brien van geboorte en die verwachten altijd het ergste.' Ze glimlachte treurig en klom in de wagen. 'Mijn vriendin heeft me al eerder welkom geheten, mijn Nessa O'Donnell-O'Brien.' De zangerige naam rolde vol genegenheid van Finola's lippen en Katie herhaalde hem terwijl ze Finola haar zoon aangaf. Katie noch Conall scheen Finola's droefheid op te merken. 'Er kan niets voor me gedaan worden, in elk geval niet tot mijn kleintje niet zo klein meer is.'

'Zijn twaalfde verjaardag is nog ver weg,' zei Berrie. 'Maar we hebben altijd een bed voor hem. En voor jou, Finola.'

Ze knikte met neergeslagen ogen, misschien om een traan te verbergen. Toen vertrokken ze en Berrie keek de wagen na die ratelend over de diepe voren van de oprijlaan wegreed.

Duff was niet gekomen, hij had zelfs niet gezwaaid.

39

Rebecca staarde naar de donkere lucht en dacht aan 'De sterren-
nacht' van Van Gogh, zoals een paar wolken rond sterren kolkten
die fel genoeg waren om erdoorheen te schijnen. Ze deed haar
ogen dicht en ademde de geur in van de rozen uit de tuin die
aangelegd was door de tuinlieden van de familie Hamilton, en nu
bijna tweehonderd jaar was onderhouden. Met de sterren boven
haar hoofd, rozen aan haar voeten en de man van wie ze zo veel
hield naast zich, leek het leven bijna perfect.

'God heeft ze allemaal bij de naam genoemd, hoor,' fluisterde
Quentin.

'Wat?'

'De sterren.'

Rebecca glimlachte en legde haar hoofd op zijn schouder. Het
was laat en Dana en Padgett waren al naar bed gegaan, zodat Rebecca en Quentin even alleen konden zijn.

'Ja, ik weet het. Overweldigend, hè? Dat Hij ons zo veel mooie
dingen heeft gegeven?'

Quentin draaide haar naar zich toe en staarde haar aan met een
glimlach die zei dat zij de grootste schoonheid was. 'Ja.' Hij kuste
haar en voegde er met zijn lippen nog op de hare aan toe: 'Overweldigend.'

Rebecca was verrukt van zijn kus, zijn woorden, de blik in zijn
ogen. 'Soms kun je makkelijk denken dat het leven eenvoudig is,'
zei ze. 'Dat we alleen maar hoeven te genieten van de geschenken
die ons zijn gegeven.'

'Zo hoort het ook. Waarom is het niet zo?'

'Ik denk dat we als het echt zo eenvoudig was de Gever zouden
vergeten.' Ze keek om naar de verandadeur en dacht aan Dana. 'Ik

weet dat Dana zich afvraagt waarom God deze zwangerschap heeft toegestaan, na alles wat ze heeft gedaan om hem te voorkomen. Ze probeert te geloven dat Hij haar vergeten is, denk ik. Ze verwijt Hem dat Hij dit onopgemerkt heeft laten gebeuren, als een soort vergissing.'

'Het komt wel goed met haar,' zei Quentin.

'Op het moment heeft ze een vriendin nodig.' Rebecca lachte halfhartig. 'En dat betekent dat jij en ik niet veel tijd samen zullen hebben, in elk geval tot ze besluit Aidan in te lichten.'

'Ik heb nooit gedaan of ik de werking van de vrouwelijke geest kon begrijpen,' zei Quentin met een grijns, 'maar het lijkt me dat ze hem onderhand had moeten bellen.'

'Dat vind ik ook. Ach, we gaan allemaal op onze eigen manier met onze uitdagingen om.'

'En jouw uitdagingen, Rebecca?' vroeg hij terwijl hij zacht haar wang streelde. 'Hoe ga jij er nu mee om... met ons?'

Ze glimlachte traag. 'Dat is nog eens een uitdaging.'

Hij glimlachte niet en ze vroeg zich af of hij haar plagende toon niet had gehoord. 'Je vader heeft het nieuws over de zwangerschapstest goed opgenomen. Zit de pers nog achter je aan?'

'Nee, ik denk dat ik mijn lesje heb geleerd. Nooit iets doen in het openbaar wat verkeerd begrepen kan worden door wie het ziet – en besef dat er altijd iemand kijkt. En dat kan betekenen dat ik de rest van mijn leven in afzondering zal moeten doorbrengen.' Toen ze haar eigen woorden hoorde, voegde ze er abrupt aan toe: 'De rest van de tijd dat we samen zijn, in elk geval.'

Quentin fronste. 'Voorzie je dan een beperking aan die tijd?'

'Ik weet het niet.'

Hij hield haar dicht tegen zich aan en drukte haar hoofd weer tegen zijn schouder. 'Dat is niet het antwoord dat ik wilde horen, Rebecca.'

Dat wist ze wel. Ze zag het aan zijn gezicht op het moment dat ze de woorden uitsprak. Maar wat had ze anders kunnen zeggen? Had ze het erbij moeten laten? Dat ze hoopte dat ze de rest van haar leven bij hem zou zijn, en zich zou aanpassen aan wat dat ook betekende?

Misschien was ze ouderwets, maar ze wilde dat hij de eerste was die uitsprak dat een huwelijk hun gemeenschappelijke doel was.

40

Ik weet dat ik gisteren nog een brief aan je heb gepost en dat je verbaasd zult zijn dat je er al zo gauw nog een krijgt, maar ik moet weer schrijven. Ik kan dit niet voor mezelf houden, al zou dat beter zijn. Ik kan het hier aan niemand anders vertellen, zelfs niet aan mevrouw Cotgrave. Mijn grootste zorg is altijd de integriteit van deze school geweest en daarom mag ik geen woord zeggen. Maar daar ben ik dan.

Eén fout zou ik nog wel kunnen verklaren, als ik zo ongelukkig was dat iemand afwist van die kus. Het was zo onverwacht – voor ons allebei, dat weet ik zeker – dat je het haast een ongelukje zou kunnen noemen. Maar vanavond? O, Cosima, vergeef me dat ik zo doordraaf. Ik moet echt een manier vinden om die man de deur uit te zetten, en als het niet omwille van Katie was, dan zou ik dat eisen. Hij heeft me weer helemaal in de war gemaakt! Na vanavond ga ik echt nooit, nooit meer over het terrein wandelen als die man onder dit dak is...

'Ik heb heus geen begeleiding nodig, gezien het feit dat ik al anderhalf jaar zonder doe.'

Simon reageerde niet, hij keek Berrie niet eens aan.

Ze wachtte, alsof het rekken van zo'n pijnlijk moment van stilte genoeg zou zijn om hem van gedachten te doen veranderen. Hij gaf niet toe. De avondlucht was koud zonder sjaal, en ze kon niet langer wachten.

'U hoeft heus uw tijd niet te verspillen, meneer MacFarland,' zei ze terwijl ze weg wandelde.

Hij kwam naast haar lopen. 'Als ik in de salon een boek zat te lezen en er gebeurde iets buiten – iets wat ik had kunnen voorkomen – wat zou dan tijdverspilling zijn? Dat ik zat te lezen of dat ik hier buiten was?'

In plaats van antwoord te geven, vroeg ze: 'Neemt u voor iedereen in uw buurt de rol van beschermer op zich, of alleen voor degenen die u in het bijzonder hulpeloos vindt?'

'Het antwoord op het eerste deel van die vraag is nee, en wat het tweede betreft, ik vind u even hulpeloos als een stekelvarken.'

'Ik vind het amusant dat u me vergelijkt met een stekelig, varkensachtig knaagdier, maar het is duidelijk dat u vindt dat ik voor mezelf kan zorgen. Dus waarom moet u me dan volgen?'

'Zoals ik al zei, als er iets gebeurde, zou ik me schuldig voelen.' Ze dacht hem te zien grinniken terwijl hij vervolgde: 'En aangezien u schijnt te denken dat ik liever heb dat u zich ongemakkelijker voelt dan ik, moet u weten dat ik hoe dan ook van plan ben u te volgen tot u veilig binnen bent.'

'Het is veel waarschijnlijker dat me overdag tijdens het werk iets overkomt, dan 's avonds alleen buiten,' mopperde ze.

'Als u doet alsof ik er niet ben, juffrouw Hamilton, dan geniet u wellicht meer.'

Ze wierp hem weer een snelle blik toe. Dat kon ze doen. Ze sloeg de eerste hoek om en versnelde haar pas. Er was niets aangenaams in haasten. Maar aan zijn gezelschap ontleende ze ook geen plezier. Ze kon niet genieten zoals anders, en troost vinden in de rust, bidden, of nadenken over wat ze die dag had geleerd. Onmogelijk.

Berrie bereikte de verste kant van het landhuis. Daar was een boomwortel waar ze in het donker meer dan eens over gestruikeld was. Ze moest hem waarschuwen; dat was beleefd. Dat was netjes.

Nog een stap, en nog een, maar ze bleef haar mond houden. Het was zijn verdiende loon als hij struikelde, met zijn zelf opgelegde taak van oppasser. Bovendien had hij gezegd dat ze moest doen of hij er niet was.

Ze sloegen de hoek om en toen ze de bekende plek naderden, werd haar schuldgevoel sterker. Ze kon zich er toch niet van weerhouden hem te waarschuwen. 'Er is een...'

'Ik dacht dat u me zou negeren.'

Goed dan. Maar toch kon ze haar mond niet helemaal houden. 'Weet u, meneer MacFarland, als u ooit een beschaafd gesprek kon voeren zou u misschien het soort vrouw vinden waarnaar u op zoek bent. Iemand die uw gedachten en meningen respecteert, zoals u het formuleerde geloof ik.'

Simon stond zo abrupt stil dat ze dacht dat hij gestruikeld was, zoals zij minstens twaalf keer had gedaan. Maar ze was in de war; het was niet de juiste plek en hij stond nog steeds overeind. 'Wat is er? Waarom staat u stil?'

'Ik ben stomverbaasd dat u mijn woorden nog weet. Ik dacht dat u alles wat ik had gezegd onmiddellijk aan de kant had geschoven.'

Berrie wandelde door. Ze had niet eens moeten blijven stilstaan omdat hij stilstond. Dat bewees dat ze hem niet bepaald negeerde. Ze keek naar de grond in plaats van voor zich uit, maar zag geen spoor van de uitstekende wortel.

'Dat kan ik wel,' zei hij.

'Wat?' Ze liep door, nog een beetje harder.

Hij hield haar bij. 'Een beschaafd gesprek voeren. Ik dacht dat ik dat bewezen had, maar misschien hebt u gelijk. We moeten het nog bewijzen als we alleen zijn, hè? We moeten een poging doen. Omwille van Katie natuurlijk.'

Ze liep door en keek hem aan. 'Omwille van Katie of van u? Het is duidelijk dat u mij en mijn school nog steeds wantrouwt. U was gedwongen om een groot deel van uw reces te gebruiken om te onderzoeken wat hier gebeurt, in plaats van te genieten van de gemakken van thuis, en straks gaat u natuurlijk weer terug naar Londen...'

Ineens liet haar stem haar in de steek door een scheurende pijn in haar enkel die bewegingloos werd gehouden door een vastzittende voet. Toen schoot haar voet los en ze dook naar voren, waar ze opgevangen werd in Simons armen. Zijn stevige greep voorkwam wat vast en zeker een val was geworden.

Ze keek naar hem op, overspoeld door opluchting en dankbaarheid. En schuldgevoel. Had ze die val voor hem bedoeld met haar zwijgen? Het was haar verdiende loon.

'Dank u.' Zijn handen bleven om haar ellebogen. Hij stond nog steeds veel te dichtbij.

'Kijk nou,' zei hij zacht. 'Het was toch niet helemaal verspilde tijd, hè?'

En toen wist Berrie, heel anders dan de laatste keer dat ze in het maanlicht stonden, dat zijn lippen op de hare zouden neerkomen. Hij kuste haar even grondig als de laatste keer en de wereld stond stil. Ze kon niet meer denken, niet meer ademhalen. Alles behalve haar hart was stil.

'Het zou kunnen zijn,' zei Simon, die haar dicht tegen zich aan hield, 'dat ik je hierom naar buiten ben gevolgd.'

Ze keek naar hem op, verbazend tevreden in zijn armen hoewel iets in haar wist dat ze het niet moest doen. Dit was geen fatsoenlijk gedrag, zeker niet voor een vrouw die nooit wilde trouwen. 'Maar je mag me niet eens. Je vertrouwt me niet eens je zusje toe.'

Simon schudde zijn hoofd. 'Dat is niet waar. Is het nooit bij je opgekomen, Berrie, dat ik niet alleen om Katie te zien zo vaak langskom? Dat ze misschien wel gelijk heeft dat we zo veel op elkaar lijken? Als we ooit besloten aan dezelfde kant te strijden, dan zouden we samen een ontzagwekkende tegenstander zijn.'

'Maar we hebben nog niets om samen voor te vechten. Wil je me vertellen dat je geniet van ons constante gekibbel?'

'Ja. En wat meer is, jij ook, denk ik.'

Ze maakte zich los en schudde haar hoofd. Hoewel ze vermoedde dat hij het niet geloofde als ze ontkende, had ze geen woorden om het lege gebaar te ondersteunen. Ze deed een stap om de voet te proberen die daarstraks achter de verraderlijke boomwortel was blijven hangen. Hij deed pijn als ze erop stond, maar hij was bruikbaar.

'Hoe gaat het?' vroeg hij. Berrie merkte meteen dat de bezorgde toon die hij normaalgesproken voor Katie bewaarde haar beviel;

het maakte dat ze hem vaker wilde horen.

'Pijnlijk, maar het gaat, geloof ik.'

Simon stak zijn arm uit. 'Laat me je dan helpen. Ik kan je terug-dragen als je wilt.'

Het idee was even aantrekkelijk als schokkend, maar het was niet precies duidelijk wat haar schokte – het vooruitzicht dat hij haar optilde of dat het haar niet onaangenaam leek. 'Nee, het gaat wel.'

'Je beseft toch hoop ik wel dat ik niet alle vrouwen kus met wie ik aan de wandel ben.'

Omdat ze probeerde niet te hinken, wandelde Berrie langzamer dan eerst. Maar ze wilde naar binnen, zich verstoppen, alleen zijn en haar tegenstrijdige gedachten op een rijtje zetten.

Simon pakte haar arm en ze rukte zich niet los. Dat ze op hem kon leunen nam een deel van de pijn in haar enkel weg. 'Daar weet ik niets van. Misschien kus je wel alle vrouwen die je ontmoet, want het is overduidelijk dat je me niet mag en toch heb je me gekust, niet één keer, maar zelfs twee.'

'Het is niet waar dat ik je niet mag. Ik bewonder je zelfs enorm.' Hij hief zijn vrije hand om een gebaar te maken naar het landhuis. 'Kijk eens naar alles wat je hebt gedaan, hoeveel anderen je hebt geholpen. Je wekt de diepste bewondering in iedereen die je ont-moet.'

'Maar je vindt me een mislukkeling! Hoe kun je me dan be-wonderen?'

Hij schudde zijn hoofd. 'Ik vind je taak hier onmogelijk. Dat is iets anders.'

'Ik zie geen verschil.' Ze probeerde harder te lopen, maar het lukte niet. 'Hoe kan ik iets anders zijn dan een mislukkeling als het onmogelijk is wat ik wil?'

'Het leven van de leerlingen hier zal niet enorm veranderen als ze weer thuis zijn. Ik heb te lang met mijn zusje geleefd om iets anders te denken. Maar jij maakt in het heden van hun leven een verschil. Dat vind ik bewonderenswaardig.'

Berrie stond stil en klampte zich aan zijn arm vast, niet alleen om evenwicht te zoeken. 'Wij zijn er niet alleen om een beetje respijt te geven. We zijn er *wel* om levens te veranderen. Al geven we ze maar één talent mee voor de rest van hun leven, dan is het niet mislukt. Toch?'

Ze had de vraag niet hardop willen stellen. Toch gaf hij geen snel, verpletterend antwoord, zoals ze gevreesd had.

Hij glimlachte. 'Nee, Berrie. Dan is het niet mislukt.'

Ze sloegen de laatste hoek van het landhuis om, en met de deur in zicht begon Berrie erger te strompelen.

'Ik begrijp dat je van mijn gezelschap af wilt zijn,' zei hij, haar arm nog vasthoudend, 'maar je moet niet willen rennen op die enkel.'

Het was zinloos om de waarheid te ontkennen, en ze zei niets. Ze minderde ook geen vaart. Pas bij de deur liet ze zich bij de hand pakken zodat ze stil moest staan.

'We moeten praten. Beschaafd,' voegde hij er met een grijns aan toe, en bracht haar hand naar zijn lippen. 'Want of we elkaar nu mogen of niet, juffrouw Beryl Hamilton, er is iets tussen ons wat we geen van beiden kunnen negeren.'

41

Vijf dagen lang – drie dagen na de datum dat Dana terug had gemoeten naar Ierland – zag Rebecca Dana niets anders doen dan lezen en nog eens lezen in de dossiers van een school die meer dan honderdvijftig jaar oud was. De behandelingen waren weliswaar veranderd, gaf Dana toe, maar niet het onderliggende basisgedrag. Dana vertelde Rebecca dat de toekomst van haar zoon een van de dingen was die haar zus Natalie de meeste zorgen baarde. De schooldossiers onthulden een deel van die toekomst: de worstelingen en mislukkingen, de nietige successen die niet ter zake konden doen. Servet vouwen; taak volbracht in 149 dagen. Als het bijna een halfjaar lang bij elke maaltijd werd herhaald, had de leerling eindelijk de eenvoudige kunst van het opvouwen van een tafelservet onder de knie. Sommigen bereikten zelfs dat niet eens.

Toen Rebecca voorstelde dat Dana de papieren een poosje opzij zou leggen om zich te concentreren op de brieven van Berrie, of nog liever, er een dagje tussenuit te gaan om nog wat bezienswaardigheden te gaan bekijken, had Dana haar aangekeken of Rebecca er niets van begreep en nooit zou begrijpen.

Quentin bood aan Dana op te vrolijken, maar Dana wilde nergens heen en geen bezoek, al kon ze hem de toegang tot zijn eigen huis niet ontzeggen. Beiden drongen erop aan dat ze met Aidan zou praten, die elke dag belde. Hun gesprekken waren kort en zakelijk, omdat Dana geen moeite deed om zich af te zonderen als hij belde. De enige die niets merkte van Dana's toenemende neerslachtigheid was Padgett. Zij kon een overtuigende glimlach op Dana's gezicht toveren, maar die verdween als Padgett naar bed ging of iets anders ging doen.

Dana zocht de eenzaamheid, maar Rebecca kon het niet met

haar geweten overeenkomen Dana achter te laten bij de dossiers die haar in hun greep kregen. Daarom zaten ze met z'n tweeën in Rebecca's kantoor, en Rebecca probeerde Dana over te halen tot een verzetje, waar ze zelden in slaagde.

Omdat Rebecca noodzakelijkerwijs het gezelschap van Dana verkoos boven dat van Quentin, werd in die vijf dagen het onderwerp lady Caroline niet een keer aangesneden. In Rebecca's gedachten was de andere vrouw vaak aanwezig. Ze vroeg zich af of deze tijd van scheiding een test was, om haar te leren dat jaloersheid een egoïstische, uitermate zelfdestructieve kracht is, waar ze niets mee te maken wilde hebben. Het was ook een test voor Quentin, op een complexe manier verstrikt met die van Rebecca: werd hij teruggelokt naar Caroline nu hij de vrijheid en de tijd had? Het was te makkelijk, met lady Elise die met alle plezier de gelegenheid verschafte.

Zoals ze Dana geen valse hoop wilde bieden, zo wilde ze die ook niet voor zichzelf. Ze hoopte op een toekomst met Quentin, maar rekende er niet te vast op.

'Er is bezoek voor u, juffrouw Rebecca,' zei Helen nadat ze zachtjes aan de deur van het kantoor had geklopt. Het was fijn dat Helen en William terug waren, en niet alleen omdat Rebecca niet meer hoefde te koken.

Rebecca nam de oudere vrouw op. Trok ze rimpels in haar voorhoofd, of was het verbeelding? Ze probeerde te raden wie er aan de deur kon zijn. Ze had deze week geen afspraken laten maken. 'Wie is het, Helen?'

'Ze wacht in de salon beneden. Caroline Norleigh.'

Rebecca's blik ging naar Dana, die haar wenkbrauwen optrok met het eerste spoor van belangstelling in dagen. Rebecca stond perplex. Quentin zat in Londen, hij had haar die ochtend vroeg opgebeld toen hij onderweg was. Hij zei dat hij een boodschap moest doen, maar dat hij die middag terug zou komen. Als lady Caroline voor hem kwam, dan was ze aan het verkeerde adres.

Maar dat verklaarde niet waarom ze Helen had gevraagd haar

aan te kondigen als bezoek voor Rebecca.

'Wil je haar alleen ontvangen, of wil je gezelschap van een vriendin?' vroeg Dana. Er speelde een glimlach om haar lippen, die bevestigde wat Rebecca sinds lang geloofde. Buiten je eigen moeilijkheden stappen was een van de eerste stappen naar welzijn. Daar moest ze blij om zijn, al kwam Dana van haar eigen regen in Rebecca's drup.

Ze kon niet weigeren, al kon haar bezoekster het extra gezelschap opvatten als een onverwachte versterking van het vijandige team. 'Graag.'

Ze gingen de trap af naar de salon, waar de lange, elegante gestalte van lady Caroline Norleigh hen wachtte. Ze hoefde zich niet te bewegen om de natuurlijke gratie te tonen die ze bezat; dat deed haar lichaamshouding voor haar. Haar kleren versterkten haar uiterlijk: onberispelijke maatkleding. En haar haar – zo dik en toch zo gewillig, het haar van Rebecca's dromen.

Hoewel ze samen naar binnen gingen en vlak over de drempel stilstonden, voelde Rebecca de blik van lady Caroline door de kamer dwalen en op haar blijven rusten. De bezoekster stapte met uitgestrekte hand naar voren. Een glimlach completeerde haar prachtige trekken, ze was vol vertrouwen dat ze welkom was.

Rebecca drukte de vrouw de koele, slanke hand en kon de vereiste glimlach terug niet tegenhouden. Schoonheid wekte dat op, zelfs bij een rivale.

'Ik ben bang dat Quentin er niet is,' zei Rebecca. 'Hij is naar...'

'... naar Londen; ja, dat weet ik.' Ze hield niet op met glimlachen. Er was iets in die glimlach, die ze zo goed kende van de societypagina's, dat ineens net zo tweedimensionaal leek als op de foto. Maar Rebecca duwde die gedachte opzij, bang dat ze spijkers op laag water zocht. 'Ik ben voor jou gekomen, Rebecca. Ik hoop dat je geen bezwaar hebt.'

'Helemaal niet, maar het verbaast me een beetje omdat we elkaar nooit ontmoet hebben.'

'En toch kennen we elkaar.'

Rebecca wist niet wat ze daarop moest antwoorden, en daarom richtte ze haar aandacht op Dana naast haar. 'U zult het leuk vinden om Dana Walker-Martin te ontmoeten, Quentins nicht uit Amerika.'

Lady Caroline drukte haar even vriendelijk de hand en Dana glimlachte terug, wat ze de laatste tijd niet veel gedaan had.

'Wat heerlijk dat je er ook bent, Dana.' Wat sprak ze makkelijk, alsof ze al jaren vriendinnen van elkaar waren. 'Er staat, waar twee of drie vergaderd zijn...' Ze draaide zich om naar de twee banken die midden in de kamer tegenover elkaar stonden, zodat Rebecca de kans kreeg om een verwilderde blik te wisselen met Dana.

Rebecca begreep dat Dana de zin ook herkende uit de Bijbel. Een vreemde uitspraak voor lady Caroline Norleigh, van wie Quentin had gemeld dat ze niet gelovig was, en in alle artikelen had nooit iets gestaan wat het tegendeel bewees.

'Wáár staat dat, lady Caroline?' vroeg Rebecca, haar volgend naar de bank waar de andere vrouw haar met een elegant handje een zitplaats bood.

'Nou ja, waar anders dan in de Bijbel, het Woord van God? Er staat waar twee of drie vergaderd zijn, zal Hij in hun midden zijn.'

Rebecca was niet van plan geweest om te gaan zitten en een gezellig babbeltje te maken met lady Caroline Norleigh, maar de bank achter haar ving haar op en hield haar stevig vast, waar ze even had gevreesd dat haar knieën niet meer berekend waren op de taak waarvoor ze geschapen waren.

Dana ging met meer overleg naast haar zitten. 'Quentin heeft het niet over u gehad,' zei Dana, 'maar ik zag toevallig laatst een krantenfoto van Quentin en u. Ik had niet begrepen dat u gelovig was. Quentin heeft u vast verteld dat Rebecca diep gelovig is.'

Rebecca luisterde naar Dana's vlotte toon. Ze klonk net als anders en had haar treurigheid opzijgezet. Daar was Rebecca dankbaar voor; ze wist niet of ze haar eigen stem al kon vertrouwen. Lady Caroline... was tot geloof gekomen? En was dat niet het enige wat aan haar had ontbroken wat Quentin betreft? Als dat niet langer zo was… wat dan?

'Eigenlijk was het Quentins moeder die over Rebecca begon.' Caroline nam plaats en boog naar voren om Rebecca aandachtig aan te kijken. 'Je moet onderhand weten waardoor ik van je bestaan afweet. De kranten staan er vol van, dat Quentin zijn dagen met jou doorbrengt en zijn nachten met mij.' Ze glimlachte opnieuw, een smallere versie van de welkomstlach, met misschien een spoortje schaamte erin.

Rebecca's hart begon te bonzen en ze werd overspoeld door onrust. Ze *wist* dat Quentins geloof echt was. Lady Caroline's zogenaamd verlegen blik was niet nodig; onder één dak wonen betekende niet dat ze een bed deelden, wat de kranten – of de dame in kwestie – ook wilden suggereren.

'Hij houdt maar niet op tegen me over zijn nieuw gevonden geloof,' vervolgde lady Caroline, 'en dat heeft iets in me wakker gemaakt. Geloof is niet iets waar ik normaalgesproken over praat, maar aangezien we een band met elkaar schijnen te hebben, of we willen of niet, vond ik dat ik zulke persoonlijke dingen wel kon zeggen. Heb je bezwaar?'

'Natuurlijk niet,' fluisterde Rebecca. 'Het is… prachtig dat Quentin je heeft geïnspireerd.'

'Ja, hè? Natuurlijk heb ik nog een heleboel te leren, maar Q ook. Hij is zo blij dat ik de waarde van het geloof heb erkend. Het is vooral zo belangrijk omdat we samen zo'n lang verleden hebben.'

'Q?'

Weer zo'n beschaamd lachje. 'Quentin. Ik noem hem soms Q.'

Rebecca staarde haar aan en vroeg zich af wat ze kon zeggen zonder haar eigen geloof, Quentins geloof of God Zelf oneer aan te doen. Sinds de episode met de zwangerschapstest had ze de societypagina's vermeden, met de gedachte dat de kranten meer op verkoopcijfers uit waren dan op het zoeken van de waarheid. Zouden ze haar gewaarschuwd hebben? Zouden ze haar iets verteld hebben over dit geloof waar ze het over had? Maar ze was sprakeloos.

'Vindt u het goed als ik de brutale Amerikaanse speel en u iets heel persoonlijks vraag, lady Caroline?' vroeg Dana.

Rebecca was dankbaar dat Dana de stilte opvulde, omdat zij het niet kon. Lady Caroline keek Dana aan, met de glimlach van de krantenfoto's nog op haar gezicht. 'Helemaal niet.'

'Ik had de indruk dat een eventuele relatie die u met neef Quentin heeft gehad al enige tijd voorbij was.'

Lady Caroline lachte. 'Q en ik zullen altijd verbonden blijven; we leven in zo'n kleine wereld.'

'Dat kan kloppen, aangezien Quentins moeder u heeft uitgenodigd om in de cottage te komen logeren.'

Weer zo'n lach, maar Rebecca kon niet overtuigend teruglachen. 'Ik ben vanmorgen vertrokken. Toen ik langsreed dacht ik: "Waarom niet?" Waarom niet even langsgaan en me voorstellen, je laten weten dat ik niet meer in de cottage ben, en waarom. Misschien zullen die rare journalisten ons nu met rust laten.'

'En weet Quentin dat?' vroeg Rebecca zacht. 'Dat je verhuisd bent, bedoel ik?'

'Ja, we hebben het gisteravond besproken.' Lady Caroline lachte weer. 'Hij heeft me zijn flat in Londen aangeboden.'

42

Ik weet dat mijn broer volhoudt dat iedereen zich moet houden aan elke uitspraak of belofte die hij doet, maar werkelijk, Cosima, ik begon de dag met te denken dat dat niet altijd verstandig is. Simon was hier weer en hij zei vanmorgen meteen dat hij hoopte dat ik vanavond in de familiesalon met hem wilde praten, zodat we dat 'beschaafde' gesprek konden proberen te voeren. De hele dag leidde het vooruitzicht me af, en vanavond was ik zover dat ik er helemaal verlegen van was. Stel je voor. Ik, verlegen. Ik wist dat ik mezelf daar zo snel mogelijk uit moest werken.

Berrie stond voor de open haard en keek naar van alles, behalve naar de man voor haar. Ze zag uit haar ooghoeken dat hij zich net zo ongemakkelijk voelde als zij, te oordelen naar de onbuigzaamheid van zijn schouders en de behoedzame manier waarop hij naar haar keek.

Ze had zich niet meer zo onzeker gevoeld als meteen na haar debutantenbal, toen de eerste van een rij bewonderaars aan de deur kwam, die allemaal een of andere reden hadden gevonden om haar aan de kant te zetten. Ze had gewoon niet het temperament om de belangstelling van een man vast te houden. Dat was nu niet nodig; het enige wat ze hoefde te doen, was een eenvoudig, beleefd gesprekje voeren. Ze hoefde deze man er niet van te overtuigen dat ze de rol kon spelen van een zedig vrouwtje uit de hogere kringen.

'Zullen we gaan zitten?' zei Simon uitnodigend.

Ze knikte en nam plaats op het puntje van de lievelingsstoel van mevrouw Cotgrave. De Wolsey was een leunstoel, maar Berrie was niet van plan zich te ontspannen. Ze wenste dat het tijd was voor thee, maar ze hadden net met het personeel en de leerlingen het dessert genuttigd, en het zou raar zijn om op dit moment iets uit de keuken te laten komen. Niet dat ze iets zou kunnen eten, maar roeren met een lepeltje had iets van haar zenuwachtigheid kunnen wegnemen.

'Ik heb mevrouw Cotgrave gevraagd te zorgen dat we niet gestoord worden,' zei Simon, die tegenover haar kwam zitten. 'Ze is het volkomen met me eens dat je veel te veel uren maakt en dat je overdag de tijd moet nemen om te gaan zitten zonder dat iemand iets van je eist.'

Hij had er geen idee van dat dit gesprek veel meer van haar eiste dan de omgang met de kinderen. 'Ik heb een broer die parlementslid is, meneer MacFarland. Ik werk niet harder dan hij. Als er zittingen zijn, komt hij vaak pas 's avonds laat thuis, net als uzelf neem ik aan als het nodig is.' Een spiertje in haar rug deed pijn, maar ze weigerde om op haar gemak te gaan zitten.

'En dat is misschien een van de redenen dat de zittingen maar een bepaalde periode duren, niet het hele jaar. En mijn naam is Simon, zoals je weet.'

Dat laatste voegde hij er met een zachtere stem aan toe en haar ogen zochten de zijne. 'Voordat we een poging doen tot een beleefde conversatie, heb ik een nogal voor de hand liggende vraag.'

Hij trok uitnodigend een wenkbrauw op.

'Hoe denk je dat twee mensen die nauwelijks een goed woord met elkaar gewisseld hebben dat voor elkaar moeten krijgen? Je hebt zo ongeveer gezegd dat je een hekel hebt aan alles wat Engels is, je keurt mijn werk niet goed, en wat nog belangrijker is, we staan volkomen verschillend in het geloof.'

Hij schudde zijn hoofd. 'Het is duidelijk dat ik geen hekel heb aan alles wat Engels is, want dan zou ik geen parlementslid zijn en zeker zou ik Katie niet op een Engelse school laten gaan. En wat je werk betreft, ik dacht dat ik duidelijk had gemaakt dat ik bewondering heb voor wat je hier allemaal doet. Ik heb begrepen dat het niet je bedoeling is je leerlingen te genezen of zo veel te leren dat ze hun kwaal kunnen overwinnen. Je aanvaardt de realiteit en dat bewonder ik in je.'

'Je vindt dat ik mijn tijd verdoe. Dit is waar ik toe geroepen ben. Het is de reden dat ik niet van plan ben ooit te trouwen.'

'Nooit?'

'Nooit.'

Als hij had gedacht dat hun poging tot een vriendschappelijk gesprek een stap kon zijn in de richting van iets persoonlijkers dan slechts elkaars gezelschap verdragen omwille van Katie, dan had hij zijn pogingen kunnen laten varen, opstaan en meteen weggaan. Dat deed hij niet. Hij glimlachte haar zo zelfverzekerd en charmant toe dat Berrie in de verleiding kwam om terug te lachen.

'Nooit,' herhaalde hij langzaam, 'is zeer sterk uitgedrukt, Berrie. Het is ook erg lang, voor iemand die zo jong is als jij.'

'Ja,' zei ze vol overtuiging. 'Ons geloof heb je niet genoemd. Ik neem dus aan dat je het met me eens bent dat we daarin sterk verschillen, en het is een van de dingen die we uit de weg moeten gaan in een gesprek. Evenals de Engelse wetgeving, lijkt me, ondanks je positie als parlementslid. Anders nog iets?'

'Je begrijpt niet waar het om gaat, Berrie. We weten dat er verschillen tussen ons zijn, maar daarom hoeven we nog niet te denken dat we geen nuttig gesprek over zulke dingen kunnen hebben. Misschien kunnen we iets leren van elkaar.'

Nu was het haar beurt om zijn woorden in twijfel te trekken. 'Ik denk dat we al bewezen hebben dat we niet beschaafd kunnen blijven als het over die onderwerpen gaat.'

'Misschien zullen we eindelijk naar elkaar gaan luisteren.'

Dus het had geen zin om tenminste één onderwerp uit de weg te gaan. 'Ik ben nu klaar om te luisteren, over je geloof althans.' Berrie zag met voldoening hoe zijn glimlach verflauwde. Misschien was het een onmogelijke taak, dan kon ze weer aan het werk.

'Je hebt me het geloof in God nooit horen afkraken.'

'Wat edelmoedig van je om Zijn bestaan niet te ontkennen,' zei ze. 'Maar als we ons geloof moeten bespreken met minder meningsverschil, dan zul je toch iets verder moeten gaan.'

'Ik praat niet over mijn geloof,' zei hij tegen haar.

Iets in zijn toon of manier van doen waarschuwde haar het daar bij te laten. Dat had hij beslist het liefst. Maar ze kon het niet. 'Katie schijnt te denken dat je helemaal geen geloof hebt.'

Simon wierp een korte blik naar de openstaande deur. Kennelijk maakte hij een afweging of hij moest praten over iets waarover hij liever niet sprak.

'Mijn geloof bestaat nog, al heb ik geprobeerd ervan af te komen. Maar uiteindelijk ben ik het eens met de apostel Paulus, die vroeg: "Tot wie zal ik anders gaan dan tot God?"'

'Waarom wilde je ervan af?'

'Mijn ouders stierven binnen een jaar na elkaar, allebei plotseling. Mijn vader kreeg een ongeluk in onze fabriek. Ik zal je de details besparen, maar laat het genoeg zijn als ik zeg dat het geen eenvoudige taak was om hem aan zijn verwondingen te zien sterven. Kort daarna werd mijn moeder ziek. Een soort kanker, zei de arts. Ze scheen liever bij God te willen zijn dan bij ons en was binnen een paar maanden weg. Katie en Innis hadden de leiding van onze moeder nodig. Leiding die ik niet kon verschaffen. God heeft ons zonder hulp achtergelaten.'

Simon zweeg alsof zijn eigen woorden hem verbaasden, of misschien de harde toon waarop hij ze uitsprak. Hij had dezelfde blik op zijn gezicht als toen hij haar die eerste keer had gekust.

Ze mocht dan niet willen toegeven dat die kus en de kussen daarna welkom waren geweest, maar zijn woorden waren Berrie heel welkom, nu hij toegaf dat hij niet zonder geloof was. Ze bewezen dat hij niet zo onkwetsbaar was als hij iedereen wilde laten geloven. 'Maar God heeft Katie hier gebracht. Misschien stuurt Hij jullie de leiding die jullie nodig hebben, maar op Zijn eigen tijd.'

'Je kunt gelijk hebben,' zei hij langzaam. 'Hoewel de manier waarop Katie hier kwam niet door de hand van God leek te zijn.'

Ze glimlachte. 'Nee, maar er gebeurt niets waar Hij niet van afweet.'

'En jij, Berrie?' vroeg hij. 'Heeft je geloof nooit gewankeld?'

Ze lachte. 'Vaak genoeg. Niet zozeer in God of Zijn betrokkenheid bij mijn leven, maar in de keuzes waartoe Hij me heeft geleid. Ik ben opgegroeid in een gezin waar ik heb leren zingen, gastvrouw zijn op geslaagde galapartijen, praten met de koningin en alle rangen en standen onder haar. Mijn ouders zijn allebei fantastische mensen, trouw aan God en aan elkaar. En toch hebben ze mij alleen laten bedienen in plaats van mij anderen laten dienen. Toen God het beeld van deze school in mijn hart legde, wist ik dat er het hart van een dienares voor nodig was... en ik wist niet of ik dat wel bezat.' Ze verwonderde zich erover hoe gemakkelijk de waarheid over haar lippen rolde.

'Nu geloof je wel dat je het hart van een dienares bezit, hè?'

Berrie knikte langzaam, denkend aan de taken die ze elke dag deed en die ze nooit had kunnen doen zonder de kracht en de zekerheid van het weten dat God haar hier geplaatst had.

Hij boog zich naar haar toe. 'Dan is je school in ieder opzicht een succes. Voor jou, de gezinnen en de leerlingen zelf.'

'Die opmerking had ik van jou niet verwacht, Simon.' Ze hield met haar ogen zijn blik vast.

Hij verwelkomde het noemen van zijn voornaam met een glimlach.

'Waar moeten we het nog meer niet over hebben?' vroeg ze, terwijl ze wenste dat haar stem niet zo ademloos klonk. 'Politiek, bijvoorbeeld. Zullen we het wagen?'

Zijn glimlach verdween en ze verwonderde zich over zichzelf. Was dat haar bedoeling geweest – om het gevoel van ontluikende vriendschappelijkheid de nek om te draaien? Geen wonder dat ze in Londen alle aanbidders verdreven had; ze bestookte iedereen met hatelijkheden.

'Ik zal je iets bekennen, Berrie, wat pas bij me opgekomen is nadat ik jou had ontmoet.'

Ze wachtte nog steeds.

'Ik had het bijna bereikt om de Engelsen te haten, om wat er gebeurd was tijdens de aardappelhongersnood. Schepen die in mijn fabriek waren gebouwd, vervoerden koopwaar naar het buitenland

– tarwe en gerst en vee – dat de monden kon hebben gevoed van hen die uitgehongerd waren door het gebrek aan aardappels.'

Hij zei het zo fel dat ze zich afvroeg of hij er werkelijk in geslaagd was alles te haten wat Engels was. Hij wellicht ook, want hij keek haar kwaad aan, tot zijn blik even later verzachtte.

'Sorry.' Zijn glimlach verscheen weer tussen de boze rimpels door. 'Zoals je ziet, heb ik er nog steeds moeite mee te bedenken dat enkelingen niet altijd staan voor het geheel. Precies daarom moet God gewild hebben dat wij elkaar ontmoetten, omdat ik iemand nodig heb om me daarop te wijzen.'

'Maar waarom zou Hij je iemand brengen die je nauwelijks kunt verdragen? Ik zou denken dat Hij je iemand zou geven met wie je blij was.'

Omdat hij naar het puntje van zijn stoel was geschoven en zich naar voren boog, en zij op het randje van de Wolsey zat, zaten ze al dichter bij elkaar dan noodzakelijk. Hij hoefde zijn handen niet uit te steken om de hare te pakken. 'Wil je me ervan overtuigen dat ik je niet kan verdragen, Berrie, hoewel ik je meer dan eens heb bekend dat ik je bewonder? Ik wil er niet aan dat belangstelling voor zoenen het enige is wat we gemeen hebben. Je bent dapper, intelligent, hardwerkend en bovenal koppig. Zoals Katie waargenomen heeft, lijk je heel erg op mij.'

Berrie keek neer op hun handen. Deze verandering ging sneller dan ze aankon. Ze moest zich losmaken. Maar ze klemde haar vingers steviger om de zijne. 'Ik weet niet of twee zulke eigenzinnige mensen als wij zelfs maar een poging tot vriendschap moeten doen.'

Hij liet een van haar handen los om haar wang te strelen, van de onderkant van haar oor langs haar kaak tot vlak onder haar mond. 'Sinds ik jou heb ontmoet,' zei hij, 'ben je nooit ver uit mijn gedachten geweest. En dat wil ik ook niet.'

Hij ging haar kussen; ze wist het, en ze wilde het. Maar ze mocht het niet toelaten. Dat was nou juist het gebied waarop ze al affiniteit hadden, en dat mocht ze niet toestaan. Ze hief haar hand op en schoof verder naar achteren in de Wolsey, maar liet één hand in de zijne. 'Ik heb je al verteld – dat ik niet van plan ben om te trouwen. Nooit.'

Hij fronste. 'Ik geloof niet dat je dat meent.'

Ze maakte met haar vrije hand een weids gebaar. 'Ik heb werk. Belangrijk werk. Ik zie niet in hoe ik tegelijkertijd getrouwd kan zijn en werken.'

'Ik besef dat alles wat ik zeg weinig zal uithalen voor mijn zaak om je het hof te maken. Als ik beaam dat je werk belangrijk is, wat ik inderdaad geloof, dan heb je het debat tegen het huwelijk gewonnen. Als ik zeg dat het niet belangrijk is, wil je niets meer met me te maken hebben.' Hij glimlachte traag. 'Maar als ik je nou eens vertel dat ik al wist dat je dat zou zeggen en dat ik een oplossing heb bedacht?'

Ze trok een wenkbrauw op.

'We hebben twee opties, waarvan je er maar eentje zult willen overwegen, maar ik leg ze je toch allebei voor. De ene optie is om meer hulp aan te nemen en het grootste deel van de verantwoordelijkheid over te dragen aan mevrouw Cotgrave, die uitstekend gekwalificeerd is...'

Hij zweeg abrupt toen hij de rimpels in haar voorhoofd zag. Ze hoefde niets te zeggen.

'En de andere optie is dat we een heel onconventioneel huwelijk zouden hebben.' Simon zweeg opnieuw en zijn glimlach werd breder. 'Is het je opgevallen, Berrie, dat ik het woord huwelijk zei zonder – hoe noemde je het ook alweer? – zonder te stikken?'

Ze probeerde te lachen, maar kon nauwelijks ademhalen. 'Goed gedaan,' zei ze schor.

'Waarom kunnen we niet getrouwd zijn en allebei werken? Dat doen de mensen in Ierland zo vaak.'

Ze wilde bezwaar maken, opstaan, weggaan, maar haar hand wilde de zijne niet loslaten. 'Die leven vast en zeker onder hetzelfde dak, die boeren en wevers en wasvrouwen.' Geen heel sterk bezwaar; ze moest met iets beters komen.

'Ik geef toe dat het niet ideaal zou zijn, want ik zie niet voor me dat je mij volgt in mijn carrière, en het is voor mij niet haalbaar om hier bij jou te blijven. Maar mijn scheepsbouwerij draait bijna op zichzelf. Toen mijn vader stierf, was het noodzakelijk om geschikte mensen in dienst te nemen, en het gaat prima, ook als ik voor langere periodes weg ben. Mijn werk in het parlement is iets anders; soms zal ik maanden achtereen weg zijn.'

Berrie stond op, ze had de strijd gewonnen om het contact met hem te verbreken. Ze keek naar de haard in plaats van naar Simon. De stenen schoorsteenmantel voelde koel onder haar verhitte handpalmen. 'Ik ben hier de directrice. De enige directrices die ik ken zijn of oude vrijsters, zoals ik van plan ben te worden, of weduwen zoals mevrouw Cotgrave.'

Meteen stond hij achter haar en legde zijn handen op haar schouders. 'Aangezien ik weiger vrijwillig een weduwe van je te maken, zullen we de opties die ik heb voorgesteld moeten overwegen.'

Ze schudde haar hoofd, er begon zich onder in haar buik iets te vormen dat ze nog nooit had gekend. Een strijd van enorme afmetingen, en ze had geen idee hoe ze die moest overwinnen. Ze was geroepen om een dienares te zijn en toch was er iets wat probeerde haar terug te trekken, haar uitnodigde om het leven te leiden waarvan ze zichzelf had overtuigd dat het niet voor haar bestemd was. Een echtgenote, een leven met hem. Het kon niet, al hunkerde haar hart ernaar.

Ze draaide zich naar hem om. Ze moest op de vlucht slaan, maar haar voeten wilden haar niet dragen. Hij drukte zijn mond op de hare en ze wilde hem tegenhouden, maar ze deed het niet.

Totdat er in de deuropening vrolijk handgeklap klonk. 'O, Simon, je kust juf Berrie! Net zoals papa mama kuste. Dat kan maar één ding betekenen. Jullie zijn nu getrouwd!'

Berrie maakte zich los uit Simons zachte greep, niet in staat hem of zijn zusje aan te kijken. Ze vloog langs hen heen en stopte pas toen ze de afzondering van haar kamer had bereikt. Als er een slot op de deur had gezeten, had ze het gebruikt.

43

Rebecca staarde naar de dichte deur. Lady Caroline verhuisde van de cottage van lady Elise naar Quentins flat in Londen? Quentin had die ochtend gebeld om haar te laten weten dat hij naar Londen ging. In zijn flat had hij natuurlijk veel meer privacy, zonder de aanwezigheid van zijn moeder en het hele gevolg dat ze altijd uitnodigde in de landelijke cottage.

'Nou, dat was raar,' zei Dana tegen Rebecca. 'Waarvoor kwam ze nou eigenlijk?'

Rebecca probeerde te glimlachen, maar het lukte niet. O, om zo'n aanstekelijke glimlach op te kunnen zetten als lady Caroline zou geweldig zijn, al was hij dan tweedimensionaal. 'Om me te laten weten dat ze terug is in Quentins leven en dat er nu niets meer is dat hen scheidt.'

'Dat weet ik nog zo net niet. Vind je dat het oprecht klonk wat ze zei over haar geloof?'

'Ze verhuist naar zijn flat. Als Quentins belangstelling opnieuw is gewekt, is dat het enige wat belangrijk is.' Wat klonk dat logisch, wat volkomen los van de situatie. Maar de verdovende schok van het bezoek zou verdwijnen en ze moest de mogelijkheid onder ogen zien een toekomst te verliezen waar ze ternauwernood op had durven hopen. De angst was er al en begon haar te omhullen als een mist. Ondanks haar aarzeling om een relatie met Quentin te beginnen, ondanks al haar behoedzaamheid, had ze zich onwillekeurig een leven met hem voorgesteld. Er was geen specifieke grens waar haar voorstelling van de toekomst iets was geworden waar ze op rekende, alleen het besef dat die grens al overschreden was. En daar zat ze nu, zonder iets om zich te beschermen tegen het verlies.

Lady Caroline trok in zijn flat. Hoelang zou het duren voordat dat in de krant stond?

Haar hele leven had Rebecca Gods hand in haar leven gezien. Haar vader had haar verteld dat ze op Gods tijd was geboren, omdat ze verwekt was toen het lichaam van haar moeder gezond en sterk genoeg was om die taak aan te kunnen. Sindsdien waren er talloze andere gevallen geweest. Toen Rebecca nog klein was en ze haar vader gesmeekt had om een hondje, had God zijn hart verzacht en er was een buurman opgedoken die een pup weg wilde geven. En toen ze ouder werd, had Rebecca beloofd het zendingswerk van de kerk te steunen, terwijl ze geen flauw idee had hoe ze de vijfenzeventig pond die ze had beloofd moest verdienen. Binnen een week had ze een baantje als hondenuitlater, dat de hele zomer duurde. Vergoeding: vijfenzeventig pond. Er waren veel meer gevallen geweest. Bijna elke dag zag Rebecca Gods hand in haar leven.

Toen Quentin in de afgelopen lente was gearriveerd, vlak voor Dana, was God te hulp geschoten en had Hij Rebecca alles gegeven wat haar in de laatste jaren had ontbroken: een toekomst met een man die ze kon liefhebben, een vriendin met wie ze de blijdschap kon delen.

Maar misschien had ze het verkeerd begrepen. Had God Dana laten komen omdat *zij* een vriendin nodig had in haar moeiten, zodat het verdriet dat Rebecca moest dragen in perspectief werd gezet? Vergeleken met wat Dana meemaakte, was het kwijtraken van een relatie die nauwelijks tijd had gekregen om tot bloei te komen onbeduidend.

Ze liep de trap op en wenste wat Dana de hele week had gewenst: eenzaamheid, om alleen te zijn met haar zorgen. Maar Dana kwam haar achterna. 'Je moet met hem praten, Rebecca. Ik heb de laatste tijd te veel van je tijd in beslag genomen, maar je hoeft niet meer op me te passen. Je moet Quentin vragen wat er aan de hand is.'

Rebecca stond stil en zei koud: 'Dat moet jij nodig zeggen, Dana.

Elke keer als je man opbelt, zeg je dat je druk bezig bent met de dossiers en dat je morgen naar hem teruggaat. Het is al drie keer morgen geweest en je bent er nog steeds.'

Dana ontweek haar blik. Even had Rebecca spijt van haar toon, maar ze verzette zich tegen haar schuldgevoel. Misschien moesten vriendinnen soms een spreekwoordelijke schop uitdelen en pas nu ze haar eigen onzekerheid onder ogen moest zien, kon ze Dana voorstellen hetzelfde te doen.

In Rebecca's kantoor ging de telefoon en ze haastte zich om te gaan opnemen, al was het maar om de rest van het gesprek met Dana te ontlopen. Quentin was aan de andere kant van de lijn. Haar hart bonsde in haar borst.

'Ik ben er over een halfuur.' Quentins stem klonk anders, aarzelend, maar dat verbaasde haar niet. 'Er is iets wat je moet weten.'

Ze snakte naar adem en staarde naar het bureau. Hij ging haar vertellen over het gesprek dat hij de avond tevoren met lady Caroline had gehad, over haar pas ontdekte geloof, en dat niets hen nu nog in de weg stond. Rebecca drukte twee vingers tegen haar neusbrug om de tranen tegen te houden als ze gingen stromen.

'Ik wil niet dat Dana overrompeld wordt,' zei hij tot haar verbazing. *Dana?* 'Ik kom net van Heathrow om Aidan af te halen. Hij belde gisteravond toen Dana en jij aan de wandel waren, en ik heb met hem gepraat.'

Nu vloog haar blik terug naar Dana, in paniek. Dana stapte verder de kamer binnen en trok rimpels in haar voorhoofd.

'Heb je het hem verteld…? Je weet wel, van de baby?'

Dana zette grote ogen op, die zich vulden met de tranen die Rebecca bij zichzelf had verwacht.

'Nee. Hoor eens, hij zit hier vlak naast me. Hij was ongerust over Dana en ik kan het hem niet kwalijk nemen. Ik had het gisteravond aan jullie moeten vertellen, maar Aidan vroeg me te wachten tot Dana niet meer kon zeggen dat hij niet moest komen. Persoonlijk ben ik het met hem eens. Ik heb gezegd dat ik hem op zou halen zo gauw hij een vlucht kon krijgen. Het is het beste, Rebecca.'

'Ja, ja. Je hebt gelijk.' Ze hield haar adem in en keek naar Dana. 'Ik zal haar zeggen dat Aidan op dit moment met jou onderweg is hiernaartoe. En je hebt gelijk. Het is het beste.' Even later hing ze op en keek Dana aan. 'Nu kunnen we geen van beiden meer afwenden wat er gebeuren moet.'

Dana knikte ernstig. 'Het is het beste, zei je.' Ze keek Rebecca aan. 'Voor mij, om het maar achter de rug te hebben. Je hebt gelijk. Ik weet dat het moet gebeuren. Maar voor jou?'

'Als deze relatie afgelopen moet zijn... hoe eerder hoe beter.'

Ze had zelfverzekerd willen klinken. Maar de hapering in het midden verraadde haar kwetsbaarheid.

44

Mijn lieve Cosima,

Het moment waarop het tot me doordrong dat het Simon menens was met zijn huwelijksaanzoek, kan ik met niets vergelijken. Had ik moeten denken aan lord Welby, die die avond van het bal zo vaak met me danste en toen vroeg om met mijn vader te mogen praten als ik terugkeerde van mijn bezoek aan Ierland met jou? Nee, achteraf gezien ben ik blij dat lord Welby nooit zijn bedoelingen kenbaar heeft gemaakt aan mijn vader, want ik weet zeker dat een huwelijk tussen ons saai en onverschillig zou zijn geweest.

Tegenover Simon sta ik allesbehalve onverschillig. Weet je, Cosima, dat hoewel hij me gekust heeft zoals een heer niet hoort te doen, ik toch geloof dat hij een heer is? Als ik thuiszat en ik had geen andere toekomst dan een huwelijk, dan zou het zonder enige twijfel Simon zijn die ik zou willen, dat is duidelijk.

Maar mijn leven is nu anders. Eindelijk had ik mijn dromen over een huwelijk losgelaten. Ja, het was een worsteling, maar ik heb me vertrouwd gemaakt met een toekomst als directrice, om de dienares te zijn die God bedoeld heeft. Hoe kan ik een ware dienares zijn en terugkeren naar een leven in Londen of het opnieuw oppakken in Dublin, als de vrouw van een parlementslid nog wel, samen met de levensstijl die daarbij hoort?

O, Cosima, begrijp je dat ik dan datgene waarvoor God me heeft geroepen de rug toekeer? Ik kan deze missie net zomin laten varen als ik kan ophouden met ademhalen.

Gisteravond heb ik Simon door de deur heen verteld dat ik tijd nodig heb. Hij gaf me niet meer dan de avond en de nacht. Hij verwacht me vanmorgen na de oefeningen te spreken.

Ik heb geen idee wat ik tegen hem zal zeggen...

'Toen ik vertrokken was, viel het me in,' zei Simon terwijl hij de anderen nakeek die na de oefeningen terugkeerden naar het landhuis, 'dat de wending in onze discussie van gisteravond een verrassing voor je geweest kan zijn. Ik geef toe dat ik al voor gisteren het idee van een huwelijk overwoog, maar het was niet mijn bedoeling om er al zo gauw over te beginnen.'

Berrie vouwde haar handen samen en liet ze weer los. 'Ik waardeer het dat je voor het eerst over een huwelijk begon omdat je vond dat je de fatsoensgrenzen had overschreden, maar...'

Hij schudde zijn hoofd en legde zijn hand op haar arm. 'Die eerste keer dat ik een huwelijk noemde, was de eerste keer dat ik het woord hardop gezegd had, althans met betrekking tot mezelf. Gisteravond was iets heel anders. Ik heb erover nagedacht en ik geloof dat ons huwelijk ons allebei gelukkig zou maken.'

'Het was aardig van je om die beslissing met me te delen,' zei ze, 'hoewel je het brengt alsof ik niets te zeggen heb in de kwestie.'

Hij lachte. 'Je kus maakte duidelijk dat je hetzelfde voelt.'

Ze stond stil en keek toe hoe de laatste kinderen het landhuis binnen werden geleid. Ze moest erachteraan. Het ogenblik stond symbool voor het besluit dat ze moest nemen: de school... of Simon?

Talloze gedachten streden in haar hoofd om voorrang en haar hart bonsde. 'Ik kan niet... nadenken, Simon.'

Hij deed een stap dichter naar haar toe. 'Wil je met me trouwen?'

Berrie deed een stap naar achteren, zijn nabijheid kleurde haar toch al onstabiele gedachtegang. Ze kon maar één ding doen en dat was eerlijk zijn. 'Vroeger hoopte ik op alles wat jij te bieden hebt.' Ze glimlachte verlegen naar hem, niet gewend zulke intieme gedachten uit te spreken. 'Ik wilde getrouwd zijn, kinderen krijgen, een huishouding leiden, alle sociale dingen doen die mijn ouders altijd deden. Maar op de een of andere manier gebeurde het niet. Jij bent niet de eerste die vindt dat ik moeilijk ben. Toen ik de nood zag voor een school als deze, wist ik waarom. Ik was niet voorbestemd om te trouwen; ik was voorbestemd om die kinderen en hun gezinnen te dienen – kinderen die veel anderen niet in hun buurt willen hebben.'

'Het is een eerbaar doel,' zei Simon zacht.

Ze knikte en hield zijn blik vast, zag zijn glimlach verflauwen. 'Het is eerbaar,' zei ze, 'en ik wil het nog steeds vervullen. We zijn nog maar net begonnen.'

Hij zweeg lange tijd en keek naar van alles behalve naar haar. Met een hand op zijn onderarm dwong ze hem haar aan te kijken. Uiteindelijk deed hij dat.

'Ik geloof niet dat ik tegelijk directrice en echtgenote kan zijn, als ik het allebei goed wil doen.'

Hij knipperde met zijn ogen en deed een stap naar achteren, zodat haar hand langs haar zij viel. 'Ja, ik begrijp waarom je dat denkt.' Hij glimlachte halfhartig en wierp haar een snelle blik toe. 'Wat je ook doet, Berrie, je doet het met passie – met je hele hart. Lesgeven, ruziemaken. Kussen.'

Het bloed vloog naar haar wangen en ze kon niets doen om het tegen te houden. Hij had gelijk.

'Ik vertrek volgende maand naar Londen,' zei hij zacht. 'Katie is eraan gewend dat ik lang op reis ga. Ze zal er niet moeilijk over doen.'

De gedachte dat hij helemaal weg zou zijn, schoot als een golf van onverwachte paniek door haar heen. Maar het was ongetwijfeld het beste. Kon ze een vriendin voor hem zijn? Een echte vriendin? Hopen dat hij op een dag iemand anders zou vinden om mee te trouwen, en dan toekijken hoe het gebeurde?

Dat was nu eens iets wat ze niet met passie zou doen.

45

Padgett gooide zich in haar vaders armen toen hij binnenkwam. Aidan draaide haar in het rond en gaf haar een kus op haar wang. Toen vroeg hij naar de nieuwe knuffel in haar hand. Ze stelde hem de replica van Emma voor, het kroezige lammetje dat altijd gered moest worden.

Rebecca keek met een zwaar hart naar het soort gezinnetje dat ze wenste. Ze wilde het niet laten merken, omdat Quentins blik op haar rustte. Ze sloeg haar ogen neer. Of er nu een gezond of een gehandicapt kind onderweg was, Aidan was de twee vrouwen in zijn leven, Dana en Padgett, nu al toegewijd, en ook dit nieuwe leven zou hij toegewijd zijn. Het stond in zijn ogen te lezen, door het pijnlijke ogenblik heen toen hij Padgett weer op de grond zette en Dana voor het eerst in bijna drie weken aankeek.

'Hoi,' zei hij zacht, 'ik heb je gemist.'

Dana probeerde te glimlachen, maar het effect ging verloren toen ze zich tegen hem aandrukte, haar ogen dichtdeed en een zachte snik liet ontsnappen.

'Padgett,' zei Rebecca, 'zullen wij papa en mama een poosje alleen gedag laten zeggen? Ga je met Quentin en mij mee naar de boerderij?'

'Oké, maar ik wil papa laten zien dat ik kan ponyrijden, en hij moet de echte Emma zien.' Ze wendde zich tot haar vader, die Dana nog in zijn armen hield en geen aanstalten maakte om haar los te laten. 'Weet je nog, pap? Het *echte* lammetje waarover ik je aan de telefoon heb verteld?'

Hij maakte één hand los van Dana's rug om het haar van zijn dochter door de war te maken. 'Ja, ik weet het, lieverd. We zien jullie over een paar minuten op de kinderboerderij, goed?'

Rebecca nam Padgett bij de hand en nam haar mee. Misschien deed Rebecca wat Dana in de afgelopen vijf dagen had gedaan, uitstellen wat gedaan moest worden. Als ze voor Padgett zorgde, hoefde ze niet onder ogen te zien wat er tussen haar en Quentin moest worden gezegd. Een kort, maar welkom uitstel.

Het was licht bewolkt en in de verte daalde de mist neer. Rebecca hield haar ogen op Padgett gericht en vermeed stijfjes het contact met Quentin. Ze keek even zijn kant op en zag hem tevreden glimlachen.

Op de kinderboerderij werd Padgett door het lammetje als een vriendje begroet. Rebecca keek toe vanaf het hek en merkte dat Quentin naast haar kwam staan. Ze wilde weerstand bieden toen hij een arm om haar middel sloeg, maar ze kon het niet.

'Misschien wordt alles hier nu weer gewoon,' fluisterde hij.

'Wat bedoel je?'

Hij kuste haar vlak onder haar slaap. 'Misschien kun je nu wat tijd voor me overhouden.'

'Volgende week komt de Featherby-jury,' zei ze, scherp ademhalend omdat hij haar oor kuste en het kietelde. Zijn kus verwarde haar; waarom had lady Caroline haar per se willen vertellen over haar geloof en over Quentins aanbod van zijn flat, als het niet was omdat Quentin opnieuw belangstelling voor haar had?

'De Featherby-jury!' kermde Quentin. 'Moet ik je nu dáár weer mee delen?'

Ze deed een stap buiten zijn bereik en wandelde verder langs het hek naar Padgett, die aan het rennen was met Emma. Quentin deed alsof er niets veranderd was. 'Ik dacht dat ik degene was die jou moest delen.'

Hij pakte haar hand. 'Mij delen? O nee. De juryleden zijn voor jou; ik heb niet veel geholpen in dat opzicht.'

Ze schudde haar hoofd en keek hem recht aan. Hij was niet traag van begrip. Dus verzweeg hij met opzet de waarheid voor haar? 'Met Caroline Norleigh.'

Hij fronste. 'Nu is het mijn beurt om te vragen wat je bedoelt.'

253

'Ze is hier vandaag geweest.' Rebecca had liever gehad dat hij haar vertelde over het gesprek dat ze gisteravond hadden gehad, over zijn aanbod aan haar om in zijn Londense flat te wonen, maar zoals gewoonlijk kon ze niet wachten. 'Ze vertelde me dat jullie tweeën gisteravond onder andere een gesprek hadden gehad over haar geloof.'

'Ja, dat klopt. Ze zei dat ze het christendom aan het onderzoeken was, en ik heb haar aangemoedigd. Je zou toch willen dat ik dat deed?'

'Natuurlijk.' Ze moest blij zijn. Stond er niet in Gods Woord dat de engelen in de hemel zich verheugen elke keer als iemand het ware geloof vindt? Caroline Norleigh was geen uitzondering; misschien waren de engelen zich op ditzelfde moment wel aan het verheugen. Het enige wat Rebecca voelde, was een steen in haar maag, omdat Quentin haar niet vertelde dat hij Caroline zijn flat had aangeboden. 'Ze zei ook dat ze vertrok uit de cottage.'

Hij knikte. 'Ik dacht dat je daar blij om zou zijn.'

Rebecca keek hem nauwlettend aan. 'Ze zei dat je haar je huis in Londen had aangeboden.'

Hij vertrok geen spier. Geen spoor van onbehagen verscheen in zijn wenkbrauwen, rond zijn ontspannen mond, in de blauwe ogen die al zo veel generaties in zijn familie zaten. 'Ze kan niet goed opschieten met haar moeder. Het is beter als ze apart wonen. Ik denk dat ze mede daarom zo gretig inging op de uitnodiging van mijn moeder om op de cottage te komen logeren.'

'En nu zo gretig op jouw aanbod?'

'Ik denk het.' Quentin keek haar recht aan. 'Ik woon daar nu niet, zoals je weet. En het is maar tijdelijk. Ze is van plan om iets voor zichzelf te zoeken.'

Rebecca wenste dat ze meer tijd had om haar gevoelens te ontcijferen, en de kans kreeg om op haar gemak te bekijken wat rationeel was en wat niet. Maar hoewel ze had kunnen zeggen dat ze moesten praten, alleen, zonder dat Padgett toekeek of Dana en Aidan ieder ogenblik konden komen, wilde ze niet wachten.

'Je zei dat het enige wat er aan Caroline ontbrak was dat jullie niet hetzelfde geloof deelden. Maar nu schijnt ze zich bij je te hebben aangesloten.'

'Misschien.' Hij deed een stap dichterbij en Rebecca deed een stap naar achteren. Zijn mond verstrakte. 'Maar al is dat zo, tussen jou en mij is niets veranderd.'

Dat waren bijna de woorden die ze wilde horen, maar meteen zag ze in zijn ogen de teleurstelling dat hij ze had moeten uitspreken. En verder niets, niets over andere redenen waarom hij geen relatie meer wilde met Caroline.

'Waarom, Rebecca, ben ik steeds degene die deze relatie moet voortduwen? Jij bent steeds op zoek naar een reden waarom we niet samen moeten zijn, en ik begin me af te vragen waarom.'

'Ik ben bang.' Het was eruit voor ze het kon tegenhouden, de drie woorden die de eerlijkste, de meest kwetsbare waren die ze tegen hem had uitgesproken. 'Ik wil het niet, maar het is zo.'

'Waar ben je bang voor? Ik heb je al verteld dat dat wat ik eens voor Caroline heb gevoeld voorbij is.'

Ze schudde haar hoofd. 'Je hebt me verteld dat je die relatie had beëindigd omdat je was veranderd, omdat God je had veranderd. Nu heeft zij de kans om zich door God te laten veranderen. Misschien bestaat de reden waarom je die relatie hebt beëindigd niet meer.'

Hij schudde te vlug zijn hoofd en ze wist dat hij niet echt luisterde. Daarom praatte ze door. 'Ik heb gezien hoe mijn vader mijn moeder meer dan twaalf jaar lang gemist heeft, Quentin. Hij heeft al die jaren gezegd dat het het waard was om haar te missen vanwege al het geluk dat ze hadden toen ze getrouwd waren. Maar hem haar te zien missen, te weten dat hij elke dag van zijn leven met zo veel pijn leeft, ik weet niet of alle jaren die ze samen hadden al die pijn wel waard waren.'

Dat had ze allemaal niet willen zeggen, maar ineens had ze de rauwe emotie eruit gegooid en ze wist dat het waar was. Toen Quentin opnieuw probeerde haar hand te pakken, trok ze zich los.

'Je begrijpt het toch, hè Quentin? Ik wil van je houden, maar ik kan het niet. Ik wil het niet. Niet voordat ik zeker weet dat het het waard is als er pijn bij hoort. En ik geloof niet dat je zeker kunt zijn over iemand anders – over mij of wie dan ook in je toekomst – voordat lady Caroline er net zo van overtuigd is als jij dat ze iemand uit je verleden is. Misschien voelt ze dat er iets niet af is – misschien voelt je moeder dat ook – omdat het ook zo *is*.'

Zijn gezicht toonde wat ze het meest had gevreesd: hij dacht na over haar idee.

'Als ze inderdaad een geloof heeft gevonden dat past bij het jouwe,' zei Rebecca, 'dan moet je uitzoeken of dat alles is wat er vroeger ontbrak. Ik wil niet dat je nog over haar nadenkt als we samen verder zijn gegaan, of erger, als we getrouwd zijn. Je begrijpt het toch? Dat je niet verder kunt gaan voordat wat er tussen jou en Caroline was echt voorbij is?'

Hij wendde zich af, wreef met zijn hand over zijn ogen en keek voor zich uit. Zij staarde naar Padgett die de konijnen aaide achter het hek van de kinderboerderij. Ze had niet verwacht dat hun gesprek deze wending zou nemen. Wat ze gedacht, gehoopt, gebeden had dat zou gebeuren, was dat hij haar zou verzekeren dat er tussen hen niets veranderd was. Dat had hij gedaan, maar daar was het niet mee opgehouden.

Ze wenste van wel, maar er was geen terugkeer mogelijk.

46

Het spijt me dat ik je zo'n tijd niet geschreven heb, Cosima, maar ik geloof dat je beter af bent dat het je bespaard is gebleven. Alleen mijn God kent de diepte van mijn zonde, hoe egoïstisch ik geweest ben door het onmogelijke te wensen: een echtgenoot te kunnen dienen en deze school. Simon had het vast niet lang uitgehouden met een vrouw die met hem en tegelijk met een missie was getrouwd.

Vergeef me. Ik had mezelf beloofd dat ik je niet zou schrijven tot ik mijn gedachten en mijn zelfmedelijden weer een beetje onder controle had. Het schijnt dat ik weer te vroeg begonnen ben.

Maar er is vandaag iets vreselijks gebeurd wat ik je meteen moet vertellen, en ik moet je vragen het op een of andere manier uit te leggen aan mijn vader en mijn broer. Ze zullen er vast en zeker gauw van horen, tenzij er een wonder gebeurt.

Het begon gisteren toen de vader van Eóin hem nogal onverwachts kwam ophalen en zijn zoon meenam met de belofte dat we geen donaties meer hoefden te verwachten in naam van Eóin.

Ik was natuurlijk oprecht bezorgd en besloot dat ik na een gepaste tijdsperiode de familie een bezoek zou brengen. Maar vanmorgen kwam Tessie's familie hier met hetzelfde verhaal.

Het enige wat ze gemeen hebben, is dat beide gezinnen hier uit de buurt komen. En toen...

'Een brief voor u, juffrouw Berrie, met een speciale koerier. Van meneer Truebody.'

Berrie keek op van haar bureau en nam de brief aan van Daisy. Hij was kort. Zonder verklaring werd ze nog diezelfde middag ontboden.

Berrie fronste. Ze moest onmiddellijk vertrekken om er op het aangewezen uur te zijn. De verleiding was groot om een briefje terug te krabbelen waarin ze talloze andere verplichtingen opnoemde waar ze bij moest zijn. Het was nogal onredelijk om die allemaal te laten vallen voor een niet nader gespecificeerde sommatie. Ze zocht mevrouw Cotgrave op in het kunstlokaal en liet haar de brief zien.

Mevrouw Cotgrave's gezicht weerspiegelde Berrie's bezorgdheid. 'Je moet het niet negeren,' adviseerde mevrouw Cotgrave. 'Het kan een verklaring geven voor Tessie en Eóin.'

Ze had zichzelf wijsgemaakt dat de gezinnen hun kinderen misten en ze daarom naar huis hadden gehaald. Nu was ze er niet meer zo zeker van.

Mevrouw Cotgrave bood aan met haar mee te gaan. Berrie wilde het graag, maar als ze allebei tegelijk weg waren, had de rest van het personeel het te druk met de lessen, het avondeten en de stille tijd. Berrie haalde vlug een sjaal en stuurde Daisy naar Jobbin om de wagen te halen.

De reis naar het dorp verliep vlot, afgezien van Berrie's getob. Alles was zo goed gegaan in het landhuis. Volgende week kwamen er twee nieuwe leerlingen en Duff was nu in Dublin op zoek naar gezinnen die hun diensten nodig hadden. Met zestien jongens en drie meisjes was het stampvol in huis. De grens was twintig. Nu Tessie en Eóin weg waren, konden ze nog twee kinderen opnemen.

Tussen haar zorgen was Simon voortdurend in Berrie's gedachten. Zou hij bezorgd zijn als hij wist dat er twee leerlingen op geheimzinnige wijze waren weggehaald en meneer Truebody haar ontboden had? Zou Simon, als ze zijn aanzoek had aanvaard, aan haar zijde staan?

Ze stelde zich hem voor op een van de schepen die in zijn werkplaats waren gebouwd. Stak hij op dit moment de Ierse Zee over op weg naar Londen? Hoelang zou hij wegblijven? Zou hij, net als haar broer Peter, de herfst in Londen blijven tot de feestdagen en dan in januari terugkeren naar het parlement tot de lente?

De pijn in haar borst wees erop dat ze hem miste.

Berrie arriveerde precies op het aangewezen tijdstip bij meneer Truebody. Toen ze aan de buitendeur klopte, deed er een bekend dienstmeisje open dat Berrie naar het kantoor bracht. Ze wachtte voor de deur en hoopte dat hij haar niet te lang zou laten wachten. Ze wilde Jobbin met de wagen ruim op tijd terug laten zijn voor de dagelijkse gang van zaken met de kinderen.

Na een paar minuten deed ze een stap naar voren om aan te kloppen, al had het dienstmeisje al geklopt om haar komst aan te kondigen. Toen ze gesmoorde stemmen hoorde, bleef haar hand in de lucht hangen. Meneer Truebody was niet alleen.

Haar gezicht verstrakte. Was zijn dringende oproep niets meer geweest dan machtsvertoon, moest ze onmiddellijk reageren hoewel hij druk bezig was met andere zaken? Dat idee was genoeg om haar knokkels nogmaals op te heffen.

Maar de deur ging open en voor haar stond meneer Truebody. Ze zag meteen dat zijn kleur ongewoon was; zijn wangen waren rood aangelopen, maar de rest van zijn huid was vaalbleek en langs wat eens zijn haarlijn was geweest, parelden zweetdruppels.

'Ik geloof dat u meneer Flegge wel kent.'

Met verbazing keek ze naar de politieman voordat meneer Truebody uitgesproken was.

'En natuurlijk meneer Denmore en meneer Axbey.'

Ze knikte; de eerste was een inspecteur, de tweede een opzichter. Ze wist dat ze vlogen op meneer Truebody's wenken en geen eigen mening hadden, maar naar zijn pijpen dansten. Als ze geleerd had om ook zo kruiperig te zijn, dan had ze zich wellicht niet verzet tegen meneer Truebody's starre aandacht voor detail.

Ze had geen idee waarvoor ze hier met z'n allen zaten. Meneer Flegge's aanwezigheid baarde haar zorgen; waarom zou meneer Truebody hem erbij geroepen hebben? Ze wist heel goed hoe streng hij de zaken van de politieman scheidde van zijn eigen werk als kantonrechter.

Meneer Truebody sprak terwijl hij naar zijn stoel liep achter het grote eikenhouten bureau dat het grootste deel van de ruimte in beslag nam. 'Wij hebben hier twee documenten voor ons, juffrouw Hamilton. Het eerste' – hij stak een vel papier omhoog met een zegel onderaan – 'is een aanklacht die wordt ingediend tegen uw instituut. Het tweede' – nu stak hij een krant omhoog – 'is meer bezwarend. Een waarschuwing aan het algemene publiek tegen het kwaad dat kinderen kunnen tegenkomen als ze toegelaten worden op Escott Manor.'

Voor het eerst dat ze in meneer Truebody's aanwezigheid stond, wenste Berrie dat ze een stoel had. Zelfs niet tijdens haar eerste bezoek, toen er zo veel afhing van zijn goedkeuring, hadden haar knieën zo geknikt. 'Maar... waarom?'

'Hebt u enig idee waar ene meneer Duff Habgood op ditzelfde moment is?' vroeg meneer Flegge. Hij keek haar aan alsof hij genoot van zijn geheim.

Te verbijsterd om de eindeloze angsten die in haar opsprongen te bevatten, greep Berrie naar één gedachte. Ze wist waar Duff was; ze had hem zelf gestuurd. 'In Dublin. Er wonen zo veel arme gezinnen in de stad, hoeveel moeilijker moet het voor hen zijn om kinderen met een handicap te hebben. Daarom heb ik hem gevraagd op zoek te gaan naar kinderen die onze...'

Haar stem stierf weg, want ze had niet alleen het oogcontact verloren met de politieman die de vraag had gesteld, maar alle mannen zaten hun hoofd te schudden voordat ze uitgesproken was.

'Hij is inderdaad in Dublin,' zei meneer Truebody. Hij klonk nasaler dan ooit. 'Maar hij zit achter de tralies, op beschuldiging van aanranding. Het slachtoffer was gehuisvest in uw instelling, juffrouw Hamilton, dat volgens dit verslag in de *Telegraph* tenminste, kennelijk een huis van onfatsoen is dat zelfs uw reputatie raakt.'

Berrie stond sprakeloos en allerlei gedachten schoten door haar hoofd. Duff... aanranding? Dat kon niet; niet die lieve Duff. En bespeurde ze een persoonlijker beschuldiging, waar zij bij betrokken was?

Meneer Truebody hief zijn vinger om haar aandacht op te eisen.

'U zult zich herinneren dat ik, toen de Krankzinnigheidscommissie aanvankelijk sympathiseerde met uw verzoek om Escott Manor te openen als ziekenhuis voor gehandicapten, mijn bezorgdheid heb uitgesproken over een zo jong, onervaren en ongetrouwd persoon op uw positie. En nu ziet u dat mijn zorgen volkomen terecht waren.'

Ze keek naar de gezichten om haar heen, die allemaal beschuldigend keken. Alles was niet verloren, zoals de mannen schenen te denken. Het kon niet waar zijn.

'Onze eerste zorg,' vervolgde meneer Truebody, 'is de kinderen. We kunnen niet toestaan dat de integriteit van hen die onder hetzelfde dak wonen twijfelachtig wordt.'

Dacht hij ook maar één ogenblik dat het niet háár eerste zorg was? 'Ik weet zeker dat het allemaal een vreselijk misverstand is. Duff Habgood zou nooit iemand lastigvallen; dat kan ik u verzekeren.'

'Helaas is dat wellicht niet het geval. Hoe dan ook, een verwoeste reputatie is schadelijk voor een instituut, zeker als er kinderen wonen.'

Berrie wendde zich tot meneer Flegge. 'Wat kunt u me vertellen over die zaak tegen meneer Habgood?'

Zijn lippen gingen uiteen maar meneer Truebody schraapte zijn keel en snoerde de andere man de mond.

'En dan hebben we nog uw eigen overtreding.' Zijn stem was nu ergerlijk nasaal. Berrie wilde rillen om het geluid, maar dwong zich stil te blijven zitten.

Met opgeheven kin ontmoette ze zijn blik. 'Ik verzeker u dat ik niets heb gedaan om de goede naam van de school, noch die van mijzelf in gevaar te brengen.'

'O ja? En woont er nog steeds een meisje bij u dat Katie MacFarland heet?'

'Ja.'

'En is zij inderdaad de zuster van Simon MacFarland, een gekozen vertegenwoordiger uit het Lagerhuis? Dezelfde man die mij geschreven heeft over de verblijfplaats van een vrouw en haar kind, of ik maar wilde overwegen een loopje te nemen met de regels?'

Berrie kreeg een zware steen in haar maag en een brok in haar keel. 'Ja.'

'Volgens juffrouw Katie MacFarland,' zei meneer Truebody terwijl hij het krantenartikel oppakte, 'zijn meneer MacFarland en u getrouwd. Maar ik weet niets van een officiële plechtigheid. En in mijn positie' – hij nam haar nors op – 'zou ik daarvan op de hoogte zijn, nietwaar? Bent u, in feite, getrouwd met die Simon MacFarland?'

'Natuurlijk niet!'

'Waarom zegt zijn zusje dan dat u en hij' – hij pakte het artikel op en zette een bril op het puntje van zijn neus – '"heus en echt getrouwd zijn, want ze doen net als mijn lieve papa en mama voordat ze naar de hemel gingen. Zoenen en zo"?'

Berrie sloeg haar handpalmen tegen haar wangen, die heet waren als twee kolen en zeker zo rood. Ze wilde wegvluchten, maar dat zou haar zaak geen goed doen.

'Hebt u, juffrouw Hamilton, meegedaan aan onfatsoenlijk gedrag waar een bewoner bij was?' vroeg meneer Truebody.

Hij wachtte en ze moest iets zeggen.

Meneer Truebody's blik bleef hangen. 'Zoals u weet is de bevolking van een instelling als de uwe uiterst ontvankelijk. Zulk gedrag, en zeker van een ongetrouwde vrouw als u, kan niet getolereerd worden.'

De speurende blikken van de mannen drukten zwaar op haar en Berrie voelde zich overweldigd door het gezamenlijke gewicht. Flauwvallen kon de boel nu even vertragen, maar inderdaad vertragen, geen uitweg bieden. Ze snakte naar adem, rechtte haar schouders en keek recht voor zich uit. 'Er is een misverstand geweest.'

'Dus u was niet bezig met oneerbaar gedrag?' vroeg meneer Truebody.

'Er was… een kus,' bekende ze. 'Niets onfatsoenlijkers dan dat.' Ze kon moeilijk zeggen dat de kus gepaard was gegaan met een huwelijksaanzoek, omdat haar weigering een publieke vernedering voor Simon zou betekenen.

'Moeten wij u erop wijzen, juffrouw Hamilton,' zei meneer Truebody, 'dat zulk gedrag niet wordt getolereerd in een nette maatschappij, en nog minder in een ziekenhuis waar u verantwoordelijk bent voor de meest kwetsbare kinderen?'

'Het was geen publieke demonstratie,' zei Berrie beverig. 'Het was een misverstand van Katie's kant. Ze gelooft dat elk teken van genegenheid tussen een man en een vrouw een teken van huwelijk is.'

'Ik ben een redelijk man, juffrouw Hamilton, en zeker bereid in overweging te nemen dat dit citaat afkomstig is van een patiënte,' verklaarde meneer Truebody. 'Ik heb het op me genomen om contact te zoeken met meneer MacFarland. Hij is uiteraard niet verplicht om hierheen terug te keren, want hij wordt niet wettelijk vervolgd voor zijn acties tegen u, tenzij u de politieman hier en nu vertelt dat meneer MacFarland u zijn attenties heeft opgedrongen?'

Ze keek naar de grond en schudde haar hoofd.

Meneer Truebody zuchtte en legde de papieren op het bureau recht. Hij keek Berrie niet aan. 'Gezien het feit dat meneer Habgood gearresteerd is, is wat tussen u en meneer MacFarland gebeurd is van minder belang. Toch moet de commissie geloven dat u de zuiverste deugd bezit. Niet alleen moet de commissie het geloven, maar de families van uw leerlingen moeten het ook geloven. Een eenmaal kwijtgeraakte goede naam is moeilijk terug te krijgen.'

'Er is toch wel een manier om dit op te lossen.' Haar stem was schor van het brok in haar keel. 'Niet alleen voor mijzelf, maar zeker ook voor meneer Habgood. Misschien was het slachtoffer helemaal geen slachtoffer, maar had ze ten onrechte de indruk ongepaste aandacht van hem te hebben ontvangen. Voor sommige van onze gevoeligste leerlingen kan een blik al een belediging zijn.'

'Het slachtoffer was niet een van uw bewoners,' beweerde meneer Flegge. 'Ze is volledig in staat onweerlegbare feiten te verklaren.'

Als Berrie ook maar even had gedacht dat Tessie de verklaring had afgelegd en dat haar familie haar daarom was komen halen, dan verwierp ze dat nu. 'Mag ik de naam van dit slachtoffer weten?'

Meneer Truebody stak een hand op in de richting van meneer Flegge, waarmee hij hem effectief het zwijgen oplegde. 'Die is alleen bekend bij degenen die bij de zaak betrokken zijn, uit achting voor de waardigheid van het slachtoffer. Wij hebben het van de hoogste instantie dat deze vrouw goed bij haar verstand is en zal getuigen dat ze aangerand is door ene meneer Duff Habgood. Onder het dak van Escott Manor, een zogenaamd toevluchtsoord voor de onschuldigen.'

'Neem me niet kwalijk dat ik het zeg, maar beschermt de gerechtigheid alleen de waardigheid van het slachtoffer en niet die van Escott Manor, dat ook vrij is van blaam?'

'Vrij van blaam, juffrouw Hamilton? Al zou blijken dat u onschuldig was aan de persoonlijke overtredingen die in het nieuwsverslag worden aangevoerd, dan nog hebt u getoond weinig mensenkennis te hebben, door iemand in dienst te nemen die in staat is tot zo'n gruwelijke daad. Zoals ik al waarschuwde toen u uw verzoek indiende, een schandaal moet ten koste van alles worden vermeden.'

Meneer Truebody stond op en keek streng op Berrie neer. Zijn huid glom hypnotiserend met zijn ziekelijke bleekheid. 'En daarom eis ik dat u uit het Escott Manor Ziekenhuis voor Geestelijk Gehandicapten vertrekt totdat de waarheid is uitgezocht, zowel over uw wangedrag als dat van meneer Habgood. Fondsgelden worden uiteraard ingehouden hangende de ontwikkelingen van meneer Habgoods proces.'

'Vertrekken?' Het woord was nauwelijks meer dan een fluistering. Door een nevel van ellende drong zich nog een ander woord op. 'Hangende? Als meneer Habgood onschuldig is, is er dan nog een kans dat de school blijft voortbestaan?'

Meneer Truebody zette zijn bril af, zijn lange, smalle gezicht vol bekrompen deugdzaamheid. 'Ik ben verantwoording schuldig aan weldoeners, juffrouw Hamilton, evenals aan de Krankzinnigheids-commissie. Het zal van hen afhangen. U kunt er zeker van zijn dat als meneer Habgood schuldig wordt bevonden, en daar wijst op dit moment alles op, Escott Manor inderdaad zijn deuren zal sluiten.'

47

Rebecca zag de taxi wegrijden van de Hall, die Aidan meenam met de ene tas die hij had meegebracht. Padgett zwaaide en huilde, maar haar moeder knuffelde haar om de tranen te verdrijven. 'Over een poosje zijn we weer bij elkaar, liefje.' De woorden die als troost voor Padgett waren bedoeld, drongen maar langzaam door.

Of misschien was het iets anders, iets wat zelfs Padgett kon onderscheiden. Rebecca merkte op hoe onnauwkeurig de belofte was en vroeg zich af hoelang het zou duren voordat Dana klaar was om het leven waarmee ze in het Verenigd Koninkrijk was aangekomen weer op te pakken. De afgelopen twee dagen had Aidan discreet zijn best gedaan om haar over te halen, daarbij goed oplettend dat Padgett niet alles hoorde. Het was Rebecca duidelijk. Hij wilde Dana bij zich hebben.

En het was even duidelijk dat Dana hetzelfde wilde, maar ze had niet aan Rebecca verteld waarom ze het niet liet gebeuren.

Voor zover Rebecca wist, hadden ze Padgett niets verteld over de komende gezinsuitbreiding. Er was natuurlijk nog tijd genoeg. Dana had gezegd dat ze waarschijnlijk een paar maanden heen was. Ze had ermee ingestemd naar de dokter te gaan en ze had een afspraak voor morgenmiddag.

Toen de taxi uit het zicht was, gingen ze weer naar binnen. Helen kwam Padgett halen, ze mocht helpen scones bakken voor de Victoriaanse afternoontea die een paar weken geleden was besproken. Nog één laatste oefenronde met de nieuwe garderobe, nu later in de week de Featherby-jury werd verwacht.

'Wil je iets?' vroeg Rebecca. 'Thee? Een hapje eten?'

Dana schudde haar hoofd. Tijdens Aidans bezoek had ze beter gegeten en was ze zelden misselijk geweest, maar ze moest zor-

266

gen dat haar maag niet leeg raakte.

'Ik wil praten,' zei Dana, terwijl ze voorging naar de kleine voorsalon. Het was vandaag mooi weer, dus de gastvrouwen zouden de afternoontea op de veranda presenteren. 'En nu wil ik het eens niet over mezelf hebben.'

Rebecca ging zitten. 'Als jij ook praat,' waarschuwde ze. 'Een eerlijke ruil.'

Dana haalde haar schouders op. 'Je hebt er geen woord over gezegd waar Quentin zich schuil heeft gehouden in de paar dagen dat Aidan er was. Waar is hij?'

'In Londen, denk ik.'

Dana fronste. 'Bij lady Caroline?'

Rebecca probeerde achteloos haar schouders op te halen, maar het was een gespannen, spastische beweging. 'Ik weet het niet. Ik zal niet zeggen dat hij "bij" haar is – dat zou niet eerlijk zijn tegenover het geloof dat hij getoond heeft, hè? Maar ja, bij haar...' Ze zweeg, haar keel werd dichtgeschroefd; omdat ze wist dat haar stem bij het volgende woord zou gaan trillen, maakte ze haar zin niet af.

'Heeft hij gezegd dat hij voor haar gekozen heeft? Is hij daarom weggegaan?'

'Niet precies. Ik ben degene die geopperd heeft dat hij moest gaan, om vast te stellen of die relatie echt afgelopen is.' Ze keek Dana strak aan en bracht onder woorden wat ze wilde voelen. 'Ik ben er niet rouwig om.'

'Natuurlijk niet. Je moet het weten.'

Rebecca knikte.

'Hij komt wel terug,' fluisterde Dana. Het waren precies de woorden die Rebecca tegen zichzelf wilde zeggen, maar niet deed.

Ze knipperde tegen plotselinge tranen en lachte. 'Natuurlijk. Hij woont hier.'

'Je weet wat ik bedoel.'

'Misschien.' Rebecca haalde diep adem. 'Hoe dan ook, ik heb erover nagedacht wat ik verder ga doen. Ik moet natuurlijk blijven tot de Featherby-jury is geweest. Daarna bel ik mijn vader. Al sinds ik van school af ben, wil hij graag dat ik bij hem kom werken, en ik denk dat het tijd wordt om hem aan dat aanbod te houden.'

'Wat? Je – je wilt het landgoed verlaten? Dat kun je niet doen!' Rebecca lachte vreugdeloos. 'Natuurlijk wel; we leven niet meer in de middeleeuwen. Ik kan het leengoed verlaten wanneer ik maar wil.'

Dana schudde haar hoofd. 'Maar honderden jaren lang hebben er Seabrookes onder dit dak gewoond.'

De tranen die ze weg had willen knipperen begonnen weer te prikken. 'Wat kan ik anders doen, Dana? Toekijken hoe hij hier een gezin grootbrengt?'

Dana wilde iets tegenwerpen, haar misschien geruststellen dat dat niet zou gebeuren, maar ze zweeg. Misschien had ze door Rebecca's aversie tegen loze beloften geleerd dat ze die zelf ook niet wilde horen.

'Zo,' zei Rebecca, een beetje te hard. Ze slaagde erin het brok in haar keel door te slikken. 'En jij, Dana? Waarom ben je niet met je man mee teruggegaan naar Ierland?'

'Ik wilde wel,' zei ze zacht. 'Echt. Ik kon het alleen niet. Nog niet. Niet om hem; dat heb ik hem ook gezegd. Maar wat moet ik daar, behalve in mijn eentje tobben over alles? Hij maakt afgrijselijk lange dagen. Voor Padgett heb ik mijn zorgen alleen kunnen verbergen omdat jij me hielp. Als ik de hele dag alleen zou zijn met haar, elke dag... dat wil ik haar niet aandoen. Dat kan ik niet, niet voordat ik een beetje gewend ben aan de toestand.'

Dana sloot haar ogen, maar haar tranen trokken twee glinsterende strepen over haar gladde wangen. 'Ik weet dat er hoop is, maar ik voel het niet.' Ze deed haar ogen open. 'Hij verdient een gezond kind, wat elke andere vrouw behalve ik hem zou kunnen geven.'

Rebecca gleed van haar stoel, ging naast Dana zitten en trok haar tegen zich aan. 'Hij heeft jou en hij heeft Padgett, en zo te zien maakt dat hem al heel gelukkig. Wat in de toekomst ligt, zal nog meer zegen zijn.'

'Een zegen? Cosima noemde het een vloek, en op het moment ben ik het met haar eens.'

Ze begon te huilen en Rebecca zei niets, bood alleen haar schouder. Ook haar prikten de tranen in de ogen, om Dana en om haarzelf. Weer bleek hoop een vijand te zijn. Dana hoopte op een gezond kind, Rebecca op een echtgenoot.

Zelfs de Bijbel erkende wat Rebecca voelde. *Almaar onvervulde hoop maakt ziek.*

48

*Cosima, ik kan je niet zeggen hoe ik in paniek raakte, en hoe ik me
schaamde. Hoe kon dit gebeuren? Duff gearresteerd en mijn eigen goede
naam bezoedeld? Voor mij geeft het niet, maar de school moet gered
worden!*

*Ik verliet meneer Truebody's kantoor om wanhopig op zoek te gaan
naar Duff en de waarheid te weten te komen. Hij moet vrijgesproken
worden. Die goeie Jobbin bracht me meteen naar Dublin. Er zijn drie
gevangenissen in de stad en meer armoede dan ik me had kunnen indenken. Maar God was bij me, probeerde ik mezelf de hele dag voor te
houden. In het tweede openbare tuchthuis kreeg ik de verzekering dat
Duff er opgesloten zat. Ik vroeg hem te spreken en kreeg te horen dat het
bezoekuur al voorbij was, en dus moet ik morgenochtend terugkomen.*

*Morgen. Ach ja, morgen moet ik ook vertrekken uit de school. Ik wil een
kamer nemen in de Quail's Stop Inn tot dit afschuwelijke misverstand
is opgelost.*

*Nog nooit heb ik zo intens gebeden om leiding. Ik keek in de gezichten
van onze kleintjes om welterusten te zeggen, terwijl ik eigenlijk vaarwel
bedoelde. Ik keek in Katie's argeloze ogen; als zij haar woorden maar
voor zichzelf had gehouden, dan had althans een deel van onze moeilijkheden niet bestaan. Ik kan het haar niet kwalijk nemen; ze heeft
er geen kwaad mee bedoeld. Ik kan het haast niet verdragen. Schiet ik
tekort in de ene taak die onze God me heeft toegewezen?*

*Binnenkort weet Simon ook dat de school op sluiten staat, maar ik kan
hem niet om hulp vragen.*

*Ik begon gisteravond te schrijven en ben op mijn bureau in slaap geval-
len. De inktvlek is vermengd met mijn tranen. Ik ben vanmorgen vroeg
vertrokken. Er was geen bericht van Simon, en daarom zal ik in die zin*

niet blijven hopen. Ik wilde als eerste in de rij staan van bezoekers aan
de gevangenis in Dublin. Duff was opgelucht toen hij me zag...

'Ik was bang dat u de beschuldigingen geloofde, juffrouw Berrie,'
zei Duff bij wijze van begroeting. Er was iets in hem veranderd
en Berrie vond het ongelooflijk dat het in zo'n korte tijd van op-
sluiting had kunnen gebeuren. Zijn halve gezicht was bedekt met
stoppels van enkele dagen, maar dat was niet half zo verontrustend
als zijn ketenen. Zijn polsen en enkels waren beide geboeid. Het
was een akelig gezicht en Berrie maakte haar blik ervan los, hoewel ze weinig troost vond in de diepten van de pijn in zijn ogen.

'Ik geloof er geen woord van, Duff, maar je moet me vertellen
wat er aan de hand is. Meneer Truebody heeft me heel weinig informatie gegeven en in de krant staat alleen dat een vrouw heeft
gemeld dat je haar aangerand hebt. Ze geven geen naam erbij. Wie
is het, Duff, die zoiets ongehoords beweert?'

Zijn donkere ogen, waar al bijna geen leven in stond, werden
nog doffer. 'Finola.'

Ze hapte naar adem. 'Finola O'Shea? Waarom, Duff?'

Hij schudde wanhopig zijn hoofd. 'Ik heb niks gedaan! Ik wilde
voor haar zorgen en voor haar kleintje, maar nooit heb ik haar
aangeraakt of een onbetamelijk woord gezegd.'

Er stond een brede tafel tussen hen in en Berrie kon hem niet
aanraken om hem te troosten, zeker niet nu zijn handen geboeid
waren. 'Ik geloof je, Duff. Maar we moeten het ophelderen, of
de toekomst van de school loopt gevaar. Waarom zou Finola dit
doen?'

'Ik heb geen idee!' Zijn gezicht, zijn stem, zijn afhangende
schouders toonden allemaal de smart achter zijn woorden. 'Ik – ik
wilde haar liefhebben, maar ik heb haar nooit aangeraakt. Ik zeg je
dat het de waarheid is.'

Berrie knikte. 'Dan zullen we het bewijzen, Duff. Hoe dan ook.
Ik heb al een brief geschreven aan mijn broer en schoonzus, om
om hulp te vragen.'

Hij schudde zijn hoofd. 'Ze willen een versneld proces vanwege mijn positie op de school. Het zal voorbij zijn voordat iemand uit Londen kan helpen.'

Hij had ongetwijfeld gelijk. Berrie stond op. 'De waarheid zal gehoord worden, Duff. Ik zal mijn best doen om te zorgen dat Finola de waarheid vertelt. Zij moet uitleggen waarom ze deze leugen in het leven heeft geroepen.'

Niets klopte meer. Als Duff onschuldig was, zoals Berrie met alles wat in haar was geloofde, waarom zou Finola dan zo'n beschuldiging indienen? Ze wilde stellig niet de school in gevaar brengen; die was haar toekomst! Ze wilde toch terugkomen als Conall groot genoeg was? Ze had er niets bij te winnen, alleen een toekomst te verliezen, met zulke valse beschuldigingen.

Berrie moest haar vinden. Berrie kon zich niet herinneren of ze ooit had verteld in welke stad ze vroeger had gewoond, en waar haar broer nog woonde. Zelfs Duff wist alleen dat Finola uit het graafschap Dublin was gekomen, ergens ten noorden van de stad. Misschien wist Cosima waar haar nicht te vinden was, maar Berrie had geen tijd om te wachten op brieven of om heen en weer te reizen tussen Dublin en Londen. Dus ze vroeg Duff de naam van de advocaat die hem zou vertegenwoordigen, en de gerechtsdienaar vertelde haar waar ze hem kon vinden. Tot Berrie's opluchting kon Jobbin haar er zonder uitstel heen brengen. Helaas was de advocaat in zijn kantoor niet te vinden, maar een klerk vertelde haar dat hij binnen een paar uur terug zou komen. Ze vroeg de klerk, een vriendelijke jongen met een rond gezicht, of ze de verblijfplaats mocht weten van iemand die genoemd werd in een rechtszaak tegen een van hun cliënten.

Ogenblikkelijk verloor de klerk de jeugdige onschuld die ze hem had toebedacht. Hij werd voor haar ogen ouder en koud, en verklaarde dat ook al was de advocaat wel aanwezig geweest dergelijke informatie niet bekendgemaakt kon worden. Toen liet hij haar uit, hoewel ze de deur best zelf had kunnen vinden.

Dit ging niet eenvoudig worden, maar Berrie weigerde te geloven dat het een onmogelijke taak was. Het gedrag van de klerk maakte haar duidelijk dat het geen zin had om de advocaat op te zoeken die Finola eens had vertegenwoordigd namens haar broer, om de helft van het landgoed te eisen. Dat kantoor zou zich net zo beschermend opstellen tegenover zijn cliënten als dit.

Finola had een vriendin in Dublin wonen. Berrie wist nog hoe ze heette – Nessa O'Donnell-O'Brien – en hoe Finola het ritme van die naam had gezongen. Nessa zou weten waar ze Finola kon vinden, en met een beetje geluk logeerde Finola nog steeds bij haar.

Maar hoe kon ze in een grote stad iemand vinden met zo'n gangbare naam als O'Donnell? Ze vertelde Jobbin wat het probleem was. Het enige wat ze wist, was dat de vrouw niet onbemiddeld was, want Finola en zij hadden elkaar in Finola's welvarender kindertijd ontmoet op een meisjesschool aan de noordkant van de stad. Jobbin tikte aan zijn pet en gebaarde met de glimlach van een man die weet wat hij doet, dat Berrie weer in de wagen moest gaan zitten. Een Nessa O'Donnell-O'Brien met weinig geld zou moeilijk te vinden zijn in een stad als Dublin. Maar een Nessa O'Donnell-O'Brien met iets meer dan een bescheiden huisje en afkomstig van een bepaalde meisjesschool? Hij kende de pubs in de rijke en arme buurten, en in beide kwamen mensen die hun buren kenden. Als ze rijk was, zou het nog makkelijker zijn. Hij schatte dat ze mevrouw O'Donnell binnen twee uur zouden vinden.

Misschien vond Jobbin het een snelle zoektocht, maar voor Berrie, die in de wagen zat te wachten terwijl hij de ene pub na de andere bezocht, werd het bijna ondraaglijk. Ze werd almaar ongeruster, vooral toen de oudere man een whiskykegel begon te krijgen.

'Ik moet natuurlijk wel een glaasje nemen,' zei hij tegen haar. 'Wie zou me anders informatie toevertrouwen, onschuldig of niet?'

Ze ontving de mededeling stilzwijgend en voegde een nieuw

gebed toe aan haar lange lijst: dat Jobbin nuchter mocht blijven. Toch zocht ze naar een wankeling in zijn stap of een slip van de teugels als hij de wagen bestuurde.

Haar gebed werd verhoord voordat ze iets onberispelijks in Jobbins gedrag bespeurde. Na een half dozijn pubs in de noordelijke buurten had hij de zoektocht teruggebracht tot de meisjesscholen, en toen tot de families O'Donnell en O'Brien. Het duurde niet lang of Jobbin hield stil voor een huis van drie verdiepingen in een respectabele buurt. Dankbaar liet Berrie zich uit de wagen helpen. De bescheiden wagen van Escott Manor was geen Hamilton-rijtuig, maar Berrie wist zich te gedragen of het wel zo was.

Er deed een dienstmeisje open en Berrie zou haar een visitekaartje hebben gegeven als ze zulke gewoonten en bezittingen niet had achtergelaten aan de andere kant van de Ierse Zee. Dus Berrie vertelde het dienstmeisje hoe ze heette en vroeg of mevrouw O'Donnell thuis was en een kort bezoek kon ontvangen. Berrie kreeg te horen dat ze moest wachten.

Bij de voordeur kon Berrie niet veel horen van wat er gaande was achter de vestibule. Als Finola er inderdaad was met kleine Conall bij zich, dan waren ze een dutje aan het doen of misschien buiten in de tuin, als zo'n groot herenhuis die had. Het was bescheidener dan het Londense herenhuis dat Berrie haar hele leven had gekend, maar heel mooi. Donker houtwerk sierde de hal en de trap aan de linkerkant, en rechts zag ze een salon gemeubileerd met dik gestoffeerde stoelen, een bank en een piano. Zo ver Berrie kon zien waren alle meubelpoten modern bekleed.

Het dienstmeisje kwam terug en bracht Berrie naar de salon. 'Mevrouw O'Donnell komt zo bij u, juffrouw,' zei ze. 'Mag ik u een kop thee brengen?'

'Nee, dank je,' zei Berrie, ondanks haar verlangen naar iets warms en kalmerends. De gedachte aan iets in haar rommelende maag was tegelijkertijd aanlokkelijk en afstotelijk. 'Ik wil niet storen. Ik blijf maar enkele ogenblikken.'

Het dienstmeisje maakte een revérence. 'Goed, juffrouw.'

De kamer huisvestte een assortiment curiosa en even zag Berrie Conall voor zich, met zijn onvaste gang en zijn onvermogen om het woord nee te begrijpen, de aantrekkingskracht die glimmende dingen als kristal en porselein op hem uitoefenden. Hij zou hier alles in gevaar brengen.

'Juffrouw Hamilton?'

Berrie draaide zich om toen ze de vragende stem hoorde en zag een vrouw binnenkomen van haar eigen leeftijd. Ze was knap; ze had kleine ogen en een smalle neus, maar haar glimlach eiste alle aandacht. Hagelwitte rechte tanden waren het toonbeeld van gezondheid.

'Ik hoor dat u een paar vragen voor mij hebt, alleen geloof ik niet dat wij de eer hebben elkaar te kennen.'

'Als ik in de juiste woning ben, hebben we een gemeenschappelijke vriendin: Finola O'Shea.'

Het lichtbruine haar van de vrouw was streng achterover getrokken zodat haar aantrekkelijke glimlach die mooie tanden en haar gulle mond toonde. 'Is Finny ook een vriendin van u? Wat aardig. Ik ken haar al bijna mijn hele leven. Hoe komt het dat u haar kent en dat u en ik elkaar toch nooit hebben ontmoet?'

'Finola en ik zijn nieuwe kennissen. We hebben een band via Escott Manor, waar ze korte tijd heeft gelogeerd. Tussen haar bezoeken hier in, geloof ik. Is Finola misschien nog hier?'

'O nee. Ze heeft haar broer gevraagd of ze weer thuis kon komen, en hij vond het goed. Eerlijk gezegd weet ik niet waarom Thaddeus Finny heeft laten terugkomen. Edelmoedigheid zit niet in zijn aard.'

'Haar broer moet van gedachten veranderd zijn,' zei Berrie.

Nessa O'Donnell schraapte ironisch haar keel. 'Ik neem aan dat u Thaddeus nooit hebt ontmoet?'

Berrie schudde haar hoofd.

'Hij lijkt zo erg op zijn vader dat je zou gaan twijfelen aan de wijsheid van God, omdat Hij niet één maar twee van zulke mannen heeft geschapen.'

275

'Ze logeert natuurlijk maar tijdelijk bij hem,' zei Berrie, 'tot Conall twaalf jaar is. Dan kan ze terugkomen naar Escott Manor, als zich niets anders heeft voorgedaan.'

'Ach ja, Finny vertelde me over dat aanbod van de directrice. Zo jammer dat ze niet meteen mochten blijven. Het duurt nog acht jaar voordat Conall twaalf is.'

Berrie stond verbaasd over de openhartigheid van de vrouw. Ze was vast niet op de hoogte van de beschuldigingen die Finola tegen Duff had ingediend. Anders was ze er zeker over begonnen toen Berrie het verband met Escott Manor bekendmaakte – de plaats waar Finola's vermeende aanvaller werkte. Berrie besloot voor zich te houden dat zij de directrice was. 'Ik vroeg me af of u me kunt vertellen hoe ik Finola zou kunnen bezoeken?'

Ze staarde Berrie aan. 'Het verbaast me dat u dat niet weet, als u vriendinnen bent.'

'Ze wist waar ze me kon vinden, en aangezien haar plannen onzeker waren toen ze Escott Manor verliet, heeft ze nog niet de moeite genomen om me een nazend-adres te sturen.'

Dat klonk logisch genoeg, zelfs in Berrie's oren. Mevrouw O'Donnell vertelde haar waar het huis van O'Shea te vinden was, een uur ten noorden van Dublin. Op weg naar buiten wilde Berrie nog één vraag stellen zonder de oudere vrouw te alarmeren.

'Zeg eens, mevrouw O'Donnell,' zei Berrie, 'heeft Finola het ooit gehad over een man die Duff Habgood heet, een van de mannen die op Escott Manor werken?'

Mevrouw O'Donnell schudde haar hoofd. 'Finny praat nooit over mannen, nadat haar man hun huwelijk heeft laten nietig verklaren. Ze beloofde zichzelf er nooit meer een te vertrouwen, en het is niets voor Finny om terug te komen op een belofte, en zeker niet een belofte aan zichzelf. Waarom vraagt u dat?'

'Ik dacht dat meneer Habgood en zij bevriend waren,' zei Berrie en daar liet ze het bij. Ze wenste mevrouw O'Donnell een goede dag en ging naar buiten, waar Jobbin wachtte met de wagen.

Ze gaf hem aanwijzingen naar het herenhuis van O'Shea. Ze

zouden er niet voor donker aankomen, maar daar was weinig aan te doen. Ze kon niet nog een dag wachten.

Berrie leunde achterover en overdacht de informatie die ze had ontvangen. Na haar vertrek van Escott Manor was Finola naar het huis van de O'Donnells gegaan. Als Duff haar zogenaamd aangerand had toen ze op de school verbleef, en als Finola en mevrouw O'Donnell zulke intieme vriendinnen waren als mevrouw O'Donnell schilderde, zou Finola haar dan niet in vertrouwen hebben genomen? Vooral als ze het voorval openbaar wilde maken door aangifte te doen tegen Duff?

Berrie was er zekerder van dan ooit dat er geen aanranding had plaatsgevonden, maar zelfs als er iets ongepasts gebeurd was tussen Duff en Finola, en het was gebeurd *nadat* Finola de school had verlaten, maakte dat dan verschil? Hij was in Dublin geweest, op zoek naar gezinnen die hun school nodig hadden. Was hij Finola toevallig tegengekomen, en had ze een eenvoudige begroeting ten onrechte aangezien voor meer dan het was? Duff bekende dat hij verliefd op haar was geweest; misschien was hij zichzelf vergeten en had hij haar bij de eerste aanblik in zijn armen gesloten. Misschien was Finola zo verbitterd over mannen in het algemeen, door de manier waarop haar echtgenoot haar had behandeld, dat ze wraak nam op Duff. Een onschuldig surrogaat voor het onrecht dat haar man haar had aangedaan.

Zulke theorieën overdacht Berrie terwijl Jobbin de wagen in een flink tempo naar de noordkant van de stad reed. Het was meer dan ooit van essentieel belang dat Berrie Finola te spreken kreeg, om haar te doen inzien hoe de school hierdoor in moeilijkheden was geraakt. Het bracht Finola's eigen welzijn in gevaar, niet alleen dat van Duff, als ze nog hoopte dat de school in de toekomst een rol voor haar kon spelen.

Als Berrie Finola niet kon overhalen deze beschuldiging in te trekken, dan kon alles verloren zijn.

49

De telefoon ging. Rebecca keek naar de klok. Bijna elf uur. Quentin zou...

Ze haastte zich om op te nemen en liet de hoorn bijna uit haar onvaste handen vallen. Ze slaagde erin kalm goedenavond te zeggen, en het drong pas even later tot haar door hoe teleurgesteld ze was toen de stem aan de andere kant van een vrouw bleek te zijn. Ondanks dat was ze helemaal wakker door de adrenaline die door haar heen geschoten was. Rebecca had achter haar bureau gezeten, daarnet nog bijna te moe om te werken, maar ze moest een paar dingen inhalen voor het bezoek van de jury morgen.

'Is Dana er?' vroeg de vrouw na haar begroeting.

'Dana? Ja, ze is er, maar dan moet ik haar halen; ze is al naar bed. Met Rebecca Seabrooke. Mag ik vragen met wie ik spreek?'

'O, Rebecca! We hebben nooit rechtstreeks gecorrespondeerd. Ik ben Dana's zus, Natalie Ingram.' Even was het stil en er klonk een lichte echo op de lijn. 'Het spijt me, het is bijna elf uur bij jullie, hè? Ik heb het zo druk gehad dat ik er niet bij nagedacht heb.'

'Als je even wacht, ga ik kijken of ze wakker is.' Rebecca schoot overeind uit haar stoel.

'Nee, doe maar niet.'

Rebecca pakte de hoorn weer vast, haar bewegingen waren nog krampachtig, door de emotie die niets te maken had met het telefoontje. 'Wat zei je?'

'Maak haar maar niet wakker. In haar toestand heeft ze alle rust nodig die ze kan pakken. Ik belde alleen om haar te laten weten dat ik kom. Ik heb nog duizend dingen te doen voordat mijn moeder er is om op de kinderen te passen. Zeg maar tegen Dana dat ik morgenavond om deze tijd op de stoep sta.'

'Dus je weet het van de baby?' Rebecca haalde nu weer rustig adem. Ze ging weer zitten.

'Aidan belde een paar dagen geleden. Hij is behoorlijk ongerust over haar.'

'Ja, ik ook.'

'Ik weet niet of ik iets kan doen, maar ik kom om zo veel mogelijk steun te bieden. En om te kijken of ik haar kan overhalen om zo gauw mogelijk terug te gaan naar Aidan in Ierland.'

'Dat is fantastisch. Dana vertelde me dat jij zelf zo'n zwangerschap hebt meegemaakt, zonder te weten wat de toekomst brengen zou.'

'De langste maanden van mijn leven. Ik ben het levende bewijs dat de kans van vijftig procent reëel is, maar uit wat Aidan zei, maakte ik op dat ze denkt dat het honderd procent gegarandeerd is dat ze een kind met fragiele X krijgt.'

'Dat heb je goed ingeschat, denk ik.'

'Zeg maar tegen die zus van me dat elke minuut dat ze zich zorgen maakt een verloren minuut is. Ach, laat maar zitten ook. Ze luistert naar jou net zomin als naar mij. Zeg maar gewoon dat ik kom. Nog één ding, en dan moet ik gaan. Dit is een beetje pijnlijk. Ik vraag niet graag om een gunst, maar Aidan scheen te denken dat ik best bij jou en Dana kon logeren. Vindt de – je weet wel – de eigenaar dat goed? Ik weet niet of een tig geslachten verwijderde nicht als familie geldt, en ik wil niet tot last zijn.'

'Het is prima,' zei Rebecca. Wat bood ze gemakkelijk onderdak aan, terwijl het heel goed mogelijk was dat ze binnenkort niets meer te zeggen had over het gebruik ervan.

Natalie nam afscheid en Rebecca hing op. Dana's zus mocht misschien niet alles in orde maken, maar Rebecca vermoedde dat ze het zeker ging proberen.

Ik zet mijn brief voort op een heel onverwachte plek, Cosima – bij Jobbin in de wagen. Je zult het nauwelijks geloven als ik je alles vertel wat ik te zeggen heb. Ik kan je alleen maar vragen om te bidden. Hoe kan God me verlaten als de school, en daar ben ik nog steeds van overtuigd, Zijn plan was? O, Cosima, is alles verloren? Heb ik werkelijk zo ellendig gefaald?

Toen Jobbin de wagen tot stilstand bracht, gluurde Berrie door het canvas heen en wenste meteen dat de reis nog niet voorbij was. Op het eerste gezicht scheen het huis weinig meer te zijn dan een berg afbrokkelende steen. Sterker nog, de hele omheining was in puin, en de doorgang naar de voordeur zag er zo onveilig uit dat Berrie het een onverstandig idee vond om eronder te gaan staan. Hier woonde Finola toch niet met haar broer? Aan de andere kant van de bouwvallige omheining, tussen het huis en het hek, groeide een tuin waar Berrie's familie collectief de rillingen door zou krijgen. Overwoekerd, vergeven van onkruid, zo'n dicht oerwoud dat geen enkele plant ontward kon worden van een andere, laat staan bewonderd. Een boom die allang dood was en verstoken van schors, hield toezicht als getuigenis van wat er moest worden van de rest van de verwaarloosde grond aan zijn voeten.

'Wacht hier, juffrouw,' zei Jobbin, en Berrie gehoorzaamde maar al te graag. Ze was bang geweest dat meneer Truebody het niet goed zou vinden dat ze Jobbins tijd en zijn wagen gebruikte. Maar Jobbin had haar verzekerd dat het zijn eigen tijd was en zijn eigen wagen, mocht de kantonrechter hem onder de aandacht brengen dat zij niet langer zijn werkgeefster was. Ze was hem dankbaar. 'Ik kijk of we het goede huis hebben en ik kom zo terug om u te halen.'

Ze zag hem door het piepende hek naar binnen gaan; het had

opengestaan en weigerde dicht te gaan op zijn pogingen. Al snel werd hij opgenomen door de tuin, om opnieuw te verschijnen aan de andere kant onder de vervallen doorgang die eens een vriendelijk welkom was geweest voor iedereen die de hoge houten deur naderde. Haar hart bonsde terwijl hij onder de doorgang stond en luid aan de deur klopte. Ze was er zeker van dat alles zou instorten als er geen stevige ranken tussen de barsten kronkelden en de groene mortel de doorgang niet zijn laatste restje kracht gaf.

Hoewel ze het kloppen in de wagen helemaal hoorde, deed er niemand open. Hij wachtte, klopte nog een keer en wachtte. Toen draaide hij zich om, wandelde terug onder de doorgang vandaan en verdween opnieuw in het dichte, wilde bos. Ze zag zijn kale hoofd en hij kwam af en toe tevoorschijn als een vreemd soort loopvogel, een vogel die niet kon vliegen maar alleen van plek naar plek hoppen.

Toen hij om de zijkant van het huis heen liep, was hij helemaal verdwenen, en ze leunde achterover om te wachten. Het was een koele dag en het beloofde nog koeler te worden als de zon onderging. Al was dit het goede huis, en al kon ze met Finola praten, het zag ernaar uit dat ze deze nacht in de wagen moesten doorbrengen. Ze waren in de buurt langs geen enkel logement gekomen en ze had geen idee waar ze er een kon vinden. De vloer van de wagen zou het ruwste bed zijn dat ze ooit had gekend, en ze had een lege maag, maar daar maakte ze zich geen zorgen over. Jobbin was degene aan wie ze dacht. Hij zou onder de sterren moeten slapen, of onder de wagen zelf als de sterren ruimte maakten voor regenwolken.

Ze maakte van het eenzame ogenblik gebruik om te bidden, want ze wist dat er niet minder dan Gods hand voor nodig was om de waarheid aan het licht te brengen. Ze bad of Hij haar bij de zoektocht naar die waarheid wilde bijstaan.

Het duurde niet lang voordat ze Jobbin hoorde roepen, gevolgd door het wiebelen van de wagen toen hij opstapte.

'Alles is goed, juffrouw. Ik zet de wagen aan de andere kant. Een ogenblik.'

De wagen schokte naar voren en ze gluurde naar buiten om te kijken waar ze heen gingen. Naast het vervallen herenhuis liep een bochtige laan, die afdaalde naar een uitzicht op het groene Ierse landschap dat nog mooier was dan aan de achterkant van Escott Manor. Daar stonden te vaak bomen in de weg. Hier zag ze een brede horizon waarlangs de zon strepen schilderde, en waaronder eindeloze vierkante kussens van gewassen en weilanden in verschillende tinten groen waren, verdeeld door het gesnoeide kantwerk van nette hagen.

Algauw bracht Jobbin de wagen tot stilstand, en Berrie gleed naar de andere kant, waar hij wachtte om haar te helpen uitstappen. Staand op de treeplank keek ze naar het huis dat voor haar stond. Deze hoek bood een totaal andere aanblik. Keurige stenen gloeiden onder de oranje zonsondergang, en ramen met verticale stijlen glansden als evenzovele ogen die het beeld in zich opnamen. Het gazon was hier verzorgd, er groeiden geen bloemen en er waren geen dieren, maar het was netjes. Alleen de rand, waar stenen om de hoek piepten, wezen op de kwijnende uitwas die aan de andere kant vastzat. Waarom die niet was gesloopt en weggehaald, begreep Berrie niet.

'Ik kreeg te horen dat de familie niet thuis is, maar dat we binnen mogen wachten,' zei Jobbin toen ze naar de openstaande deur toe wandelden. De ruimte bleek een keuken te zijn met een hoge haard, een houten tafel, een gootsteen en planken langs een hele muur. De geur van brood in de oven deed Berrie het water in de mond lopen terwijl haar maag rammelde.

Een ouder dienstmeisje stelde zich voor als Moira en was bezig ingrediënten te verzamelen om bij de thee te serveren. Ze moest van dezelfde leeftijd zijn als douairière Merit, vermoedde Berrie, maar veel leniger en ze had een vlotte lach terwijl de douairière altijd nors keek. Ze babbelde over hoe fijn het was voor juffrouw Finola om bezoek te krijgen, dat ze zo verdrietig was sinds ze weer thuis was en dat dit haar zeker op zou vrolijken.

Berrie was er niet zo zeker van. Ze was hier om uitleg te vragen, om niets minder te doen dan Finola een leugenaar noemen en haar te smeken op te houden met de waanzin van een juridische strijd. Ze zou niet vertrekken voordat de waarheid boven tafel was.

Berrie vond dat ze de hartelijke gastvrijheid die Moira bood eigenlijk moest weigeren, want ze wist dat het dienstmeisje geen slok of kruimel zou aanbieden als ze wist waarom Berrie was gekomen. Maar haar rammelende maag stond het niet toe. Ze keek toe hoe Moira nauwgezet brood smeerde en gekookte eieren prakte met rode tomaten, ruimte maakte op een schaal met peperkoek en zandkoek. Het zag er allemaal heerlijk uit, vond Berrie, maar nu had ze alles lekker gevonden. Ze moest eten om van die zenuwachtige lichtheid in haar hoofd af te komen. Maar de thee was nog maar net getrokken of er stormde een jongen de keuken binnen, en Moira liet het uitgestalde eten vergeten op het aanrecht staan om naar hem te kijken.

'Ze zijn terug! O – pardon, juffrouw,' zei de jongen, die een versleten bruine broek droeg en een jasje dat een afdankertje van een paar jaar geleden moest zijn van een kind met rijke ouders, met een gerafelde kraag en afgerukte knopen. Hij keek van Berrie naar Moira.

'Dit is een vriendin van juffrouw Finola, Paddy. Kom eens een hand geven.'

De jongen zette grote ogen op, die haast even bruin waren als zijn jasje. 'Bezoek? Wat fijn – hè Moira? Fijn?'

'Natuurlijk!' Haar woorden waren bemoedigend, maar de rimpels in haar voorhoofd werden dieper.

Berrie zag de woordenwisseling met groeiende verbazing aan. Was het in dit deel van Ierland zo raar om bezoek te krijgen? Of alleen in dit herenhuis?

Er moest nog een andere ingang zijn behalve de keuken en de berg steen die ze daarstraks had gezien, want even later hoorde Berrie tumult van boven aan de trap die naar de rest van het huis voerde. Ze stond op, klaar om Moira te volgen die haar zou aankondigen als bezoek voor Finola.

'Ga zitten, ga zitten,' zei Moira met gedempte stem. 'Het is beter als u een ogenblik wacht, dan zal ik uw bezoek aankondigen.'

Ze verliet de keuken en ging langzaam de trap op.

Berrie kwam in de verleiding om haar achterna te gaan en zichzelf aan te kondigen. Maar toen ze dat wilde doen, stapte Paddy haar in de weg.

'Als u een vriendin van juffrouw Finola bent, zoals u zegt, dan kunt u beter hier op Moira wachten.'

'Waarom?'

Hij hield zijn hoofd schuin. 'U kent Finola niet erg goed, hè juffrouw?'

'Goed genoeg om haar een bezoek te brengen,' zei Berrie.

'Dan kent u misschien haar broer niet goed genoeg.'

Berrie overpeinsde of ze moest wachten of onaangekondigd gaan, maar iets in het gezicht van de jongen deed haar geloven dat het beter was om de aanwijzingen op te volgen. Het duurde niet lang voordat er voetstappen weerkaatsten uit de gang boven aan de trap en daar stond Moira, die haar zwijgend wenkte.

'Ze zijn boven in de salon,' fluisterde Moira. 'Maar ik kon uw naam niet noemen, juffrouw.'

'Heeft Jobbin – mijn koetsier – mijn naam niet aangekondigd?'

Moira haalde haar schouders op. 'Dan moet ik hem vergeten zijn.'

Berrie volgde het dienstmeisje en zag muren die nodig geverfd moesten worden en vloeren die net zo versleten waren als de tapijten die ze moesten verbergen. Ze passeerden een gewelfde doorgang naar een eetkamer, waar een lange tafel stond en maar drie stoelen, er was geen buffet en de muren waren ongeverfd, er stond zelfs geen scherm voor de haard. Kleine Conall kon in elk geval niets kapotmaken, maar wat hield hem weg bij het vuur?

Moira stond stil voor een hoge houten deur die kraakte in zijn scharnieren toen ze hem opendeed. Het enige wat Berrie zag in de schaars verlichte salon was een piano, een stel canapés en een tafeltje waar een lamp op stond. Twee hoge ramen aan de verste kant lieten licht naar binnen, maar ze waren zo dik in gordijnen gehuld dat het effect van zonlicht minimaal was.

'Cecily! Wat heerlijk om je te zien,' zei Finola, die naar voren stapte en Berrie's beide handen in de hare nam.

Berrie keek om zich heen wie Finola bedoelde. Ze zag alleen een man, die Thaddeus moest zijn, naast de piano staan. Hij was lang en mager, en zijn gezicht was overschaduwd in het gedempte licht.

Finola kneep zo hard in Berrie's handen dat ze ze wel los wilde rukken, maar Finola's greep was te sterk. Finola waarschuwde haar met haar ogen om het niet te doen. Haar huid, die altijd zo zuiver en smetteloos was, was kleurloos afgezien van de kringen onder haar ogen. Zelfs in het gedempte licht zag Berrie een vreemde, angstige waakzaamheid in die ogen.

'Je hebt nooit mijn broer Thaddeus ontmoet, hè Cecily?' Haar stem klonk hoger dan Berrie zich herinnerde, en ze deed hier vrolijker en levendiger dan ooit op Escott Manor, waar haar huid niet ontsierd was door vermoeidheid en haar wangen roze waren geweest. 'En we kennen elkaar al zo lang, het is een schande.'

Berrie wilde vragen wat er aan de hand was, waarom Finola zo raar deed en haar bij een andere naam noemde. Maar ze zou nog even wachten. Het was niet alleen Finola's vreemde gedrag dat haar waarschuwde. Wat belangrijker was, was dat er iets miste in het beeld. Waar was Conall?

'Thaddeus, dit is mijn vriendin, juffrouw Cecily Ferguson. Ces, dit is mijn broer Thaddeus.'

Berrie drukte hem de hand zonder de geringste poging om de verkeerde naam te verbeteren. Hij scheen niet bepaald blij haar te ontmoeten. Zijn neus stak scherp naar voren met een rustpunt dat gemaakt was voor een bril, zoals de brug tussen zijn wenkbrauwen uitstak. En zijn mond was te klein, zijn voorhoofd te breed. Katie zou zeggen dat zijn gezicht asymmetrisch was, en dat deed Berrie eraan denken waarvoor ze gekomen was en waar ze voor vocht. En waarom ze moest oppassen om niets over het hoofd te zien.

'Wat aardig om u te ontmoeten, meneer O'Shea. Nessa en Finola hebben over u gesproken, en nu ontmoeten we elkaar eindelijk.'

'O ja?' vroeg hij. 'Dus u kent Nessa ook. En ik moet geloven dat ze vriendelijk over me sprak?'

'Zo vaak ze uw naam genoemd heeft,' zei Berrie eerlijk, 'had haar mening over u niet duidelijker kunnen zijn. Ik kom net bij Nessa vandaan. Ze vertelde me dat u Finola had gevraagd om hier terug te komen, dus ik dacht eens langs te gaan omdat ik Finola net een paar dagen misgelopen was.'

'O ja? Bent u helemaal bij Nessa vandaan gekomen om Finola te zien?'

'Natuurlijk.'

'Dus die wagen daarbuiten, met die wachtende koetsier, is van u?'

Berrie knikte, maar met een zwaar hart. De list was al ontmaskerd. In Nessa's kringen reisde niemand met zo'n bescheiden vervoermiddel, noch zouden ze een uur reizen met niemand anders dan de koetsier als chaperonne en beschermer.

Thaddeus deed een stap dichterbij, veel te dichtbij voor een heer. Een intimiderende afstand, als Berrie makkelijk te intimideren was. Ze dwong zichzelf om te blijven staan waar ze stond.

Maar haar hoofd tolde van de zorgen en de drukte van de dag en het gebrek aan eten. 'Ik ben een vriendin van uw zus, meneer O'Shea, en ik zal het erg op prijs stellen als u ons de gelegenheid wilt geven om even te praten.'

Er was niets aangenaams in de grijns die bedoeld kon zijn als een glimlach. 'Mijn zus en ik zijn erg intiem,' zei Thaddeus. 'Ze zal uw bezoek graag met mij delen. Nietwaar, Finola?'

'Ik – ja, natuurlijk, Thaddeus. Maar ik weet zeker dat we je binnen een paar minuten zullen vervelen.'

'Onzin. Maar het is al laat en we hebben zojuist gedineerd bij een vriend, dus we hebben niet veel te bieden in de zin van voedsel.'

'Ik heb niets nodig,' zei Berrie.

Finola pakte Berrie's hand. 'Mijn broer heeft gelijk.' Haar stem klonk gespannen en ze keek recht voor zich uit. 'Het wordt inderdaad laat. Maar ik ben zo blij dat ik je zie, Cecily.'

'Ja, en ik om jou te zien.'

'U bent ver van Dublin,' zei Thaddeus. 'U hebt een groot risico genomen door hierheen te komen zonder te weten of u ons thuis zou vinden.'

'Ik sta bekend om mijn impulsiviteit, ben ik bang.'

'Een impulsieve vrouw is iemand die leert leven met veel spijt. Waar was u precies van plan de avond door te brengen als Finola niet thuis was geweest?'

'Ik was erg onder de indruk van uw huishoudster – Moira, heet ze geloof ik. Ik weet zeker dat ze onderdak voor me had gevonden.'

'Impulsief en vol vertrouwen,' zei Thaddeus. 'Maar u wilt me wel vergeven als ik eraan toevoeg: niet verstandig. Een vrouw zonder chaperonne, afhankelijk van de ruimhartigheid van een dienstmeisje? Tss, tss, u moet voortaan heus voorzichtiger zijn.'

Ze namen plaats op de twee canapés, Thaddeus tegenover de vrouwen. Finola klampte zich nog steeds aan Berrie vast en ze hadden hun armen verstrengeld.

'Het valt me op dat kleine Conall afwezig is, Finola. En ik had hem zo graag willen zien. Waar is hij?'

Finola's vingers drongen in Berrie's huid en als haar vingernagels langer en scherper waren geweest, dan had er bloed gevloeid. 'Bij een vriendin thuis,' zei Finola. 'Alleen vanavond. Omdat Thaddeus en ik uit dineren waren.'

'Ja,' zei Thaddeus. Hij leunde achterover en sloeg zijn ene been over het andere. 'We laten hem niet graag thuis. Moira doet het huishouden, maar ze wordt een dagje ouder en overziet alles niet meer zo nauwgezet als we wel zouden willen. Het kind is beter af onder de zorg van kritischer mensen. Dat begrijpt u vast wel, als u bekend bent met Conall en zijn stunteligheid.'

Ze slikte een vinnig antwoord in betreffende Conalls zogenaamde stunteligheid, wetende hoe moeilijk de meest eenvoudige taken waren voor kinderen zoals hij, en beperkte zich tot een knik.

'Je gaat zeker terug naar Nessa, hè Finola?' vroeg Berrie. 'Dat is deels de reden dat ik ben gekomen, om te zien of ik je kon overhalen om met me mee terug te gaan, in elk geval voor de duur van mijn bezoek.'

Thaddeus schudde zijn hoofd, maar Berrie was er zeker van dat Finola iets had willen zeggen. 'Finola heeft ermee ingestemd om weer thuis te komen wonen, en ze heeft afgesproken om hier toezicht te houden tot ik getrouwd ben. Een eerlijke ruil, vind ik, aangezien ik de enige erfgenaam ben maar haar welkom heb geheten in mijn huis.'

Het viel Berrie in dat hij geen enkele poging had gedaan om hun erfenis gelijkelijk te verdelen, zoals hij geëist had dat Escott Manor gelijkelijk werd verdeeld tussen Cosima en haar neven en nichten. Berrie kon er niet over beginnen zonder haar echte identiteit te onthullen en daarom zweeg ze. Er was vast en zeker een reden voor dat Finola niet wilde dat haar broer wist wie Berrie was.

'En hoe komt het, juffrouw... is het juffrouw?'

Berrie knikte.

'Juffrouw Ferguson dus?'

Weer knikte Berrie, en ze vroeg zich af of hij soms wachtte op een uitnodiging om haar net als zijn zuster Cecily te noemen.

'Hoe komt het dat u hier met zo'n bescheiden vervoermiddel bent aangekomen?'

'Mijn... familie had het rijtuig nodig, daarom heb ik de marktwagen genomen.'

'Hm, vreemd dat ze u zo'n noodzakelijk instrument laten gebruiken. En dat niet alleen, maar ze hebben u laten reizen zonder tenminste Nessa mee te nemen als chaperonne. Waarom is ze niet met u meegekomen?'

'Dat was ze van plan,' zei Berrie, in de hoop dat ze haar eigen web van leugens nog kon volgen, 'maar ze voelde zich niet goed toen ik vertrok, daarom ben ik alleen gegaan.'

'En u hebt een zieke vriendin achtergelaten om Finola te bezoeken? Wat merkwaardig.'

Berrie had geen antwoord, ze keek alleen van zijn doordringende ogen naar Finola's wanhopige gezicht. Ze had niets meer te bieden, niet de waarheid, geen leugens meer, niets. Het was duidelijk dat hij haar toch niet geloofde.

'Waarom vertelt u me niet wat u hier echt komt doen, juffrouw Ferguson? Als dat tenminste uw echte naam is?'

Ze probeerde te glimlachen. 'Ik weet werkelijk niet wat u bedoelt.'

'Ik bedoel dat vanaf het moment dat mijn zuster u Cecily noemde, uw verbaasde gezicht de eerste leugen onthulde. Wie bent u, en wat doet u hier?'

Berrie verstijfde en wilde niets liever dan vertrekken – maar om Finola mee te nemen. Er klopte hier iets niet, en wat het ook was, het maakte Finola bang.

'Ik ben niets meer dan een vriendin van uw zus,' antwoordde Berrie met vaste stem. 'En ik wil haar en Conall graag mee terug nemen naar Nessa. Vanavond nog. Onmiddellijk.'

'En zoals ik al heb uitgelegd, is dat onmogelijk. Nessa wil niet dat Conall daar woont, en Finola piekert er niet over om hem achter te laten.' Hij keek zijn zus aan. 'Of wel soms, Finola?'

'Natuurlijk niet.'

'En bovendien is Finola hier nodig.' Thaddeus keek weer naar Berrie. 'Dus ik ben bang dat u de reis voor niets hebt gemaakt. Mijn verontschuldigingen, maar er is niets aan te doen.'

Hij stond op en het was duidelijk dat hij verwachtte dat ze vertrok. Berrie draaide zich om naar Finola, die zich nog steeds aan haar vastklampte. Finola liet langzaam los, haar oogleden overschaduwden haar ogen.

Er spoelde een golf van angst door Berrie heen. Het was duidelijk dat deze broer de macht in handen had. De angst in Finola's ogen was onmiskenbaar. Voor het eerst in haar leven wenste Berrie dat ze een man was, zodat ze de waarheid met lichamelijke kracht boven tafel kon krijgen en deze broer kon intimideren.

Berrie wist één ding: ze ging niet weg zonder te weten wat er echt aan de hand was. Wat had ze te verliezen? De school liep toch al gevaar, net als haar reputatie. Als dat al verloren was, had ze niets meer te verliezen.

Die vrijheid gaf haar vleugels. Ze sprong overeind, klaar om van wal te steken met welke woorden er ook nodig waren om de waarheid uit deze man te krijgen.

Maar haar tong wilde niet gehoorzamen. Ze stond weliswaar op, maar het voelde alsof het bloed in haar lichaam was blijven zitten. Het werd haar zwart voor de ogen, haar knieën begaven het en ze stortte door diepe duisternis in een tollende kloof.

51

'Het gesprek was zo snel afgelopen dat het niet in me opgekomen is om aan te bieden haar van het station te halen,' zei Rebecca, toen ze de volgende avond voor het raam stond. Dana en Padgett zaten op de bank achter haar en speelden een spelletje Mens-Erger-Je-Niet dat vroeger van Quentin was geweest.

'Ze redt zich wel,' zei Dana. 'Dat heb je altijd met oudste kinderen, ze kunnen goed doen alsof ze weten wat ze doen, al weten ze het helemaal niet. Ze komt er wel uit.'

De telefoon ging en Rebecca nam op. Misschien was het Natalie, die belde vanaf het station. Als er geen taxi's beschikbaar waren, kon Rebecca er in haar Mini binnen twintig minuten zijn als de mist niet te dicht was. 'Hallo.'

'Rebecca.'

Het was Natalie niet, maar Quentin. De vlammen sloegen Rebecca uit. 'Hallo.' Het was raar om de begroeting te herhalen, maar er viel haar niets anders in.

'Ik ben er morgenochtend vroeg.'

Geen plichtplegingen, geen beleefdheidsfrasen. Een waarschuwing? De Featherby-jury werd verwacht voor de eerste rondleiding om tien uur. Kwam Quentin daarom – was dat de enige reden? Ze kreeg de vragen niet over haar lippen. 'Goed.'

'Is alles in orde?' Zijn toon was vriendelijk en maakte haar ervan bewust hoe ze hem had gemist. 'Is alles in orde met jou?'

Ze deed haar ogen dicht en haalde diep adem. Dit was de Quentin die ze kende. 'Ja.' Ze schraapte haar keel, en was zich er vaag van bewust dat Dana en haar dochter naar haar keken. 'Ik had je bijna eerder gebeld; dat was misschien beter geweest.'

'Ja?' Zijn stem klonk verrast of gretig, dat wist ze niet precies.

'Dana's zus komt naar Engeland. Vandaag. Op dit moment zelfs eigenlijk. Ze kan ieder ogenblik hier zijn. Ik hoop dat je het goed vindt dat ze een paar dagen boven logeert.'

Hij antwoordde niet meteen en ze vroeg zich af of hij teleurgesteld was dat dat alles was wat ze zei. Had hij gehoopt dat ze om een andere reden had gebeld? Maar dat zou ze nooit doen. Dat wist hij best.

'Het is prima,' zei hij uiteindelijk. 'Zeg maar dat ik me erop verheug haar te ontmoeten.'

'Ja, doe ik.'

Opnieuw was het stil. Rebecca wenste dat ze iets kon bedenken om te zeggen, iets grappigs of luchtigs, zodat hij niet merkte hoe wanhopig ze hem miste, hoe graag ze wilde weten wat hij dacht. Ze was er nooit goed in dat soort dingen te vragen.

'Tot morgen dan.'

'Ja.'

En toen hing hij op.

Ze hoefde Dana niet te vertellen dat ze Quentin aan de telefoon had gehad. Dat wist Rebecca meteen toen ze elkaar aankeken.

Al had ze de woorden kunnen vinden om te beschrijven hoe ze zich voelde, al had ze die willen uitspreken, al was Padgett er niet bij geweest om alles te horen, dan was er nog geen tijd voor geweest. De verwachte taxikoplampen schitterden op de laan en Dana en Padgett stonden al bij de deur voordat de taxi tot stilstand kwam.

De zussen omhelsden elkaar alsof ze een mensenleven gescheiden waren geweest, in plaats van alleen door een oceaan en een paar weken op de kalender. Rebecca had zonder introductie geweten dat deze vrouw Dana's zus was. Ze hadden allebei hetzelfde tarwekleurige haar en dezelfde schuine wenkbrauwen. Padgett gilde van blijdschap en lachte toen haar tante haar knuffelde en dicht tegen zich aan hield.

Ze gingen naar binnen, waar Helen chocolademelk en biscuits serveerde. Het duurde niet lang voordat zelfs de suiker Padgett niet langer wakker kon houden. Rebecca bood aan haar naar bed te brengen. Ze nam er uitgebreid de tijd voor, hielp haar met haar pyjama, hield toezicht op het tandenpoetsen en las twee verhaaltjes voor in plaats van één. Ze vertelde Padgett over God, Die de zon en de maan en de sterren had gemaakt, en dat Hij altijd bij hen was, ook als ze sliepen. Padgett vroeg zich af wanneer ze naar de hemel gingen, zodat ze God konden vragen hen in te stoppen met een deken van twinkelende sterren, maar Rebecca zei dat daar geen duisternis zou zijn, en of je er zou slapen wist ze niet zeker.

Toen Rebecca eindelijk de kamer van het kind verliet, besloot ze in de salon alleen even welterusten te zeggen, om de zussen meer tijd alleen te geven. Ze had Natalie pas net ontmoet, maar na wat ze van Dana over haar had gehoord, betwijfelde Rebecca het of ze lang zou wachten voordat ze een aanvang zou maken met de missie waarvoor ze gekomen was: Dana zover te krijgen dat ze zich weer bij haar man voegde.

Toen Rebecca langs haar kantoor kwam, zag ze licht branden achter de open deur.

'Rebecca, kom eens,' riep Dana uit haar gewone stoel aan de andere kant van Rebecca's bureau. Natalie zat naast haar en ze hadden papieren in hun handen die Rebecca onmiddellijk herkende. Uit Dana's doos met schooldossiers.

Rebecca's hart werd zwaar. Ging Dana Natalie beroerd maken met nare verhalen?

Maar Natalie glimlachte. 'Dana probeert me te overtuigen dat het kind dat ze draagt – en ook mijn eigen zoon Ben – een toekomst te wachten staat zoals in deze dossiers beschreven staat.'

Rebecca nam haar plaats in achter het bureau. Uit Natalie's toon maakte ze op dat Dana er een hardere dobber aan zou krijgen dan ze misschien hoopte. 'Ja, dat heeft ze mij ook al geprobeerd te vertellen.'

'Ik zei dat ik Berrie's brieven wilde zien, en tot nu toe heeft ze me alleen deze papieren laten zien. Kun jij me vertellen waar Berrie's brieven zijn?'

Rebecca opende een bruine map op haar bureau. 'Hier. Ik heb ze in de afgelopen weken met hulp van Dana uitgetypt.' En een beetje hulp van Quentin, maar ze vond het niet nodig om hem te noemen. 'Dana was ermee bezig voordat ze besloot zich te concentreren op de schooldossiers.'

'Mag ik ze eens zien?'

Rebecca overhandigde haar alle uitgetypte brieven. Ze waren bijna compleet.

Natalie keek ze door. 'Ik ben totaal niet moe, maar jullie vast wel. Gaan jullie maar naar bed, ik wil graag opblijven om hierin te lezen. Morgen kunnen we verder praten.'

Dana fronste. 'Je hebt nog nauwelijks iets van de dossiers gezien.' Ze bladerde in een stapel.

Natalie legde haar hand op die van Dana. 'Ik vind dat ik daar genoeg van heb gezien.'

Dana zette grote ogen op. 'Je wilt toch niet zeggen dat je de rest niet gaat lezen? Ik dacht dat je ze wilde zien!'

'Ik weet wel wat erin zal staan, net als in de individuele lesprogramma's die ik elk semester van Ben's school ontvang.' Natalie legde het dossier in haar hand opzij, zonder Dana los te laten. 'Ik zeg toch altijd dat Ben er op papier slechter uitziet dan in het echte leven? Wat wil je dat ik hierin lees? Alle dingen die die kinderen niet konden? Dat is alles wat erin staat. Er staat niets in over wat ze aan het lachen maakte, of over de twinkeling in hun ogen als ze iets bekends zagen. De blijdschap als ze eindelijk iets geleerd hadden, of het communiceren dat ze konden zonder taal. Daar kun je geen verslag over schrijven, Dana.'

Dana boog dichter naar haar zus. 'Snap je het niet? Duur van de aandoening: *levenslang*. In hun leven veranderde niets. Voor Ben zal er niets veranderen. Misschien zal er voor mijn baby niets veranderen.'

Natalie week niet achteruit; ze stonden bijna neus aan neus. 'En dat is prima, Dana.'

Nu leunde Dana achterover, alsof zij degene was die een jetlag kon aanvoeren. Ze schudde haar hoofd en keek Natalie aan. 'Ik dacht dat je het zou snappen.'

'Ik snap het ook. Misschien snap jij het niet, en misschien moeten we niet tot morgen wachten met praten. Misschien moet jou nu meteen eens iets aan je verstand gepeuterd worden.'

Dana liet de dossiers van haar schoot op Rebecca's bureau ploffen en leunde achterover als een luie leerling die strafwerk had gekregen en een preek moest aanhoren. Ze staarde voor zich uit in plaats van naar haar zus of Rebecca.

'Weet je, Dana,' zei Natalie wat vriendelijker, 'toen ik het net wist van Ben, deed ik hetzelfde als jij nu. Ik dompelde me onder in alle informatie die ik kon krijgen. Ik probeerde alles over fragiele X te lezen wat ik in mijn vingers kon krijgen. Weet je nog?'

Dana knikte. 'Kennis is macht, zeggen ze.'

Rebecca vermoedde dat ze niet de enige was die de scherpte in die woorden hoorde, een zinnetje dat volgens Dana haar obsessie voor de oude dossiers verklaarde. Maar Rebecca zag niet dat Dana macht ontleende aan het vergaren van zo veel mogelijk gegevens over wat er allemaal fout kon gaan met het kind dat ze droeg. Het enige wat Rebecca zag, was het afbrokkelen van hoop.

Natalie streelde een van Dana's stijve, gevouwen handen die ze tegen haar nog platte middel drukte. 'Ik zag wat jij ziet in die dossiers, alle beperkingen die mijn kind zou hebben. Pas toen Luke ophield met informatie lezen, besefte ik dat hij gelijk had. Het deed ons geen van beiden goed. We hadden genoeg basiskennis, en dat was alles wat we toen nodig hadden. En nu zie ik in dat de tijd een hoop dingen opheldert, dus een overdosis aan informatie vergaren die misschien niet eens van toepassing is, was niet handig.'

Dana trok cynisch een wenkbrauw op en haar gezicht vertrok. 'Een van de kinderen had zijn bed in brand gestoken, maar dat heb jij niet gelezen. Een ander was weggelopen en ze konden hem twee dagen lang niet vinden. Twee dagen, Natalie! Ze vonden hem ergens buiten waar hij gras aan het eten was! Weet je wat er gebeurt als een kind in Chicago wegloopt? Hij kan aangereden worden door een auto, meegenomen worden door een maniak, verdrinken in het meer!'

'Dat zijn zorgen die alle ouders hebben,' zei Rebecca. Ze wist dat ze niet veel bij te dragen had aan het gesprek, omdat ze zo weinig ervaring had met kinderen en gehandicapten, maar de angsten die Dana opnoemde, waren normaal.

'Inderdaad,' bevestigde Natalie, 'en niet alleen kleine kinderen. Bij Padgett maak je je over al die dingen ook zorgen.'

'Zij is slim genoeg om uit te kijken voordat ze een straat oversteekt, niet met vreemden te praten, en niet te gaan zwemmen als ik er niet bij ben. Het is anders en dat weet je best. Aan mijn zorgen over Padgett komt een eind, althans aan zulke zorgen.'

Natalie knikte.

'Bovendien heb ik nieuwe zorgen over Padgett, net zoals jij wel eens tobt over Kipp. Ze zijn er nog steeds als wij er niet meer zijn. Moeten we hen opzadelen met de verantwoordelijkheid om voor hun gehandicapte broer of zus te zorgen? Is dat de toekomst die je wenst voor Kipp?'

'Misschien niet de toekomst die ik zou hebben bedacht.' Natalie zuchtte en keek haar zus recht aan, met enigszins gefronste wenkbrauwen. 'Hoor eens, Dana, ik ga er geen doekjes om winden, want ik leef elke dag met waar jij bang voor bent. Misschien heb ik de indruk gewekt dat het niet hanteerbaar is. Dit is het leven dat ons is gegeven, mij en Luke en Ben en Kipp. We kunnen het niet veranderen, maar ik ben wel gaan beseffen dat we het aankunnen, we kunnen ermee omgaan.'

'Fijn voor je.' Dana's woorden klonken bitter. 'Sommige mensen niet. Weet je nog van Rowena? Als je moord en zelfmoord pleegt, kun je het dus niet hanteren. Ik durf te wedden dat ze niet de enige is die zoiets ooit heeft gedaan of overwogen.'

'Het ontging haar wat God haar had kunnen leren. Over gemeenschappelijkheid en hulp van andere mensen, en zien hoe iemand als Ben met anderen contact maakt – met onschuld en een lach. Zelfs zonder dat is er iets anders – iets wat me er elke dag op wijst dat God Zich bemoeit met Ben's diagnose.'

Dana gaf geen antwoord.

'Het leven draait alleen maar om dienstbaarheid.'

De woorden maakten geen zichtbare indruk op Dana, maar in Rebecca maakten ze iets wakker. Misschien hadden twaalf geslachten van lijfknechten, chef-koks, dienstmeisjes en kameniersters een restje achtergelaten in Rebecca's bloed. Misschien was het alleen omdat zij zichzelf zo zag als het om Quentin ging.

'Herinner je je nog de preek die onze dominee ieder jaar met de feestdagen houdt, Dana? Dat dienstbaarheid de sleutel is tot geluk? Als je eenzaam bent tijdens de feestdagen, dien dan iemand anders. Als je een gebroken hart hebt, verlicht dan de pijn van een ander. Als je treurt om een verloren geliefde, help dan iemand die hetzelfde meemaakt. Zo wil God dat we zijn, zoals Jezus was. Laat je troosten door anderen te troosten.'

Rebecca zag dat de woorden Dana niets deden, maar zijzelf had aandachtig geluisterd en voelde haar pols versnellen.

'Elke dag word ik eraan herinnerd dat Jezus de voeten van Zijn discipelen waste,' vervolgde Natalie. 'Als ik Ben een schone luier geef, moet ik eraan denken dat we de nood van anderen vóór onze eigen nood moeten stellen. Ben's toestand dwingt me ertoe, maar waarom zou ik gedwongen moeten worden? Misschien omdat ik van Ben en mij degene ben die eigenlijk het langzaamst leert. God heeft me in een situatie gebracht die om dienstbaarheid draait. Moet ik weerstand bieden als Zijn voorbeeld zo veel buitengewoner was? Ik zou Hem op mijn blote knieën moeten danken dat Hij me zo'n duidelijk beeld geeft van wat Hij echt wil: dat wij anderen dienen.'

Rebecca genoot van de woorden en wilde erover nadenken, ze zich eigen maken. Misschien was het voor haar als kleindochter van een lijfknecht makkelijker te aanvaarden. Ze was niet de enige die moest dienen. Ze moesten allemaal dienaars zijn...

Haar gedachten werden verdreven toen ze naar Dana keek en zag dat er niets veranderd was. Dana leek dichter op de rand van tranen dan ze de hele dag was geweest.

'Dana, wat is er? Twijfel je er echt aan dat je een kind als Ben aankunt?'

'Natuurlijk!' Haar ogen werden poelen van tranen. 'Toen ik dacht dat ik een gehandicapt kind aankon, gaf God ons Padgett, maar Hij zorgde dat ze gezond was. Wat heeft mijn moederschap over haar bewezen, Natalie? Dat het prima met me gaat zolang ik mijn zorgeloze echtgenoot heb en een gezond kind.' Ze boende een traan van haar wang. 'Ze heeft me niets geleerd, alleen maar dat ik zelfzuchtig ben en wil dat alles makkelijk gaat.'

Dana's stem klonk woedend, haar vingertoppen trilden ervan toen ze meer tranen wegveegde.

'Aidan is klaar voor wat er in de toekomst ligt,' fluisterde Natalie. 'Hij was degene die me eraan herinnerde dat hij bereid was een gehandicapt kind te adopteren. Hij snapt niet waarom je daarover van gedachten bent veranderd. Aan de telefoon vroeg hij me hoe het kon dat je bereid was om een gehandicapt kind te adopteren en nu ineens niet bereid bent om er een te baren.'

Dana snikte. 'Daarom hebben we geprobeerd een zwangerschap te voorkomen. Het was niet de bedoeling om een nieuw kind met een handicap op de wereld te zetten. Alleen om er eentje te redden die al bestond.'

'Een nobele, maar achterhaalde manier van denken. God gaf je die baby die je draagt om lief te hebben en naar je beste vermogen groot te brengen. Net als Padgett.'

Dana kreunde. 'Lekkere moeder ben ik de laatste tijd, ik heb haar aan Rebecca en Quentin opgedrongen om in mijn zorgen te kunnen zwelgen. Misschien was Padgett gewoon *mijn* wil, en niet de wil van God. Ik heb die adoptie doorgezet terwijl het Gods bedoeling was dat ik genoeg tijd had voor een gehandicapt kind dat Hij me wilde geven.'

'Nu doe je echt belachelijk. Er *is* hoop dat deze baby gezond is.'

'Op dit moment... ben ik daar niet zo zeker van.'

Natalie lachte, maar meer om Dana's verklaring dan uit vrolijkheid. 'Er is altijd hoop, Dana. Dat weet je best. God laat iedereen nare dingen overkomen, dat is waar, maar we moeten leren van de narigheid en anderen troosten. En we mogen altijd, *altijd*, weten dat er uiteindelijk hoop is. Dit leven is niet alles wat er is.'

Rebecca ging op het puntje van haar stoel zitten. Ze was niet van plan geweest om iets te zeggen, maar ze schraapte haar keel om zich ermee te bemoeien. 'Toen mijn moeder stierf, voelde ik me verraden door mijn hoop. Ik had gehoopt dat ze beter zou worden, maar dat gebeurde niet. Mijn vader zei een keer dat de mooiste overgave aan God, na verdriet is, als we leren vertrouwen dat Gods hoop genoeg is.'

Ze had op dat moment niet aan Quentin willen denken, maar hij kwam in haar gedachten, met Berrie en Cosima en zelfs Natalie, al wist ze weinig van haar. 'Weet je, Dana, dat hoop onlangs weer mijn vijand is geweest? Misschien was het ook zo voor Cosima, toen ze hoopte op een huwelijk waarvan ze dacht dat ze niet mocht dromen, en voor Berrie toen ze haar school had opgericht en bijna alles kwijtraakte – een huwelijk waarvan ze zichzelf vertelde dat ze het niet wilde, een missie waarvan ze zeker was dat God haar ervoor geschapen had. En je zus. Ik weet zeker dat zij dezelfde dromen had die jij hebt voor Padgett. Alles gaat om hoop. Maar soms moeten we het voor de troon van God brengen en zien wat Hij voor ons in petto heeft in plaats van wat we verwachtten.'

'En als ik nou niet wil wat Hij in petto heeft?' Dana's blik schoot van Rebecca naar Natalie en weer terug naar Rebecca. 'Dat vinden jullie opstandig zeker. Ik ben ook opstandig. Ik dacht dat ik het aankon als Padgett haar hele leven beperkingen zou kennen; ik dacht dat ik daar klaar voor was toen ik de adoptiepapieren tekende. En toen bleek dat ze volkomen gezond was. Ik was opgelucht; ik ben nog steeds opgelucht, elke dag van mijn leven, omdat ik droom over alle dingen die ze eens zal kunnen doen. Er zijn geen beperkingen aan.'

'Ook zij heeft beperkingen,' zei Rebecca. 'Wij allemaal.'

'Niemand van ons heeft iets te kiezen in het leven. We krijgen wat we krijgen.' Natalie keek haar zus aan. 'Je moet God inderdaad danken dat Padgett gezond is. Dat doen we allemaal. Maar dat God je één gezond kind heeft gegeven, wil niet zeggen dat Hij je niet sterk genoeg heeft gemaakt om er eentje aan te kunnen die het niet is.'

Nieuwe tranen trilden op de rand van Dana's rode ogen en stroomden over haar wangen.

'Begrijp me niet verkeerd,' zei Natalie. Ze boog zich naar voren en fluisterde bijna. 'Ik wil niet dat dit kind ook maar één probleem heeft. De kans blijft bestaan dat hij of zij helemaal gezond is, hoor. Ik zal eens wat duidelijkheid geven. Ik heb nu een paar jaar met Ben geleefd, dus misschien heb ik een paar dingen geleerd. Ik zal je nu meteen vertellen wat de goede en de nare dingen zijn. Wil je het weten?'

Natalie's glimlach was onweerstaanbaar en toen Dana ervoor viel, kon Rebecca ook weer lachen.

'Oké, het goede: *Ben praat niet terug*. Niet lachen. God gaf jou Padgett, een schatje. Maar er komt een dag, want ze is ook maar een mens, dat ze niet meer alles doet om haar lieve mama een plezier te doen. Misschien zal ze niet eens woorden gebruiken om terug te praten; ze zal gewoon haar eigen gang gaan, en jij hebt het nakijken. Dat gaat gebeuren. Ik heb nooit een ouder ontmoet die dat niet tot op zekere hoogte meemaakt met zijn kind – ook lieve kinderen. Maar Ben? Zijn ongehoorzaamheid gaat niet verder dan midden in de nacht uit bed komen. En dat doet hij niet om mij te plagen; hij kan gewoon niet slapen.'

'En wat is het naarst?'

Natalie schudde haar hoofd. 'Jaag me niet op. Denk eens even aan het beste; vergeet niet hoe belangrijk het is. Je zult leven met iemand die je elke dag onder het oog brengt wat belangrijk is: een glimlach.

'Ik vraag meestal eerst om het slechte nieuws, Natalie. Kom maar op nu.'

Natalie schudde haar hoofd en wachtte even, ondanks het ongeduld van haar zus. 'Oké. Dat is het verlies van vrijheid. En ik ben bang dat dat permanent is totdat ik een paar radicale veranderingen aanbreng. Andere ouders kunnen zo veel doen met kinderen die overal heen kunnen gaan. Maar als Ben's moeder zal ik op de gehandicaptenrij moeten zitten – als die er is – in de hoop dat hij niet te veel lawaai zal maken, of ik blijf gewoon thuis. Thuisblijven is makkelijker. Het is niet het beste. De afzondering kan te comfortabel worden, denk ik.'

Dana veegde nog een keer haar gezicht af en sloeg haar armen strak over elkaar. 'Ik weet hoe je vroeger was, Natalie. Hoe je gesteld was op je privacy, dus misschien vind je die afzondering wel lekker.'

Rebecca keek Natalie aan en vroeg zich af of ze soms meer gemeen hadden dan ze wist. Hoeveel meer afgezonderd had Rebecca in de afgelopen drie jaar kunnen zijn, hier in haar eentje met Helen en William?

'Er is een verschil tussen geïsoleerd zijn en op jezelf zijn,' zei Natalie. 'Ik weet dat jij net zo op je privacy gesteld bent als ik. Destijds kreeg ik een diagnose waarbij een heleboel medici kwamen kijken – artsen en specialisten, therapeuten die komen en gaan, om nog niet te spreken van de hele wereld die al meteen had geweten dat er iets mis was met Ben. Met zo'n diagnose kun je je privacy wel gedag zeggen.'

Je kunt je privacy ook gedag zeggen als je met iemand trouwt die in de publieke belangstelling staat, dacht Rebecca.

Natalie keek haar zus weer aan. 'Het komt wel goed met je, Dana. Wat er ook gebeurt. Je hebt Aidan; je hebt Luke en mij. De toekomst ligt in Gods hand. Padgett en Kipp zijn met een reden in onze gezinnen geplaatst, hoor. God heeft hen aan ons gegeven als een zegen. We moeten niet onderschatten wat zij kunnen waarmaken – met Gods hulp. En we moeten onszelf niet onderschatten. Ik hoorde eens een oud gezegde, over de tekst in Genesis dat we allemaal naar Gods beeld zijn gemaakt. Dat is zowel een zegen als een waarschuwing. Het weten dat we naar Zijn beeld gemaakt zijn, herinnert ons aan Zijn liefde voor ons en onze mogelijkheden.

Maar we moeten ook oppassen en eraan denken dat we maar een beeld zijn. We zijn niet volmaakt zoals Hij, niemand van ons. Het beste wat we kunnen doen, is ons leven in Zijn handen leggen, zoals in de Bijbel staat. Als een levend offer.'

Dana knikte. Dit waren de woorden die ze nodig had gehad. Alleen had Rebecca niet beseft dat het ook de woorden waren die zij nodig had. Wanneer had zij in haar leven de teugels overgenomen? Het werd tijd om ze weer in Gods handen te leggen.

Op dat moment piepte de deur van haar kantoor. Dat gebeurde alleen als hij te langzaam werd dichtgedaan. Daar stond Padgett met Emma in haar armen. Haar ogen waren groter dan ooit in haar kleine gezichtje.

'Ben je weer verdrietig, mama? Om mij? Ik hoorde je huilen toen je mijn naam zei.'

Dana schoot in één vloeiende beweging van haar stoel en nam haar dochter op. 'Natuurlijk niet, lieverd. Niet om jou. Nu is alles weer goed.'

Rebecca kwam achter haar bureau vandaan. 'Ik breng haar weer naar bed, als je wilt. Ik vertel nog wel een verhaaltje.' Een vrolijk verhaaltje. Een raar, gek verhaaltje dat alle zorgen zou uitwissen die op het moment te groot voor haar waren.

Maar Dana schudde haar hoofd. 'Nee, ik ga ook naar bed. Het komt wel goed met ons.' Ze gaf Padgett een kusje op haar wang. 'Hè, Padgett?'

Padgett klampte zich aan haar vast en liet de replica van Emma daarbij haast vallen.

Rebecca keek hen na en haar hart was zwaar van haar eigen zorgen.

52

Vroeger beschouwde ik vrouwen die flauwvielen als knappe actrices, die alleen maar aandacht wilden trekken. De enige uitzondering daarop waren domme jonge vrouwen die hun dienstmeisjes hun korset te strak lieten aantrekken. Nooit van mijn leven had ik gedacht dat iemand kon flauwvallen van honger en angst, maar ik ben volkomen overtuigd. Toen ik bijkwam, was ik in een slaapkamer. Moira was er met een verse kop thee en zo te zien dezelfde sandwich die me eerder bijna was aangeboden...

'Daar bent u weer,' zei het dienstmeisje met een rimpelige glimlach. 'U moet wat eten en nog wat rusten, dan bent u weer helemaal fit. Bent u ooit eerder flauwgevallen, juffrouw?'

Berrie schudde haar hoofd. Ze voelde zich nog steeds vreemd. Ze nam de thee aan, nam een slok en een hap van de sandwich. Hij kon door de chef-kok van de koningin zijn gemaakt of van restjes voor de armen, en Berrie zou het verschil niet hebben geproefd. Ze at niet zozeer met smaak als wel uit noodzaak; haar maag en haar hoofd eisten te worden gevoed.

'Kwam het dan alleen van de honger, juffrouw?'

Ze knikte, haar mond was te vol om te praten.

'Mooi,' zei Moira met een lach. 'Ik was bang dat we met een zwerfstertje te maken hadden, een juffrouw zoals uzelf in bepaalde omstandigheden, als u begrijpt wat ik bedoel.'

Berrie had geschokt moeten zijn, maar haar hoofd was nog nevelig en de sandwich begon lekker te smaken, heel erg lekker zelfs. Ze at hem vlug op zoals Royboy had kunnen doen met zijn neiging om zijn mond vol te proppen.

Ze had er nog wel eentje gewild, maar ze had alleen nog haar thee. Ze dronk ervan en proefde de bittere smaak van kruidnagels en kamille. Haar maag eiste meer, hoe het ook smaakte. Ze keek de kamer rond. Net als de gang waar ze doorheen gelopen was op weg naar de salon, had deze kamer hard een verfje nodig. Maar het bed was stevig, de matras en het dek onder haar zacht. Er hing niets aan de muren, maar er stond een dressoir, twee lampentafels, een bureau en een chaise longue, veel meer meubels dan in de salon.

'Waar is Finola?'

'Ik zal haar zeggen dat alles goed is. Nu is het laat, en u bent moe. Ze komt morgenochtend bij u.'

Berrie zette de thee op het blad naast het bed en worstelde om overeind te komen. Ze schoof haar benen naar de rand. Moira legde een hand op haar schouder en hield met de andere haar benen tegen.

'Rustig aan, juffrouw. Er valt vanavond niets te doen. Bovendien heb ik iets in uw thee gedaan om u lekker te laten slapen. Niks om u zorgen over te maken. Ga maar slapen.'

'Maar ik moet met Finola praten… Echt, ik moet haar nu spreken.'

Zelfs in Berrie's eigen oren klonk haar smeekbede halfslachtig. Maar van binnen voer ze uit tegen de moeheid, de zwakheid, de verwarring. Ze moest Finola vinden en zorgen dat ze haar leugens terugnam, anders was de school verloren…

★

Berrie deed haar ogen open, maar haar oogleden waren zwaar. Een flard licht viel naar binnen door een opening in de gordijnen, en verraadde dat het ochtend was. Berrie trok zich overeind tot ze zat en zag dat Moira op de chaise lag te slapen. Waakte ze over Berrie… of bewaakte ze haar?

Stilletjes stond Berrie op en probeerde of ze op haar voeten kon staan. Ze was versuft, maar voor het overige zichzelf. Niets wat niet met een goed ontbijt te genezen viel. Eerst moest ze Finola zien te vinden, hoe vroeg het ook was.

De vloer kraakte één keer, maar Moira verroerde zich niet. Haar regelmatige ademhaling verzekerde Berrie ervan dat ze sliep als een roos. Berrie liep naar de gang, waar ze nog drie deuren zag: twee tegenover en eentje naast de hare. Anders dan die van haar waren de deuren dicht. Ze liep naar de dichtstbijzijnde en boog zich ernaartoe om te kijken of ze kon horen dat er iemand binnen was. De laatste die ze wilde wakker maken, was Thaddeus. Ze hoorde niets en liep naar de tweede deur, vlak aan de overkant. Het was te stil. Achter de derde deur hoorde ze diep snurken en ze hoopte maar dat het Thaddeus was die zo diep lag te slapen.

Berrie probeerde de andere deuren. De eerste was op slot. De tweede deur was niet op slot, maar de kamer bleek leeg te zijn.

Berrie keerde terug naar de afgesloten kamer. Misschien zat Finola daarin opgesloten? Ze dacht aan gisteren en voelde dat er onder de oppervlakte van dit donkere en vervallen huis iets gaande was wat ze niet begreep, dus ze was op alles voorbereid.

Ze klopte lichtjes aan. Geen antwoord.

'Finola,' fluisterde ze. 'Finola, ben je daar?'

Niets.

Berrie kon het niet riskeren om nog meer geluid te maken, als ze niet met Thaddeus en Moira te maken wilde krijgen. Daarom liep ze naar de trap om Jobbin te gaan zoeken en met hem terug te gaan. Hij mocht dan twee keer zo oud zijn als Thaddeus, maar als Jobbin en Berrie Thaddeus samen confronteerden, zou hij misschien genoeg onder de indruk zijn om hen met Finola te laten praten.

Ze zocht haar weg door het onbekende huis en keek uit de ramen om te zien of een veranda of tuinpad wees op een deur. Gewelfde bogen en drempels waren smal en de verf was gebladderd, voor de ramen in alle kamers hingen rafelige gordijnen. Ze probeerde een van de hoge ramen te openen omdat ze een trapje zag dat uitkwam op een grasveld buiten, maar het slot zat vast en was onbruikbaar.

Eindelijk herkende ze de salon waar ze was flauwgevallen, en van daar de keuken beneden en de weg naar buiten. Op het eerste gezicht was er geen spoor te bekennen van Jobbin of zijn wagen. Ze vermoedde dat hij een schuilplaats had gezocht in de schuur vlakbij.

De koele morgenlucht verfriste haar hoofd en gaf haar energie. 'Jobbin! Ben je daar?'

De muren van de schuur waren net als alle andere oppervlakken ook aan een likje verf toe, maar het bouwwerk was stevig genoeg. Ze ging naar binnen en riep nogmaals Jobbins naam. Gelukkig zag ze zijn wagen staan, dus hij kon niet ver weg zijn.

'Hier, juffrouw,' zei een stem uit een van de stallen. Even later verscheen Jobbin. Hij trok het jasje recht waarin hij kennelijk geslapen had. Er zat stro in de reep grijzend haar langs zijn achterhoofd.

'Jobbin! We moeten naar binnen gaan en Finola zoeken. Ik weet niet wat die broer van haar haar aandoet, maar ik ben er vrij zeker van dat het nooit goed kan zijn.'

Jobbin wreef met één hand zijn schedel. 'Daar kunt u best eens gelijk in hebben, juffrouw. Ik geloof dat die dienstmeid met mijn thee heeft geknoeid. Ik ben van mijn leven nog niet zo snel plat gegaan, niet zo'n tijd na een bezoek aan een pub tenminste.'

'Mij is hetzelfde overkomen. Er klopt hier iets niet, Jobbin. Alleen kunnen we niet vertrekken zonder met Finola te praten.'

'Goed, dan ga ik met u mee.'

Ze liepen terug naar de keukeningang en werden binnen ontvangen door Moira, die zich moeizaam de trap af haastte. 'Ach, de gelovigen zijn nog bij ons! Gezegend zij de God van de hemelen. We zijn gered!'

'Wat bedoel je, Moira?' wilde Berrie weten. 'Waar moet God je van redden?'

De vrouw zuchtte half lachend. 'Ach, het is maar een uitdrukking. Ik was bang dat u weg was gegaan zonder ontbijt, en dan zou u misschien weer kunnen flauwvallen.'

Berrie legde haar handen op de zwoegende schouders van de vrouw. Ze was er zeker van dat ze iets verborg. 'Moira, je moet me naar Finola brengen. Ik moet haar onmiddellijk spreken.'

Moira streek haar haar naar achteren, trok haar schort recht en bracht een glimlach op. 'Natuurlijk, juffrouw, maar zij slaapt altijd uit. Dat deed ze als klein kind al.'

Dat was vast en zeker waar; Finola had het vaak genoeg bewezen op Escott Manor. 'Je zult haar wakker moeten maken, Moira. Ik moet haar een paar vragen stellen, en het kan niet wachten. Ik moet terug naar Dublin, maar niet zonder eerst met Finola te praten.'

'Zo, zo, nou,' zei Moira, nog steeds ademloos hoewel haar glimlach stevig op zijn plaats bleef. Ze liep naar het fornuis, opende de kolenlade en roerde in de koude as die gisteravond was overgebleven. Alsof er niets aan de hand was, haalde ze de slakken eruit en stopte ze in een emmertje. Eindelijk pakte ze de kolenkit op en goot een portie van de vette, ronde stukjes in de buik van het fornuis. 'We gaan lekker ontbijten, hoor. Ik kan zien dat die man die u bij zich hebt een hapje moet eten, en als ik me herinner hoe u gisteravond dic sandwich opat, hebt u ook iets nodig. Straks bent u allebei weer gevuld en vrolijk, dus ga maar zitten.'

Berrie schudde haar hoofd en stapte langs het bedrijvige dienstmeisje heen. 'Ik kan niet wachten, Moira. Als jij Finola niet wakker gaat maken, doe ik het.'

Moira liet kletterend de kolenkit vallen en kwam haastig achter Berrie aan. 'Ga zitten en eet een hapje. Kom terug!'

Berrie wilde een tegenwerping maken, maar ze werd afgeleid door een geluid. Het kwam van een afstand en het leek op het jammeren dat ze op school zo vaak hoorde. *Conall?*

'Is Conall hier ergens in huis? Is Finola bij hem?'

Moira schudde haar hoofd. 'Nee, juffrouw. Straks halen we Conall op, waar hij vannacht gelogeerd heeft. Het is nog maar net dag; we kunnen hem pas op een fatsoenlijk uur gaan halen.'

Berrie zweeg en luisterde. Ze wist zeker dat ze iets had gehoord.

Nu was het stil. Berrie keek Jobbin aan. Eén knikje was genoeg. Hij volgde haar de keuken uit, Moira's protesten negerend.

Boven was het nog stil in de gang, afgezien van het snurken achter de eerste deur. Die deur passeerde Berrie, naar de deur die op slot zat. 'Kun je die openmaken al is hij afgesloten?' vroeg Berrie aan Jobbin.

'Ik zal het proberen,' zei hij, met een blik op de drempel. 'Het is een oude deur, juffrouw, en dat betekent een oud slot.' Zijn blik ging van de dichte deur naar de openstaande deur, van de kamer waar Berrie had geslapen. Hij verdween een ogenblik in die kamer en kwam terug met een flinke, scherpe kachelpook.

'Dat mag u niet doen,' zei Moira, die hen eindelijk ingehaald had. Ze keek boos en waarschuwend, maar haar stem was nauwelijks meer dan een fluistering.

Jobbin wrikte met enig gekraak van broos, oud hout de deur open.

Berrie duwde de deur wijdopen en stapte naar binnen. 'Finola!' riep ze, maar ze zag meteen dat de kamer leeg was.

'Ik was er zeker van dat ze...'

'Mag ik vragen wat hier aan de hand is?'

Berrie draaide zich om. Vlak achter een geschrokken en enigszins zorgelijk kijkende Jobbin, achter de fronsende Moira, stond de magere gestalte van Thaddeus O'Shea, donker gekleed in een kamerjas die hij juist vastbond om zijn dunne middel. In de schaars verlichte lege slaapkamer kon Berrie het onvriendelijke gezicht van de man nauwelijks onderscheiden.

'Waar is Finola?' vroeg ze op eisende toon.

Hij geeuwde. 'Ze slaapt natuurlijk, op dit uur. Wat is de bedoeling van deze inbraak? Ik eis een verklaring.'

'Ik wil graag met Finola praten.'

'Dat zegt u nou steeds en ik vraag steeds waarom u uw koetsier mee naar boven heeft genomen om mijn huis te vernielen.'

'Het schijnt dat we geen van beiden antwoord zullen krijgen, meneer O'Shea, tenzij u van plan bent me te vertellen waar ik

Finola's kamer kan vinden. Ik dacht dat ze hier binnen was.'

'Zoals u ziet, is ze hier niet. Ze is vertrokken na uw zo goed gelegen komende bezwijming van gisteravond.'

'Hoe goed gelegen?'

'U had onderdak nodig; hoe moet ik een vrouw de deur wijzen die flauwvalt om haar doel te bereiken?'

'Zei u dat Finola vertrokken was? Waar is ze heen gegaan?'

'Naar het huis van onze vriendin, die op Conall heeft gepast toen we gisteravond ergens gingen dineren.'

Berrie schudde haar hoofd. 'Moira vertelde me dat Finola hier is, en dat ze ligt te slapen.'

Thaddeus' dikke wenkbrauwen kwamen bij elkaar in het midden boven de plank die de bovenkant van zijn neus vormde. Hij keek verschrikkelijk lelijk, maar keurde het dienstmeisje geen blik waardig. 'Moira weet niet alles wat hier in huis omgaat.'

'Ik geloof niet dat Finola is weggegaan zonder mij te spreken, zeker niet gezien mijn toestand.'

'Misschien is uw vriendschap niet zo bijzonder voor haar als u geloofde,' zei hij zacht. Zijn toon was hard.

Berrie deed een stap dichter naar de deur, maar onvermijdelijk dichter naar Thaddeus. 'Waar is het huis van die vriendin dan? Ik ga haar daar opzoeken.'

Hij lachte. 'Ik dacht het niet. Ik sta niet toe dat u een vriendin van ons op dit uur gaat storen om daar de deuren af te breken. Ik vind het beter als u maar weer naar Dublin vertrekt, juffrouw Ferguson. Als u tenminste zo heet.'

'Waarom zou u daaraan twijfelen?'

Hij hoefde maar een klein stapje dichterbij te komen om zijn gezicht vlak voor het hare te brengen, zodat ze zijn smerige adem rook. 'U bent een Engelse, geen Ierse. Noch Nessa, noch Finola heeft reden gehad om vriendschap te sluiten met Engelse vrouwen. Maar het kan me niet schelen wie u bent of waarom u bent gekomen. Ik weet alleen dat u vertrekt of ik laat u verwijderen door de politieagent.'

'Om welke reden?' vroeg ze. 'Ik heb niets verkeerds gedaan.'

'Schade toebrengen aan andermans eigendom is in dit graafschap een misdaad.' Thaddeus wees naar de deur die Jobbin op haar aandringen open had gewrikt. 'Ga weg of ik laat u arresteren.'

Berrie kneep haar ogen tot spleetjes. 'Ik weet niet waarom u Finola tegen haar wil schijnt vast te houden, maar ik ga het uitzoeken.'

Toen liep ze langs hem heen en Jobbin volgde haar op de hielen. Ze gingen naar de keuken en Moira volgde langzaam, maar bleef op de drempel staan zonder een woord te zeggen.

Jobbin ging naar de schuur om de wagen in te spannen en Berrie wachtte buiten, kijkend naar het huis. Ze moest Finola vinden. De jonge vrouw was de avond tevoren duidelijk doodsbang geweest. Waarom anders dan uit angst zou ze Berrie's identiteit verborgen hebben willen houden? Was ze bang dat haar broer te weten kwam dat Berrie de directrice was van de school die ze een proces aandeden? Niets klopte meer.

Berrie's aandacht werd getrokken door een gebons aan de andere kant van het huis. Ze keek om hoever Jobbin was met de wagen, maar hij was nog niet klaar. Nieuwsgierig naar het bonzen liep ze het pad op dat naar de bouwvallige vleugel voerde. Daar was het geluid harder.

Ze zag een paard staan, niet vastgebonden, en het zweette alsof het op dit vroege uur al hard en lang bereden was. Van waar ze stond, kon Berrie niet langs het hoge onkruid en de woekerende struiken aan deze kant van het terrein heen kijken. Maar het bonzen kwam beslist van deze kant. Wie was er zo onverstandig om onder die gewelfde doorgang te gaan staan en zo veel drukte te maken? Ze duwde het hoge groen uit elkaar en kwam dichterbij.

'Simon!'

Hij stond recht onder de hachelijke doorgang en keek om. Toen hun blikken elkaar ontmoetten met alleen het woekerende onkruid tussen hen in, rende hij op haar toe. Ze sloegen hun armen om elkaar heen.

'Is – is alles in orde met je?' vroeg hij, terwijl hij haar in de ogen keek.

Berrie knikte. 'Ja… nee! O, Simon, de school! Weet je het?'

'Ja, ik weet het. Ik ben meteen gekomen toen ik het hoorde. Ik ben naar de school gegaan en ze vertelden me dat je Finola was gaan zoeken, om de zaak tegen die verzorger uit te zoeken. Heb je haar gesproken?'

Ze schudde haar hoofd en maakte zich los om naar het afbrokkelende huis te kijken. 'Ze woont hier met haar broer, maar er is daarbinnen iets vreemds en angstaanjagends aan de hand. Ik mocht haar niet alleen spreken en ik weet zeker dat hij degene is die gezorgd heeft dat ik niet kon proberen om vannacht naar haar toe te gaan, toen hij sliep.'

Simon fronste. 'Hoe heeft hij dat voor elkaar gekregen?'

'Zijn huishoudster heeft iets in mijn thee gedaan, en ook in de thee van Jobbin. Iets waar we van gingen slapen.'

'Weet je zeker dat alles in orde is?'

Ze knikte, en ineens drong het tot haar door hoe verbijsterend het was dat hij gekomen was. Ze wilde hem dicht tegen zich aan trekken, hem kussen, hem bedanken. Maar voor dat alles was geen tijd.

'Hoe kan het dat je hier bent? Ik dacht dat je onderweg was naar Londen.'

'Was ik ook, maar de koerier van meneer Truebody vond me voordat mijn schip afvoer.'

'En ben je gekomen om mij te zoeken?'

'Ik heb je opgespoord – maar mevrouw Cotgrave en Nessa zullen niet blij zijn geweest op dat vroege uur.'

Berrie dacht zo veel tegelijk dat ze het niet meer op een rijtje kreeg: waarom hij was gekomen, wat hij vond van het ongelukkige nieuwsbericht, hoe hij behulpzaam kon zijn – als hij wilde helpen. Maar dat alles kon ze niet vragen. Ze wilde alleen dat hij haar vasthield, zoals hij deed.

Haar aandacht werd getrokken door een geluid aan de andere kant van de deur.

'Hoorde je dat?' vroeg ze.

Hij knikte. 'En het wordt hoog tijd dat er eens iemand opendoet, vind je niet? Ik kan me er geen voorstelling van maken hoe het er binnen uit moet zien, als je op deze deur en de tuin moet afgaan.'

Ze schudde haar hoofd. 'Deze kant van het huis wordt niet meer gebruikt. Jobbin en ik kwamen hier gisteren en hij klopte aan, maar er deed niemand open tot we omliepen naar de andere kant. Je hebt geen idee dat de twee kanten aan elkaar vastzitten. De ene kant is bewoonbaar, deze kant...'

Berrie zweeg en luisterde. Het geluid was weg. Aan deze kant van het huis was het net zo stil en verlaten als gisteren. Of niet? Kon wat ze daarstraks had gehoord van achter deze afbrokkelende muren komen?

Ze verwierp de gedachte. Dat kon niet. Niemand zou het wagen zo'n gammele bouwval te betreden. De nieuwere aanbouw was oud en vervallen genoeg; deze kant was oeroud en gevaarlijk. Niemand zou toch vrijwillig...

Nee, niet vrijwillig. Maar gedwongen? Ze maakte zich los van Simon, rende onder de doorgang door naar de deur en bonsde aan de deur. Hij was naast haar voordat ze veel lawaai had gemaakt en pakte haar pols vast.

'Kom mee, Berrie,' waarschuwde hij. 'Ik was zo radeloos om jou te vinden dat ik niet had gezien dat dit hele huis op punt van instorten staat.'

'Maar...' Ze zweeg toen ze weer iets hoorde. Bonzen... het kwam van binnen. Berrie gooide zich tegen de deur, niet langer tevreden met vruchteloos kloppen. Ze zou de deur intrappen; zo'n krakkemikkige deur ging allicht makkelijker open dan die boven.

'Berrie!' Simon tilde haar van haar voeten voordat ze nog een poging kon doen, net op het moment dat het steentjes en mortel op hen begon te regenen.

Ze proestte het stof van haar gezicht. 'Nee, Simon. Ik denk dat

Finola daarbinnen is! Ik hoorde daarstraks iets, een geluid van Conall. Ik denk dat haar broer hen daarbinnen heeft opgesloten.'

Simon schudde fronsend zijn hoofd. 'Waarom ter wereld zou iemand...'

'Ik weet het niet! Ik weet alleen dat hij hen verstopt.'

Ze wurmde zich los en gooide zich nog een keer tegen de deur. Een stem van achter de begroeiing weerhield haar van een nieuwe aanval.

'Juffrouw Ferguson!' Paddy's stem klonk door het dichte struikgewas, gevolgd door het ruisen van gebladerte, en uiteindelijk kwam de jongen zelf vlak voor hen tot stilstand. 'Hij heeft u gehoord, juffrouw! En hij komt eraan. Maak dat u wegkomt!'

Simon legde een stevige hand op de zwoegende schouder van de jongen. 'Wie komt eraan, jongeman? En wie is juffrouw Ferguson?'

'Meneer O'Shea komt eraan! De gemeenste man die er bestaat.'

Berrie gooide zich nog een keer tegen de deur en er vielen nog meer steentjes in haar haar, maar ze gaf er niet om. 'Finola! Ben je daar? Conall!' Ze bonsde nog een keer en probeerde de deurkruk. Hij gaf mee!

'Ik ben hier, Berrie!' De stem klonk van vlak achter de houten deur. 'Conall is hier ook. De deur zit vast.'

Simon kwam naast Berrie staan. 'Naar achteren, Berrie. De fundering helt.' Hij boog zich dichter naar de deur. 'Achteruit, Finola!' Toen trapte hij niet tegen de deur, maar tegen de deurpost, en de deur vloog open en hij stormde naar binnen en de hachelijke doorgang stortte in aan Berrie's voeten.

'Simon!' Hij verdween in een sluier van grijs en ze hoorde geschreeuw – van Conall. Door de stofwolk zag ze de deur op zijn kant liggen en de duisternis daarachter.

'We zijn hier,' riep Simon. 'Niet dichterbij komen, Berrie. De hele boel staat op instorten.'

Berrie kwam dichterbij. 'Ik kan je niet zien!'

'We worden beschut door een balk. Ik ga Finola er eerst door-heen duwen, met Conall in haar armen. Neem hem van haar over, maar stap niet op de fundering van het portiek. Hoor je me?'

'Ik hoor je!'

'Natuurlijk zullen we alle hulp bieden die we kunnen,' zei een andere stem, 'zoals dit!'

Ze zag meer dan ze hoorde dat Thaddeus eraan kwam, toen voelde ze twee ruwe handen op haar schouders die haar tegen de half omgevallen muur duwden die eens de vooringang was ge-weest van het instortende herenhuis. Ze wist niet wat haar het eerst raakte – de stenen waar hij haar tegenaan duwde of de stenen die van boven kwamen. Het leek allemaal tegelijk te gebeuren.

Irrationeel vroeg ze zich af of het belangrijk was. Maar even vlug besefte ze van niet, voordat alles zwart werd.

53

Toen de zon opkwam, gonsde het in de Hall al van de drukte. Het personeel arriveerde om hun diverse rondleidingssegmenten te verzorgen, van dienstmeisjes gekleed in Victoriaanse kostuums tot gidsen die in deeltijd werkten; naar Rebecca vermoedde gefrustreerde acteurs en actrices die dol waren op verkleden en het heerlijk vonden om de rol te spelen van de negentiende-eeuwse adel.

Voor het naar bed gaan gisteravond had Rebecca Natalie verteld over de activiteiten van de dag, en zich verontschuldigd dat ze haar handen vol zou hebben met alle rondleidingen en het lang verwachte bezoek van de Featherby-jury. Rebecca nodigde Natalie uit mee te doen aan een rondleiding of lekker lang uit te slapen; Dana en Padgett zouden haar zeker bezighouden als ze niet meedeed aan een rondleiding.

Ondanks alle afleiding was Rebecca van één ding zeker: de Hall was klaar voor het bezoek van de jury. Haar persoonlijke leven mocht dan op instorten staan, maar een landgoed runnen kon ze. Ze wilde niet letten op de giftige gedachten in haar hoofd dat Quentins komst steun voor de Featherby kon betekenen, maar ook een afscheid. Die angst moest voorlopig de koelkast in.

Met een laatste blik in de spiegel naar het handgemaakte zwarte pakje dat haar meer had gekost dan ze zich wilde herinneren, en om de altijd eigenwijze haarlok vast te zetten, verliet ze haar suite met de instelling dat ze deze werkdag niet wilde laten bederven. Nergens door.

Zodra ze de gang instapte, werd Rebecca's bij elkaar geraapte vertrouwen de bodem in geslagen door een gil uit de speelkamer. Rebecca rende erheen en werd ontvangen door een doodsbleke Dana.

'Hier is ze ook niet! Padgett is weg!'

54

Het kan nooit goed zijn om twee keer binnen vierentwintig uur het bewustzijn te verliezen. Maar ik kan je vertellen, Cosima, je kunt het overleven. Ik heb nog steeds mortel in mijn haar, ondanks een flinke wasbeurt in de troostende omgeving van de Quail's Stop Inn. De eigenaar was zo vriendelijk me het eigen bad van zijn vrouw te lenen, maar mijn achterhoofd was zo pijnlijk dat ik niet goed kon wrijven.

Je nicht Finola is hier bij me, en ik moet je zeggen dat ik haar heb onderschat. Ze is een felle. Ik verzeker je dat het Conall nooit aan iets zal ontbreken zolang hij zijn moeder heeft om voor hem te zorgen. Toen ik bijkwam, nadat ik door Simon uit het puin getrokken was, wist ik niet of ik droomde. Achter Simon krabbelde Finola overeind. Ze zette Conall opzij. Hij babbelde, was volkomen ongedeerd en verrukkelijk onbevreesd.

Of ze de moed had gevonden als Simon, Jobbin en ik er niet bij waren geweest, dat weet ik niet. Maar ze maakte haar lichaam tot een wapen en slaagde er bijna in haar pezige, maar veel langere broer tegen de grond te gooien…

Simon stond over Berrie heen gebogen en zag haar blik vol afgrijzen. Hij draaide zich om naar Finola, die zich tegen haar broer aangooide en haar kleine, machteloze handen om zijn keel wilde sluiten.

'Je had ons kunnen doden – net als mama! Je bent net als zij.'

Simon trok Finola van Thaddeus af, eerder voor haar veiligheid, vermoedde Berrie, dan voor die van haar broer. Simons tussenkomst haalde haar buiten zijn bereik.

'Als je niet gearresteerd wilt worden voor poging tot moord,' zei Simon, die ruim binnen bereik van Thaddeus' vuist stond, 'stel ik voor dat je het puin van dit huis laat weghalen of veilig maken.'

Ze waren even lang, maar Thaddeus was aanmerkelijk tengerder, en broos vergeleken met Simon. Eén klap van Simon zou hem vellen.

'Je kunt maar beter naar hem luisteren, Thaddeus,' zei Finola, die nu als een kolibrie om haar broer heen fladderde. 'Dit is Simon MacFarland, en hij is parlementslid. Hij kan je echt laten arresteren – deed hij het maar – voor het opsluiten van Conall en mij in die ruimte.' Ze holde op Berrie toe en hielp haar overeind. 'Hij dwong me om die aanklacht in te dienen tegen de arme Duff. Hij dacht: als de school gesloten is, kan het landgoed worden verkocht, en dan kunnen wij de helft van de erfenis krijgen. Duff heeft niets anders gedaan dan aardig voor me zijn.'

Berrie liet Finola's hand los en pakte haar bij de armen. 'Ga je dan met me mee, om dat te vertellen aan de kantonrechter en de politieman? Laat je de aanklacht tegen Duff vallen?'

Finola knikte. Tranen maakten een spoor in het stof op haar wangen. 'Ik zal wel moeilijkheden krijgen omdat ik heb gelogen.' Ze wendde zich af, ging naar haar zoon toe en nam hem in haar armen.

Berrie keek naar Simon. 'Is dat zo?'

In plaats van Berrie of Finola aan te spreken, wierp Simon een sombere blik op Thaddeus. 'Niet zo veel moeilijkheden als je broer straks krijgt. Kom mee.' Hij pakte Berrie bij de hand en legde een hand om Finola's elleboog. 'Jobbin, ik hoor dat je Berrie hebt rondgereden in je wagen. Staat hij klaar?'

55

'Wat zeg je nou?' vroeg Rebecca geschrokken. Ze volgde Dana de lege kamer in. 'Waar is ze?'

Achter Rebecca verscheen Natalie, even ongerust als Dana.

'Ik dacht dat ze bij Natalie in de kamer was, maar daar was ze niet. Ik heb in de keuken gekeken, en toen in alle kamers hier boven. Ze is weg – met haar knuffel Emma.'

Rebecca schudde haar hoofd. 'Nee, nee, ze moet hier ergens zijn. We gaan met z'n allen zoeken. Kleden jullie je maar aan, en kom dan naar de keuken. Ik zal Helen en William vragen of ze haar gezien hebben.'

Dana trok vlug een trui met lange mouwen over het T-shirt waarin ze had geslapen, en verwisselde haar katoenen pyjamabroek voor een rok die over een stoel hing. Ze volgde Rebecca de kamer uit.

Natalie pakte Dana bij de hand. 'We vinden haar, Dana. Niet helemaal in de stress schieten. Ze zit vast ergens in huis. Het is groot genoeg om in te verdwalen. Ik kleed me ook aan en ik zie je zo beneden.'

Rebecca hoefde niet naar Dana's gezicht te kijken om te weten dat die woorden niet veel troost boden. Padgett had het huis al meer dan een maand verkend; ze zou vast niet meer verdwalen.

Terwijl ze vlug de trap afliepen, zag Rebecca meteen dat op Padgetts favoriete plekje boven aan de trap geen spoor van haar te zien was – geen speelgoed, geen lege kom van de ontbijtgranen die ze had kunnen pakken voordat iedereen wakker was.

Dana had op alle andere lievelingsplekjes gekeken: de speelkamer, waar het speelgoed van Quentin en zijn broer was achtergebleven voor toekomstige generaties; de bibliotheek, waar een plank met kinderboeken meer dan eens Padgetts aandacht had getrokken; de mediakamer, waar een groot tv-scherm was geïnstalleerd, compleet met een selectie kinderfilms die Dana had meegebracht; de tuinkamer, waar ze vaak bij Winston was.

'Helen was al in de keuken toen ik naar beneden ging,' zei Dana.

'Zij heeft haar niet gezien.'

'Weet je hoelang ze al weg kan zijn?'

Dana kneep haar ogen stijf dicht. 'Ik heb de hele nacht niet geslapen, tot een uur of vijf vanmorgen. Toen moet ik zo diep geslapen hebben dat ik niets heb gehoord. Ze was weg toen ik wakker werd – rond kwart voor acht.'

Rebecca keek op haar horloge; het was half negen. Het voltallige personeel kon elk ogenblik komen nu de rondleidingen om tien uur begonnen. 'Straks hebben we alle hulp die we nodig hebben om het hele huis uit te kammen, Dana.'

Ze gingen naar de keuken, waar Helen bezig was om scones, gemaakt naar een van Cosima Escotts lievelingsrecepten, in de oven te zetten. Met opgetrokken wenkbrauwen keek ze om. Toen ze het antwoord op haar onuitgesproken vraag op hun gezichten geschreven zag staan, deed ze haar schort af en zette de oven uit. 'Ik zal William halen.'

Rebecca en Dana gingen uit elkaar en doorzochten alle kamers op de eerste verdieping, waar ze Padgetts naam riepen. Op weg naar de foyer keek Rebecca uit een raam en zag verscheidene deelnemers voor de rondleiding met Rebecca's educatiemanager in de zuilengang staan. Als Padgett niet binnen een paar minuten gevonden werd, zou ze medewerking vragen voor de zoektocht.

Rebecca vond de oude bediendentrap in de gang die wegleidde van de balzaal. Die had Rebecca nooit aan Padgett laten zien. Het was er donker, omdat hij tegenwoordig voor het opslaan van schoonmaakspullen werd gebruikt.

'Padgett? Ben je daar?'

Ze keek achter hangende stofjassen en langs de rechte trap omhoog. Geen Padgett.

'Wat een rare plaats om iemand te zoeken,' zei een bekende stem vanuit de gang.

Rebecca stapte in het licht en zag Quentins verbijsterde gezicht. Hij was gekleed op de belangrijke dag: een donkerblauw Italiaans kostuum, fris wit overhemd, keurige stropdas met blauwe vlekjes en een platina speld om hem op zijn plaats te houden.

'Goedemorgen,' groette hij.

Rebecca kon geen woorden vinden, zelfs niet die ze had bedacht om te zeggen als ze hem weer zag. 'Padgett is weg.'

Hij fronste. 'Wat?'

'Dana werd daarstraks wakker en Padgetts bed was leeg.'

'Ze moet hier ergens zijn. Ik neem aan dat je eerst in de speelkamer hebt gekeken?'

Rebecca knikte. 'Ze heeft ons gisteravond horen praten. Dana was nogal van streek. Ik denk...'

'Het is allemaal mijn schuld, hè?'

De stem klonk van achter de openstaande deur van de trap, die Quentin zachtjes dichtdeed. Dana's gezicht was nat van tranen, haar ogen opgezet, haar huid een mengeling van lijkbleek en koortsig rood.

'Natuurlijk niet, Dana,' zei Rebecca, die een stap naar haar toe deed. 'Ik wilde zeggen dat ze van streek geraakt kan zijn en zich misschien verstopt heeft, dat is alles.'

'Of weggelopen!' huilde ze. 'Wie weet waar ze kan zijn als ze het huis uit is gegaan?'

Rebecca wisselde een blik met Quentin. Als ze het huis had verlaten, was er maar één plek waar ze heen zou gaan.

'De kinderboerderij,' was Quentin Rebecca voor.

Ze renden naar de uitgang bij de veranda van de balzaal, de snelste weg van het huis naar de boerderij. Rebecca hoorde een kreet achter zich van Natalie, maar niemand stond stil en Natalie begon te rennen.

Het volledige personeel was al aanwezig om alles klaar te maken voor de Featherby-rondleidingen.

'Chad, is Padgett hier vanmorgen al geweest? Misschien om naar Emma te kijken?'

'Ik wilde net gaan kijken bij Emma en haar gezin,' zei hij onder het lopen. Hij scheen niet te merken hoe dringend Quentins vraag was en dat het ongewoon was om op dit uur van de ochtend bezoek te krijgen in zijn schuur. ''k Heb de koe verzorgd, de paarden en de kippen gevoerd, maar de lammetjes zijn nog niet aan de beurt gekomen.'

Hij opende de achterdeur van de schuur die naar het omheinde weitje voerde waar de lammetjes en geiten graasden en sliepen.

Rebecca speurde het terrein af. Geen Padgett. 'Daar is Emma's mama,' zei ze, wijzend naar de bekende, gezellig dikke ooi. Emma was oud genoeg om zelf op avontuur te gaan, maar bleef toch vaak dicht bij haar moeder.

Emma was nergens te zien.

Aan de zijkant van het weitje blaatte een bok om aandacht. Zijn hoorns zaten vast in het hek.

'Hé, dat is merkwaardig,' zei Chad achter hen. 'Neem me niet kwalijk. Ik moet zorgen dat die niet losbreekt en de tuin in banjert, en vandaag al helemaal, wat zegt u, juffrouw Seabrooke, meneer Hollinworth.'

Quentin volgde hem, evenals Rebecca. Natalie en Dana gingen de schuur weer in, waar ze Padgetts naam riepen.

'Waarom is het vreemd dat die bok vastzit, Chad?' vroeg Quentin.

'Dat is onze schurk,' zei Chad, die één hoorn vastpakte en het hek losmaakte. Hij bevrijdde het spartelende dier zonder hem achter de omheining te laten. 'Hij is gek op varens en vreet ze allemaal op.' De bok strompelde weg en schudde zijn kop. 'Vreemd dat hij op die manier vastzat. Hij moet de bovenste klink los hebben gekregen. Ziet u?'

Rebecca schatte de hoogte van de klinken. De onderste was goed binnen bereik van Padgett, maar de bovenste? Ze kon er vast niet bij, de grond helde weg van het hek. Rebecca wisselde een blik met Quentin. Hij scheen hetzelfde te denken als zij: Padgett kon hierheen gegaan zijn, over het hek zijn geklommen om de bovenste klink los te maken, maar ze had hem waarschijnlijk niet meer vast kunnen maken vanaf de andere kant, waar de helling steiler was.

'Hier is Emma niet,' riep Dana vanuit de schuur.

Quentin wenkte haar. 'Ze is deze kant opgegaan.' Hij wendde zich tot Chad. 'Ik wil dat je het hele personeel vertelt dat we op zoek zijn naar Padgett, en dit heeft voorrang boven de rondleidingen vandaag. Iedereen moet mee helpen zoeken. Let wel, iedereen en overal – ook de Featherby-jury in eigen persoon als ze hier zijn voordat we Padgett hebben gevonden. Begrepen?'

'Ja, meneer,' zei Chad.

'Ik heb mijn mobiel bij me en je moet me bellen als ze gevonden is.'

Chad knikte nogmaals, en hij liep in stevig tempo naar de schuur.

Quentin nam Rebecca, Dana en Natalie mee het weitje uit. 'Laten we ons verdelen, maar elkaar niet uit het oog verliezen.'

De drie verspreidden zich, naar het tarweveld, de beboste vallei, het braakland, en de talrijke rijen struiken langs het glooiende landschap. Het landschap was bezaaid met vijvers en meertjes, maar Rebecca durfde niet te vragen of Padgett kon zwemmen.

Ze passeerden de cottage die de rentmeester als kantoor gebruikte. Quentin ging erop af. Als Padgett deze kant op was gekomen, dan was ze misschien aangetrokken tot het huisje met het peperkoekachtige dak.

Toen ze Quentin op zijn dure schoenen en in zijn maatkostuum over het ongelijke terrein zag ploeteren, onderscheidde zich in Rebecca's verontruste hoofd één gedachte – een gedachte waar ze later over na zou denken, als Padgett weer veilig in haar moeders armen lag. Quentin Hollinworth was net zozeer een dienaar als zij, anders zou hij niet net zo hard meezoeken als de rest.

Het kantoor moest leeg zijn, want Quentin kreeg geen antwoord toen hij aanklopte.

'Iedereen bidt toch mee, hè?' riep Quentin toen ze hun zoektocht hervatten. De afstand tussen hen was maar klein en Rebecca verstond het makkelijk, de woorden die haar zo welkom waren. Een herinnering aan de Ene Die de leiding had, Die precies wist waar Padgett op dit moment was.

Op dat moment ging Quentins mobiele telefoon. Hoop flakkerde op.

'Ja, Chad?... Wat is er?' Ook Quentins stem klonk hoopvol. 'O.' Met dat ene ontmoedigende woord lieten ze alle hoop varen. 'Nee, dat is goed. Zeg maar dat het dom is om te wachten; ik ben de rest van de dag niet beschikbaar.'

Rebecca liep door en bad. Om beurten riepen ze Padgetts naam. Rebecca luisterde zoals ze nog nooit geluisterd had. Ze bad om Padgetts roep of Emma's geblaat.

'Hier! Kijk eens,' Dana holde een paar meter vooruit en bukte om iets op te rapen van het keurige gazon. Rebecca herkende het onmiddellijk.

'Dat is Emma, Padgetts knuffel!'

'Nu weten we tenminste dat we in de goede richting zitten,' zei Quentin.

'Wacht,' riep Natalie. 'Hoorden jullie dat?'

Ze stonden alle vier stil. Rebecca hoorde niets. Even later stormde Dana langs Natalie heen.

'Padgett! Padgett, hoor je me?'

Dana klom een heuveltje op en verdween bijna in een dal. Rebecca rende achter haar aan en zag wat ze verwacht had: aan de andere kant was het groen en blauw van een vijver die de blauwe lucht weerspiegelde.

En daar lag Padgett op de bank naast Emma.

Het lammetje krabbelde overeind en blaatte toen het de rennende mensen zag, hoewel het vastgebonden zat aan een touw en niet ver weg kon. Padgett tilde haar hoofd op toen het lammetje waarschuwde. Ze zag er versuft uit.

'O, ha mama,' zei ze, in haar ogen wrijvend.

Dana trok haar in haar armen en het touw waarmee ze aan het lammetje vastzat, viel op de grond, maar het lammetje bleef staan. 'Is dat alles wat je te zeggen hebt, jongedame?' zei Dana door haar tranen heen. 'Waarom ben je zo ver weg van huis? Waarom ben je weggegaan zonder het te zeggen?'

'Gewoon om na te denken, net zoals jij had gedaan, mama. Alleen kon ik dat meertje niet vinden waar jij zat na te denken. Emma bracht me naar dit meertje, en toen verloor ik mijn – o! je hebt kleine Emma gevonden.' Ze pakte de knuffel uit haar moeders hand.

'Zocht je naar dat meertje aan de voorkant van de Hall?' kermde Dana terwijl ze haar dochter knuffelde. 'Je hoefde alleen maar naar de voorkant te gaan...' Ze maakte haar zin niet af, en kuste Padgett weer. 'Padgett, doe dat nooit, nooit meer. Nooit weggaan zonder het te zeggen, zodat ik weet waar je bent, oké?'

'Oké. Maar jij ging toch bij de vijver zitten om na te denken toen je verdrietig was? Ik ook, omdat ik verdrietig was om jou, omdat je de hele avond hebt gehuild, maar ik wist niet waar ik over moest nadenken. Dus toen heb ik maar dat gebed opgezegd dat Rebecca altijd zegt, van dat God alles heeft gemaakt. Is dat goed?'

Dana lachte eerst, en toen deden Rebecca, Quentin en Natalie mee. Het was een balsem voor de geteisterde zenuwen.

'Jij, jongedame,' zei Quentin streng toen het gelach bedaarde, 'moet nu over iets heel anders nadenken; dat je je moeder nooit meer zo ongerust mag maken. Zou dat gaan?'

'Ja. Ze had nu ook niet ongerust hoeven zijn.'

'En hoe zou je weer thuisgekomen zijn, Padgett?' vroeg haar tante Natalie. 'Weet je welke weg terugleidt naar de Hall?'

Ze haalde haar schouders op. 'Nee, maar ik dacht dat Emma het wel wist. Op de boerderij kan ze altijd haar mama vinden, dus ik dacht dat zij me wel terug zou brengen. Daarom had ik haar aan het touw gedaan, dan zou ze niet te hard lopen zodat ik haar bij kon houden.'

Quentin pakte Emma's touw op en het lammetje ging hen inderdaad voor, terug naar de Hall, terwijl hij Chad mobiel belde om hem te laten weten dat Padgett gevonden was. Het personeel kon weer in de 'Featherby-stand' worden teruggezet, zoals hij grinnikend zei.

De juryleden konden elk moment komen, als ze er al niet waren.

Rebecca's opluchting en dankbaarheid om het vinden van Padgett werden spoedig verdrongen. De juryleden wachtten... net als Quentins besluit over waar hij wilde zijn – hier of in zijn flat in Londen.

56

Meneer Truebody was geschokt toen hij hoorde over het snode plan van O'Shea om onze deuren te sluiten. Ik zal niet zeggen dat hij zo ver ging om toe te geven dat hij de hoop nooit had moeten opgeven, maar wel dit: als Simon MacFarland aanwezig is, de belichaming van de echte macht in dit land (zo scherp in tegenstelling met onze kantonrechter), is meneer Truebody bijna verdraaglijk. Hij verzekerde me dat hij zou doen wat hij kon om overgebleven angsten bij ouders en weldoeners weg te nemen, en te kijken of de commissie het misschien goedvond dat Finola bij ons komt wonen (een optie waar hij tot nu toe nooit van heeft willen horen!). Ook gaf hij goede raad…

'Het is prijzenswaardig dat meneer MacFarland vandaag met u meegekomen is, juffrouw Hamilton,' zei meneer Truebody. 'Hij heeft zijn volledige vertrouwen uitgesproken in uw leiding van Escott Manor, en de volledige verantwoordelijkheid genomen voor de nieuwsberichten in de krant met betrekking tot het misverstand van zijn zuster. Ik heb er maar één ding aan toe te voegen.'

Berrie wachtte en durfde Simon niet aan te kijken. Het was al vernederend genoeg geweest om in dit kantoor te staan met hem naast zich, en te luisteren hoe hij uitlegde dat er inderdaad een kus had plaatsgevonden. Voorts had hij meneer Truebody verteld dat de kus totaal niet schandelijk was, gezien het feit dat hij vergezeld was gegaan van een huwelijksaanzoek, hoewel dat aanzoek ronduit was geweigerd omwille van de school die nu in gevaar was.

'U had dat aanzoek moeten aanvaarden, jongedame,' vervolgde meneer Truebody. 'Als u het instituut werkelijk wilt redden, laat me u dan verzekeren dat het geleid moet worden door een getrouwde vrouw, en niet door een ongehuwde juffrouw zoals u. Dat zou de donateurs veel meer veiligheid bieden. Ik kan u verzekeren, dat als u onder de hoede van een man was, een man aan wie u als eerste verantwoording schuldig was, dergelijke weldoeners gerustgesteld zouden zijn over de hoogste kwaliteit van leiderschap, en bescherming tegen ieder schandaal in de toekomst.'

Er kwamen talloze protesten in haar op, en ze wilde weten waarom een man beter geschikt zou zijn om toezicht te houden op de school, maar het was de tijd noch de plaats. Bovendien had Simon zich al genoeg vernederd door publiekelijk te bekennen dat hij afgewezen was; ze hoefde niet meteen aan te kondigen dat ze weigerde hem nodig te hebben, of welke man dan ook, om haar te helpen bij deze missie.

Ze stelde zich daarentegen voor wat een zedige jongedame zou zeggen. 'Dank u, meneer Truebody. U hebt natuurlijk gelijk.'

'Dan is deze zitting ten einde. Ik vertrouw erop dat meneer Duff Habgood alweer onderweg is naar Escott Manor, aangezien u eerst met juffrouw O'Shea naar het politiebureau bent gegaan. Hij mag met alle plezier werkzaam blijven in het ziekenhuis, juffrouw Hamilton, maar onder deze omstandigheden lijkt het me beter als hij buiten het terrein gaat wonen, zeker als we goedkeuring van de commissie willen krijgen om juffrouw O'Shea te laten terugkeren. Tot de herinnering vervaagd is.'

'En ikzelf?' vroeg Berrie.

'U kunt uw rol weer op u nemen. Als er iets verandert, zal ik u hier ontbieden en u raad geven. Zult u me op uw beurt op de hoogte stellen als uw status van ongetrouwde vrouw verandert?'

Berrie kreeg het warm en wierp meneer Truebody slechts een korte blik toe, maar hij keek niet naar haar, maar naar Simon naast haar.

Ze stapte iets vlugger door naar buiten dan ze binnen was gekomen. Simon bleef naast haar, opende deuren wanneer nodig, en pakte haar hand om haar te helpen in het rijtuig te stappen.

'Dus je school is gered,' zei hij toen hij tegenover haar zat.

Ze glimlachte onwillekeurig. De afgelopen twee dagen waren

weinig meer dan een waas van ellende geweest. 'Ja, en dat is voornamelijk aan jou te danken.'

'Aan mij? Jij was het, Berrie.' Hij hield haar blik een ogenblik vast en keek toen uit het raam. 'Ik zou zeggen dat je grondig bewezen hebt dat je niemand nodig hebt, ondanks wat meneer Truebody wil geloven.'

Berrie keek neer op haar handen, blij dat ze handschoenen aan had. Ondanks het koele weer waren haar handpalmen vochtig. Als ze eerlijk was, zou ze de waarheid eruitflappen, dat ze hem gemist had en spijt had van haar afwijzing. Hoe kon ze dat nu toegeven? Hij zou denken dat ze het alleen deed om de raad van meneer Truebody op te volgen en aldus het voortbestaan van de school zeker te stellen.

'Het zou nooit wat worden, weet je,' fluisterde ze, meer tegen zichzelf dan tegen hem.

'Wat?'

Ze keek naar Simon, slikte het brok in haar keel weg, en drukte de angst weg om zichzelf volkomen voor paal te zetten. Als ze eerlijk tegen hem wilde zijn, dan moest ze nu beginnen. 'Je zou denken dat ik alleen met je trouwde om de school te redden, of tenminste mijn plaats in de school.'

'En... zou je? Met me trouwen, bedoel ik?'

Berrie staarde uit het raam, bang dat hij iets zou zien wat ze nog niet bereid was te onthullen. 'Vraag je me dat onder deze omstandigheden? Dat ik met je trouw om mijn positie veilig te stellen?'

Hij lachte zo ongedwongen dat ze wist dat hij niets van haar onzekerheid voelde. 'Nee, Berrie, beslist niet.'

Zijn woorden maakten haar verwarring alleen maar groter, maar toen gleed hij van zijn zitplaats om naast haar te komen zitten. Hij pakte een van haar handen.

'Als je met me zou trouwen, Berrie, dan zou het geen gearrangeerd huwelijk zijn, of vanwege bepaalde belangen. Het zou niet in naam alleen zijn, niet omwille van je school, je positie, je goede naam of je toekomst. Het zou een huwelijk zijn in de meest volledige betekenis, waarin we samen ontbijten, lunchen en dineren, en onze badkuip delen.' Hij boog zich dichter naar haar toe en fluisterde in haar oor: 'En het bed.'

De hitte onder haar handschoenen verspreidde zich door de rest van haar lichaam. Ze keek hem aan en wist dat ze niet kon verbergen dat zijn toespeling niet angstaanjagend was, maar haar aantrok. Toch moest ze bepaalde gedachten op tafel leggen die beter nu dan later besproken konden worden. 'En samen ruziemaken?'

'Samen vechten,' verbeterde Simon, 'aan dezelfde kant, voor de verandering.'

'En mijn verplichtingen dan? En de jouwe? Ik heb je niet afgewezen omdat ik niet met je wilde trouwen, Simon. Ik wees je af omdat ik ons beiden de frustratie wilde besparen die komt als een van ons wordt losgescheurd van wat we moeten doen.'

Hij legde zijn handen om haar gezicht zodat ze hem aan moest kijken. 'Daar heb ik om gebeden.'

'Ja, Simon? Heb je voor ons gebeden?'

Hij knikte. 'Jij gelooft dat de school een opdracht van God is. Als dat het geval is, hoe kan ik je er dan van willen losmaken tenzij Hij wilde dat ik er een rol in kon spelen? Ik geloof dat het mogelijk is, Berrie. Ik heb al personeel op het oog dat een deel van je papierwerk kan overnemen.'

Ze grinnikte. 'Had dat er maar bij gezegd toen je me de eerste keer ten huwelijk vroeg, Simon. Daar had ik vast geen nee tegen kunnen zeggen.'

'En wat meneer Truebody betreft, elke keer dat je voor hem moet verschijnen zou het ongetwijfeld het beste zijn om een mannelijke spreekbuis te hebben, daar geeft hij duidelijk de voorkeur aan.'

De gedachte nooit meer alleen voor meneer Truebody te hoeven verschijnen, was inderdaad heel aantrekkelijk. Toch trok Berrie rimpels in haar voorhoofd. 'Simon, je hoeft me niet te overtuigen van de voordelen als ik met je trouw. Vanaf de eerste keer dat je me kuste, heb ik gevochten tegen mijn verlangen om met je te trouwen, en ik wil dat gevecht graag opgeven. Maar welk voordeel heb jij ervan, behalve de last van een vrouw met een eigen mening die haar tijd verdeelt tussen haar huis en haar werk?'

'Weet je dat niet meer, Berrie?'

Ze schudde haar hoofd.

'Ik moet bekennen dat mijn woorden tijdens mijn eerste, slecht ontvangen aanzoek aan jou in mijn geheugen gegrift staan – tot mijn schande. Ik beweerde dat ik niet iemand nodig had die stapelverliefd was en blind voor mijn fouten. Ik wilde een vrouw die mijn gedachten en meningen respecteerde en erkende. Ik weet nu dat je dat doet. En als je ook nog van me kunt houden, is dat alles wat ik vraag.'

'Ik hou van je Simon; ik hou van je.'

57

De juryleden arriveerden precies op tijd. De nieuwe draaiboeken, nieuwe garderobes en opgeknapte educatiemiddelen waren al een maand klaar en het personeel en Hollinworth Hall waren in afwachting van de komst van de jury.

Hoewel er maar één Featherby-jurylid vereist was, waren het er vandaag drie. De programmaleidster, Eva Wetherhead, legde uit dat Hollinworth Hall sinds lange tijd een van haar favoriete landgoederen was, en dat ze de kans niet had willen missen om op bezoek te gaan. Ze had twee juryleden mee, van wie er een in opleiding was.

'Zoals u weet,' zei Eva Wetherhead, 'is het ons doel om goed onderwijs te promoten, voornamelijk door een historische omgeving.' Ze wendde zich tot de andere juryleden en Rebecca vermoedde dat degene die lichtelijk grote ogen opzette in opleiding was. 'Hollinworth Hall heeft altijd iets gehad met educatie, een liefde die helemaal teruggaat naar burggraaf Peter Hamilton, die befaamd was om zijn bijdrage aan de wetenschap, tot de laatste burggraaf, die zo veel tijd en geld schonk aan Cambridge.' Ze keek naar Rebecca, die naast Quentin stond. 'Geeft u beiden ons de rondleiding?'

'Ja,' zei Quentin zo ontspannen alsof ze op hun gemak de komst van de juryleden hadden afgewacht, en niet het afgelopen uur hectisch hadden lopen zoeken. 'Juffrouw Seabrooke wilde beginnen in de balzaal, en dan een bezoek brengen aan de kinderboerderij. Ik geloof dat we het buitengedeelte op de veranda afronden met de Victoriaanse thee, en de rondleiding beëindigen in de galerij. Klopt dat?'

Rebecca knikte hoewel hij haar goedkeurig niet nodig had; zij mocht de rondleiding hebben gearrangeerd, maar het materiaal was allemaal van hem. Zijn huis, zijn boerderij, zijn personeel. Het bracht haar weer in herinnering hoe dom het was geweest om verliefd op hem te worden. Als hij echt terug wilde naar Caroline Norleigh, dan bleef zij na hun korte relatie niet alleen achter met een gebroken hart, maar ook zonder werk.

Ze durfde niet te denken aan ergens anders werken, en zeker niet vandaag nu alles op Hollinworth Hall op zijn best was, van de tuinen tot de kinderboerderij tot de werkplaatsen, zowel in de smederij als in het natuurwetenschappenhuisje met de fossielen van Peter Hamilton. Ze kon hier niet weg; zo'n groot deel van haar leven, en van de levens van haar familie, had zich op het terrein afgespeeld. Ze kon niet weg, en toch kon ze niet blijven. Niet als Quentin met Caroline Norleigh ging trouwen.

Ze bekeken de boerderij, waar geen spoor meer te zien was van het drama dat zich nog geen halfuur geleden had afgespeeld. Geen jurylid of toerist kon vermoeden met hoeveel zorg en angst ze op zoek waren geweest naar Padgett. Alles was goed, en Natalie nam met een glimlach op haar gezicht deel aan de rondleiding.

Ze gingen naar het natuurwetenschappenhuisje, bekeken de tuinen – de groentetuinen en de siertuinen – en bezochten de doolhof waar ze daarstraks nog tevergeefs gezocht hadden. Toen ze op de veranda kwamen, zag Rebecca bijna meteen dat één gestalte daar niet hoorde. Hoewel haar pakje waarschijnlijk veel duurder was dan de replica's van de Victoriaanse dagelijkse dracht, was de kleding van lady Elise een ontnuchterende herinnering aan het tijdperk waarin ze nu leefden.

'Ik ga wel even naar haar toe,' fluisterde Quentin, 'maar ik ben zo terug. Alleen.'

Quentin excuseerde zich en ging naar zijn moeder toe, hij nam haar mee de Hall binnen. Rebecca bleef zich concentreren op de deelnemers aan de rondleiding, maar ze vroeg zich af wat er zo dringend was dat lady Elise gekomen was.

Rebecca wist dat de jury zich naderhand onder het andere publiek wilde mengen. De educatiemanager was aanwezig om te zorgen dat er geen vraag onbeantwoord bleef en het doel achter ieder geëxposeerd stuk duidelijk was. Rebecca wilde die tijd graag gebruiken om te zorgen dat de jury op alle punten tevreden was.

In de galerij was het donker na de felle zon, daarom nam ze even de tijd om een paar verhalen te vertellen die ze van Quentin had gehoord voordat ze de grote meesters voorstelde, de Hollinworthvoorvaderen, de verschillende tijdperken en kunstmethoden die in de collectie getoond werden. En aangezien Rebecca er zeker van was dat de juryleden ervan genoten, wierp ze meer dan eens een blik op Natalie, vooral toen de portretten van Peter en Cosima Hamilton aan de beurt waren. Natalie keek of ze oude vrienden ontmoette.

Toen het formele gedeelte van de rondleiding afgelopen was, kwam Quentin de galerij binnen. Ze was blij dat hij had willen deelnemen en hoewel het authentieker was geweest als hij zelf zijn favoriete familieverhalen had verteld, was de rondleiding ook zonder hem allesbehalve een mislukking geworden. Ze begroette hem met een glimlach. Er waren dingen waar ze volkomen gerust op was, en de wetenschap dat ze haar best had gedaan voor de prijs was er een van.

'Heb ik alles gemist?' vroeg hij, onnodig zijn das rechttrekkend. 'Niet helemaal,' zei ze. 'Ze zullen afscheid willen nemen. Je mag hen uitlaten.' Ze keek over zijn schouder of zijn moeder weg was.

Quentin boog zich dichter naar haar toe en fluisterde in haar oor: 'Als je uitkijkt naar mijn moeder, ik hoop dat ze mijn raad eindelijk heeft opgevolgd en vertrokken is. Maar wees op je hoede. Daarstraks aan de telefoon en nu weer heeft ze meer dan eens gezegd dat ze jou ook wilde spreken.'

Was zij degene geweest die had gebeld? 'Waarom?'

Hij grinnikte. 'Maak je geen zorgen; ik heb haar laten beloven dat ze het netjes houdt. Ik heb wel gezegd dat het vandaag niet goed uitkomt, maar het woord *Featherby* zegt haar absoluut niets.' Hij liet Rebecca alleen en stak zijn hand uit naar de jury. 'Nogmaals mijn verontschuldigingen dat ik weg moest. Ik werd bij een familiebijeenkomst geroepen waar ik niet onderuit kon.'

Mevrouw Wetherhead glimlachte geruststellend. 'U hebt hier een grote schat, meneer Hollinworth. Mijn collega's en ik willen graag nog een stukje van de rondleiding overdoen als de bussen met toeristen weg zijn. Daarna zullen we u vragen enkele vervelende papieren te ondertekenen en dan zijn we u verder niet tot last. Is dat goed?'

'Ja, natuurlijk. De Hall staat vandaag voor u open zo lang u maar wilt.' Hij wendde zich tot Rebecca. 'Rebecca?'

Ze hoorde hem wel, maar ze kon hem niet aankijken. Haar oog werd getrokken in de richting vanwaar hij gekomen was, naar de gang die naar de galerij leidde. Daar stond Elise Hollinworth, en ze staarde Rebecca recht aan.

'Ik – ik kom zo bij u,' zei ze. Daar was die stem weer, de stem die ze nooit meer uit haar eigen mond had willen horen. Elk woord doordrenkt van deemoedigheid.

Als Quentin iets had willen zeggen – en Rebecca vermoedde dat, zoals hij naar haar keek en even te lang naast haar bleef staan – dan gaf ze hem de kans niet. Ze liep langs hem heen naar zijn moeder. De blik van lady Elise bleef op haar rusten tot Rebecca vlak voor haar stond. Toen draaide ze zich zonder een woord te zeggen om en ging haar voor, niet naar de keuken waar Helen was, niet naar de salon die openstond voor iedereen, niet naar de eetkamer die uitkeek op de Victoriaanse thee die tot de laatste gasten verdwenen waren nog steeds werd opgevoerd op de veranda en het gazon. Maar ze ging de trap op en rechtstreeks naar Rebecca's kantoor.

Binnen deed ze de deur achter Rebecca dicht.

Lady Elise stond hoog opgericht en koninklijk voor het raam waardoor Rebecca elke dag naar buiten keek. Het was ineens lady Elise's kantoor, haar huis, haar zoon. Rebecca was de buitenstaander. Elise stond met haar rug naar het raam naar Rebecca te kijken. Misschien was het een experiment, om te kijken hoelang het duurde voordat Rebecca zichtbaar ineenkromp. Ze dwong zich om rustig te blijven staan.

Elise kneep haar ogen tot spleetjes en haar starende blik drong door Rebecca heen als röntgenstralen. Rebecca wist dat niemand lady Elise tegensprak. Maar hoewel Rebecca geen gebrek aan respect wilde tonen, had ze ook geen zin om het tegenovergestelde te tonen – te veel van iets wat niet verdiend was.

Het was nu allemaal zo eenvoudig. Alles wat Natalie had gezegd over dienstbaarheid. Christus had de rol van dienstknecht gekozen; hoe kon ze zichzelf daarboven stellen? Zo veel dingen waren nu makkelijker te begrijpen.

Ineens glimlachte Rebecca, en ergens van binnen erkende ze het als een wonder. 'Had u me ergens over willen spreken, lady Elise?'

'Mijn zoon is hier niet om die rare juryleden daar beneden te ontvangen. Hij is hier om jou te zien. Maar dat wist je al, hè?'

Hoe kon Rebecca uitleggen wat ze zelf niet begreep? Ze kende de toekomst net zomin als lady Elise. Maar één ding wist Rebecca wel: haar geloof en dat van Quentin waren oprecht. Ze zouden geen enkele beslissing nemen zonder veel gebed. Er speelde zich veel in haar af: het had haar uit haar evenwicht gebracht dat lady Elise haar had willen spreken, en ze voelde nog een restje hoop dat ze maar niet kwijt kon raken, hoop dat de blik die ze die ochtend zo duidelijk in Quentins ogen had gezien niet mis te verstaan was.

'Ja,' fluisterde Rebecca. De gedweeheid begon te verdwijnen. Ze hoorde het zelf aan haar stem.

Lady Elise's volmaakte beheersing begaf het. Even stonden haar ogen besluiteloos. 'Je doet net alsof je de toekomst kent, dat onze levens in de toekomst verweven zouden worden door Quentin. De rust van het weten – staat op je gezicht geschreven.'

Rebecca knikte nogmaals. 'Ja, omdat ik me niet zo veel zorgen wens te maken over de toekomst. Die is in Gods hand.'

Lady Elise sloeg haar armen over elkaar en nam Rebecca nieuwsgierig op.

'Ik keur het niet goed,' zei lady Elise.

'Ja, dat weet ik. Het spijt me.'

'Maar niet genoeg om bij hem uit de buurt te blijven.'

Rebecca schudde haar hoofd. Als ze met Dana of Natalie had gepraat of met een oude vriendin, dan zou ze een stap naar haar toe hebben gedaan en de piekerende vrouw op de hand hebben geklopt, haar zorgen weggesust. Maar dit was lady Elise. 'In de Bijbel staat dat we onze vader en moeder moeten eren. Dat wil ik; ik wil dat Quentin dat doet. Maar het is niet verkeerd als Quentin en ik samen zijn als hij besluit dat hij liever mij heeft dan lady Caroline. Die societypagina's – dat is toch eigenlijk niet zo belangrijk?'

'De societypagina's!' Lady Elise lachte. 'Dacht je dat dát me dwarszat? Als dat mijn enige zorg was, had hij wat mij betreft elke vrouw als echtgenote kunnen nemen.' Haar ijzige blik ontdooide langzaam, maar onmiskenbaar. 'Dit is niet de wereld waarin ik ben opgegroeid, hoor. Overal waar ik kijk is het minder uniek, minder gespecialiseerd. Ik sla de hoek om en er staat een Amerikaanse McDonald's – hier, in Spanje, in Griekenland, in Japan. Ik kan mijn lievelingsparfum nu online kopen, wist je dat? Het soort dat vroeger speciaal voor mij in een klein fabriekje in Frankrijk werd gemaakt. Nu kan ik thuis blijven en opdracht geven om het te maken en het wordt aan de deur afgeleverd. Eens zal er nergens meer iets unieks zijn.' Ze keek rond in het kantoor en stak haar hand op. 'Zelfs hier, wat vroeger de slaapkamer was van de dochter van een burggraaf, is nu een kantoor voor een commercieel manager. Het verdwijnt. Straks is de adel een herinnering aan het verleden. Het is al gebeurd.'

'Het spijt me, lady Elise,' zei Rebecca. Ze begon het te begrijpen en kreeg zelfs een beetje medelijden. 'Ik stel me voor dat u me dus ziet als zo'n fastfoodrestaurant? Ik neem de plaats in van iets bijzonders, iets unieks.'

Lady Elise ontdooide niet door haar begrip. Ze draaide Rebecca de rug toe om uit het raam te kijken.

'Hij komt zo naar boven. Ik kan hem niet bij je weg houden.'

Lady Elise keek om, zonder Rebecca meer dan een glimp van haar gezicht te laten zien. Ze zag er ouder uit – niet verdrietig, eerder berustend. 'Ik zal het niet meer proberen. Jij hebt gewonnen.'

Wist lady Elise niet waar Caroline Norleigh logeerde? Rebecca verborg haar onopgeloste angst; het ging nu meer om lady Elise dan om een eventuele toekomst tussen Rebecca en Quentin.

'Het was toch geen touwtrekwedstrijd, met Quentin als touw? We willen toch allebei dat hij gelukkig is? Ik heb niet gewonnen.'

Elise nam Rebecca weer op, met een onbewogen blik die Rebecca voor het eerst zag. 'Van mijn twee kinderen leek Quentin het meest op zijn vader. Ik heb hem zo vaak als ik kon en zo lang als ik kon bij me gehouden. Mijn man had Robert al. Maar nu heeft Quentin zijn vader in zich ontdekt – zijn geloof en zijn voorkeuren. Niet mij of mijn levensstijl. Hij zal je trouw zijn; dat kan ik je garanderen. Dat was mijn man ook altijd, tot op de dag van zijn dood, ondanks mijn tekortkomingen.'

'U schijnt er zeker van te zijn dat mijn toekomst met Quentin vaststaat, lady Elise, maar dat is allesbehalve zeker.'

Lady Elise wilde iets zeggen, maar klapte haar mond dicht. Ze liep langs Rebecca heen en stond stil met een hand op de deurkruk. De blik waarmee ze door de kamer heen naar Rebecca keek, was de lady Elise die ze kende, koud en afstandelijk. 'Ik zal je niet in de weg staan, Rebecca, maar ik waarschuw je: als je mijn zoon of onze naam te schande maakt, dan zal ik zorgen dat je het de rest van je leven betreurt.'

Toen was ze weg, hoewel Rebecca haar aanwezigheid nog voelde en haar waarschuwing in de kamer bleef hangen. Maar het was geen waarschuwing. Het was de enige manier waarop lady Elise haar zegen kon geven.

Opnieuw flakkerde er hoop op in Rebecca, hoewel ze zich ertegen verzette. Waarom stond lady Elise hen niet meer in de weg... Was er nog iets over tussen Rebecca en Quentin waarvoor dat belangrijk was?

Rebecca volgde lady Elise, die zonder een woord te zeggen de veranda-uitgang nam in plaats van langs de mensen heen te lopen die nog om de wachtende bussen heen stonden. Als ze recht naar haar auto liep, kon ze de laan af zijn voordat de bussen wegreden. Rebecca wilde naar de mensen buiten toe gaan, maar ze zag Natalie met Dana en Padgett in de voorsalon zitten.

'Dat was een fantastische rondleiding, Rebecca,' zei Natalie. 'Als ik nu Cosima's dagboek weer lees, kan ik alles veel beter voor me zien. Zelfs haar.'

Rebecca stond in de verleiding om zich in een stoel te laten ploffen. Ze zaten zo gezellig ijsthee te drinken, en Dana en Padgett zaten achter de piano. De ochtend had eindeloos geduurd, maar de dag was nog niet voorbij. Ze moest de Featherby-jury uitlaten, en wat belangrijker was, ze had Quentin nog niet gesproken. Hoewel hij voor de juryleden een en al glimlach was geweest en erg zorgzaam tijdens de zoektocht naar de dwalende Padgett, was er geen woord gewisseld dat erop wees dat hij had besloten waar zijn hart rustte. Bij Rebecca of bij lady Caroline.

'Helen heeft net thee gebracht, wil je ook, of wacht je tot de juryleden weg zijn?' vroeg Dana terwijl ze een spelletje speelde met Padgett. 'De thee staat op tafel.'

Rebecca hoorde amper wat ze zei. Wat ze wel hoorde, was een klank in haar stem die ze bijna vergeten was. Een toon van belangstelling, en rust, in elk geval kalmte zonder een spoor van angst of neerslachtigheid.

'Ik moet naar de jury,' zei ze met haar blik op Dana gericht. 'Ik ga zo. Wat een ochtend, hè?'

Dana knikte glimlachend en speelde Padgett na. Ze hadden zich steeds stil en uit het zicht gehouden, maar nu de rondleiding voorbij was, konden ze zo veel lawaai maken als ze wilden.

Rebecca stapte op de piano af. 'Ik heb geen ogenblik de tijd gehad om bij te komen van de overdosis adrenaline van vanmorgen. Maar jullie tweeën zijn aardig tot rust gekomen.'

Dana stond op; Padgett speelde door. Dana stond stil voor Rebecca en legde twee sterke handen op Rebecca's armen. 'Hoe vreselijk het ook was vanmorgen, ik heb er iets van geleerd. Terwijl Natalie en jij weg waren, heb ik gebeden, samen met Padgett, hè lieverd?'

Ze knikte, zonder een noot te missen van de eenvoudige toonladder onder haar vingertoppen.

Natalie kwam erbij, ook al met een lach op haar gezicht. 'Dana heeft het me net verteld, Rebecca. Ik geloof niet dat ze haar grote zus nog nodig heeft om haar te vertellen wat ze moet doen. Ik ben ieder gezag dat niet al op Aidan was overgegaan, kwijtgeraakt aan een nog hogere macht.'

Dana grinnikte. 'Toen Padgett me vertelde dat ze erop gerekend had dat Emma haar naar huis zou brengen, viel het me in dat al dat tobben van me onnodig was. Sterker nog: hoewel ik bad, vertrouwde ik niet echt. Ken je dat?' Ze lachte zo kort dat het klonk als een zucht. 'Weet je wat ik heb geleerd?'

Rebecca schudde haar hoofd.

'God heeft ons de kracht die we nodig hebben al gegeven. We moeten alleen al die lagen twijfel kwijt zien te raken waaronder die kracht verborgen ligt. Dat doet een beproeving. Ik zag onder ogen wat elke ouder het meest vreest: niet weten waar Padgett was. Al heeft het maar een uur geduurd, het was het langste uur van mijn leven. En ik heb het overleefd. Ik denk dat ik sterker moet zijn dan ik dacht, omdat ik in dat hele vreselijke uur niet één keer snikkend op de grond ben gevallen en het heb opgegeven. Ik heb het doorstaan, en ik denk dat ik alles kan doorstaan wat in de toekomst ligt.'

'Alles, zoals in Cosima's dagboek staat,' fluisterde Rebecca opgelucht. 'Dus ik neem aan dat je binnenkort naar Ierland gaat om bij Aidan te zijn?'

Dana knikte. 'Morgen. Natalie gaat mee, om me gezelschap te houden tot Aidan klaar is met zijn opdracht. Hij zei dat we eind volgende week naar huis kunnen.' Ze trok Rebecca dicht tegen zich aan. 'Als ik beloof geen vijand meer te maken van de hoop, dan moet jij dat ook doen. Denk aan wat je vader zei. De grootste hoop komt na een overgave.'

Rebecca sloot haar ogen en verzette zich tegen de tranen.

'De bussen gaan weg,' zei Natalie bij het raam.

Dana drukte Rebecca nog eens tegen zich aan. 'Zoek hem op. Praat met hem. Je moet het weten. Dat heb je zelf gezegd. Hoe eerder, hoe beter.'

Rebecca wist dat Dana gelijk had. Ze knikte één keer en ging de kamer uit.

Hij was buiten bij de juryleden, en hij glimlachte toen hij haar zag. Meteen versnelden haar ademhaling en haar hartslag. Zou hij zo naar haar kijken als hij op het punt stond om te zeggen dat hun relatie een zakelijke moest worden?

Voordat ze zich bij hem en de juryleden kon voegen, maakte Quentin zich los van het groepje en kwam op haar toe.

'Ze willen hun checklist nog één keer doornemen,' zei hij. 'Ik geloof eigenlijk dat ze ons voorlopig niet in de buurt willen hebben. Ze vroegen ons elkaar straks terug te zien in de galerij.'

Ze volgde hem het huis weer in. In plaats van de vooringang te nemen, waar ze zich verplicht bij Dana en Natalie zouden moeten voegen, nam Quentin haar mee om het huis heen naar de verandadeur. Het was de kortste weg naar de galerij. Ze passeerden de Victoriaanse theedames die nog rondhingen in hun kostuum al was de rondleiding afgelopen; ze passeerden Helen die met een blad gebruikt Iers porselein op weg was naar de keuken. Eindelijk kwamen ze bij de galerij, waar hun voetstappen weerkaatsten op de glanzende marmeren vloeren.

'Een paar minuten alleen kunnen we wel gebruiken, vind je niet?' vroeg hij. 'Er is iets wat we moeten bespreken.'

Rebecca beaamde het, haar hart was heet en koud tegelijk, de gevoelens botsten in haar borst op elkaar en benamen haar de adem. 'Misschien als de jury weg is?'

'Ze zouden nog even naar de kinderboerderij lopen.' Hij keek naar de portretten, de marmeren bustes, het keramiekwerk dat geslachten van verzamelaars, rijkdom en aristocratie vertegenwoordigde.

Rebecca keek mee. Het was allemaal zo vertrouwd. Zou een andere vrouw, een vrouw als Rebecca zonder stamboom van verheven voorouders, zich in deze ruimte niet op haar plaats voelen? Misschien. Maar Rebecca's verleden was verweven met Quentins verleden, en gezien de woorden die Natalie gisteravond had uitgesproken, was ze dankbaar voor de dienstbaarheid waar haar familie voor stond.

'We kunnen er evengoed hier over praten, vind je niet?' Rebecca maakte haar blik los van de aristocraten om haar heen naar de aristocraat die voor haar stond. Ze knikte. Sterker nog, een betere plaats was er niet, hoe de afloop ook zou zijn. Als Quentin iemand van zijn eigen soort had gekozen, was het hier misschien beter te begrijpen.

'Weet je waarom ik ben weggegaan, Rebecca?'

Het antwoord lag voor de hand, maar ze moest het hardop zeggen, al sneden de woorden in haar hart. 'Je bent naar Londen gegaan. Om lady Caroline te zien.'

Hij schudde zijn hoofd. 'Ik ben inderdaad naar Londen gegaan en ik heb Caroline gezien. Maar dat is niet waarom ik ben weggegaan.' Hij zweeg even.

Ze kon zien dat hij zijn gedachten verzamelde als verloren puzzelstukjes, op zijn gezicht stond iets te lezen tussen verwarring en verlangen.

'Ik heb nog een vraag voor je. Weet je nog toen we alleen maar samenwerkten, voordat we onze persoonlijke gevoelens voor elkaar hadden toegegeven?'

Een korte knik was genoeg; die relatie had veel langer geduurd dan de persoonlijke.

'Bij gelegenheid zei je wel eens iets om mij te beschermen, en altijd, altijd zette je dat door in je daden.'

'Ja, dat is mijn taak. Om het belang en de integriteit van de familie te beschermen.'

Quentin pakte haar hand. 'Begrijp je het niet? Daardoor leek jij de sterkste van ons tweeën. Dat was voor een deel de reden dat ik zo lang heb gewacht om mijn gevoelens voor jou op te biechten. En misschien de reden dat ik iets met Caroline ben begonnen, al heb ik je vanaf onze eerste ontmoeting beter willen leren kennen. Weet je nog wanneer dat was?'

'Ik ben hier drie jaar geleden komen werken...'

Hij legde haar met een hoofdschudden het zwijgen op. 'Nee. Je vader bracht je hier toen je vijftien was en ik zestien. Je kwam om het huis te bekijken waar zo veel Seabrookes hun leven in geïnvesteerd hadden.'

Ze herinnerde het zich maar al te goed. Het was de eerste keer dat ze hem in het echt had gezien, al had ze zich veel vaker voorgesteld hoe het zou zijn om met hem te praten, al sinds haar vader haar zijn foto had gewezen in de societypagina's van de krant. Of naast zijn moeder bij een polowedstrijd.

'Ik geloof dat ik toen verliefd op je ben geworden, Rebecca, al die jaren geleden. Ik wist dat je op school uitblonk in alle vakken – dat vertelde mijn vader – dat je met veel betere cijfers afstudeerde dan ik ooit had kunnen halen. Dat je actief was in de kerk. Ik ben je in elk geval nooit vergeten, en toen je hier kwam werken, keek ik een beetje tegen je op en het verbaasde me dat je hier een carrière wilde beginnen, en niet ergens anders. En ook hier blonk je natuurlijk uit, zoals ik wel verwacht had. Maar steeds was er dat... gevoel op de achtergrond dat je niet alleen slimmer was, maar ook sterker dan ik. Daardoor voelde ik me minder man. Kun je dat begrijpen?'

'Het is nooit mijn bedoeling geweest om je dat gevoel te geven.'

Hij knikte. 'Ja, dat weet ik. Dat maakte het nog erger.'

Dit keer viel er een langere stilte. Rebecca's hart werd zwaar. Dit had ze niet verwacht. Ze had verwacht dat hij zou zeggen wie hij gekozen had, en hoewel ze in het diepst van haar hart geloofde dat hij haar had gekozen, had ze zich op het ergste voorbereid. Maar ze was er niet op voorbereid dat hij haar ging vertellen waarom ze zijn liefde niet had kunnen behouden. Misschien kwam die wetenschap op een dag van pas, maar op dit moment wilde ze alleen maar op de vlucht slaan.

Maar zijn zachte stem hield haar op haar plaats. 'Toen je me laatst vertelde dat je bang was, besefte ik voor het eerst dat je niet ongevoelig was voor alle angsten en onzekerheden waar wij allemaal aan onderworpen zijn.' Hij gaf haar een scheef lachje. 'Je zou denken dat het daar makkelijker van werd, dat het ons meer gelijkwaardig maakte. Dat was niet zo, en daarom ben ik weggegaan.'

Moest hij het beslist zo uitgebreid uitleggen? Elke woord deed pijn. 'Omdat ik niet langer degene was die je dacht?'

'Nee, omdat ik ineens inzag dat ik in staat was je teleur te stellen. Dat ik je pijn kon doen of in de steek kon laten. Al die tijd had ik gedacht dat ik je dat niet aan kon doen, omdat jij dat speciale vermogen had om alles om je heen te doorgronden, alles te verwachten wat in de toekomst lag, overal op voorbereid te zijn – en daardoor jezelf kon behoeden voor alle onverwachte tegenslagen waar de rest van ons aan blootstaat. Toen ik besefte dat jij net zo bang was als ik om de pijn van een verlies te doorstaan, werd ik bang dat ik er eens verantwoordelijk voor zou zijn je dat aan te doen. Dus ik moest zorgen dat ik dat nooit zou doen.'

Dat hij zo onrealistisch over haar dacht, haar zo hoog op een voetstuk zette, maakte duidelijk hoezeer hij het mis had. Had ze zich zo goed voor hem verstopt dat hij niet kon zien hoe weinig ze eigenlijk wist? Terwijl ze zich die vraag stelde, herhaalde ze in haar hoofd de laatste woorden die hij had gezegd. Als hij zo onrealistisch over haar dacht, hoefde ze alleen maar de waarheid te vertellen om het recht te zetten.

'Ik verwacht van niemand dat hij of zij volmaakt is – noch van mezelf, noch van de mensen om me heen,' fluisterde Rebecca. 'Ben ik echt de intellectuele snob geweest waar je me eens voor hebt uitgemaakt?'

'Nee, ik was het. Ik was degene die het verkeerd zag.'

'Hoe zie je me nu dan?'

'Op het moment als ongeveer even onzeker als ikzelf. Ik weet niet of dat prettig is, maar het is in elk geval wel een troost.'

'Het enige wat je nodig hebt, is tijd om te beseffen hoeveel fouten ik heb. Ik ben niet alleen onzeker, ik ben ook jaloers – een bijzonder onaantrekkelijke eigenschap.'

'Dat komt omdat ik onverantwoordelijk gehandeld heb met Caroline. Ik had niet moeten toestaan dat mijn moeder haar uitnodigde om op de cottage te komen logeren, toen ik een relatie met jou wilde. Dat was op z'n minst onnadenkend van me. En toen ze weg was, had ik haar mijn flat niet moeten aanbieden. Ik dacht dat het vrijgevig en aardig van me was. Het was onbezonnen. Als ik jou wil overtuigen dat er nooit een andere vrouw tussen ons zal komen, moet ik met haar beginnen. Een duidelijke breuk, waardoor jij – en Caroline trouwens ook – je niet hoeft af te vragen of er nog iets van die relatie over is.'

'En is dat zo?' Haar hart hamerde vol verwachting in haar borst.

Quentin schudde zijn hoofd. 'Nee.'

'Zelfs niet als ze tot geloof is gekomen?'

'Ik hoop dat het waar is. Misschien ontbrandt er een vonkje van geloof in haar, maar dat is iets tussen Caroline en God. In het jaar dat ik weg was bij Caroline heb ik een inzicht verworven dat nog duidelijker is dan toen we net uit elkaar gingen. Ik zie nu in dat het nooit lang goed had kunnen gaan tussen ons.' Hij grinnikte. 'Ik zie ook in waarom mijn moeder haar zo graag mag. Ze lijken een beetje op elkaar. Ik heb me altijd voorgesteld dat ik na mijn trouwen op de Hall zou gaan wonen. Als ik met Caroline getrouwd was, was het net zo gegaan als met mijn vader en was ik geëindigd met Winston als mijn enige metgezel.' Hij probeerde het luchtig te zeggen, maar sloot zijn ogen. 'Ik kan niet beloven dat ik je niet van tijd tot tijd zal teleurstellen, en zelfs niet dat ik niet zal sterven zoals je moeder, maar ik zal je dit beloven: nooit zal de oorzaak een andere vrouw zijn, in verleden, heden, of toekomst. Ik beloof je dat de pijn die ik zal veroorzaken niet zwaarder zal wegen dan het geluk dat ik in je leven zal proberen te brengen.'

Hete tranen prikten in haar ooghoeken. 'Meer kan ik niet van je vragen.'

Hij nam haar in zijn armen en streelde een verdwaalde krul opzij. 'Ik heb mijn moeder verteld dat ik van plan was je vandaag ten huwelijk te vragen. Ze zal ons niet in de weg staan.'

'Ik geloof dat ze me daarstraks haar zegen heeft gegeven.'

Quentin keek haar aan. 'Heeft ze mijn verrassing dan verraden? Vertelde ze wat mijn bedoeling was voordat ik de kans kreeg?'

'Als ik scherpzinniger was, had ik misschien zoiets kunnen vermoeden, maar nee.'

'En?'

Verbaasd trok ze haar wenkbrauwen op.

'Wat is je antwoord?' spoorde hij aan.

Rebecca lachte. 'Dat weet je toch wel? Natuurlijk wil ik met je trouwen, Quentin! Maar op één voorwaarde.'

Zijn frons keerde terug. 'Wat dan?'

'Dat je je door mij zult laten dienen. Dat zit in mijn bloed, zie je. Twaalf geslachten.'

'We zullen elkaar dienen.'

Toen kuste hij haar en Rebecca was dankbaar voor zijn ferme greep; zo veel geluk maakte haar licht in het hoofd.

Ze wist niet welk geluid haar had afgeleid en of Quentin iets had gemerkt. Ze maakte zich los en zijn blik volgde de hare, naar de drempel aan de andere kant van de langwerpige ruimte. Daar stonden de drie Featherby-juryleden en nog een vrouw die Rebecca niet herkende. Ze was vanmorgen niet met de juryleden meegekomen.

'Ach, we zijn weer betrapt,' zei Quentin gemoedelijk. 'Deze ruimte is niet geschikt voor privacy, wel?'

Hij pakte Rebecca bij de hand en trok haar naar voren. 'Neem ons niet kwalijk.'

Eva Wetherhead knikte met een glimlach en drukte haar notitieboek tegen haar borst. 'Er valt niets te vergeven, meneer Hollinworth. U woont in een nationale kostbaarheid, maar het is per slot van rekening uw huis. We staan bij u in het krijt omdat u ons nu en dan op verboden terrein toelaat.' Ze sloeg haar aantekenboek open. 'We hebben alleen een handtekening van u nodig, en dit laten we bij juffrouw Seabrooke achter.' Ze overhandigde Rebecca een envelop. 'Er staat in wanneer u kunt verwachten iets van ons te horen.' Ze glimlachte hartelijk. 'Maar ik zou de datum van de feestelijke prijsuitreiking maar openhouden, als ik u was.'

Quentin sloeg zijn arm om Rebecca heen.

'Dan zullen we onze bruiloft niet op die dag plannen,' zei hij met een grijns.

Drie mensen hapten naar adem, twee juryleden en de andere vrouw die achter hen vandaan kwam. Ze had een camera bij zich en Rebecca wist meteen dat ze geen jurylid was, maar journaliste.

'Mag ik dat in de krant zetten, meneer Hollinworth? Dat u en Rebecca Seabrooke gaan trouwen?'

'Zodra de plannen zijn gemaakt. En met Rebecca's ervaring zal dat niet veel moeite kosten.'

'Mag ik een foto maken?'

Dat was nieuw, dat iemand toestemming vroeg. Terwijl Quentin haar dichter tegen zich aantrok voor de foto, besloot Rebecca uit te zoeken hoe de journaliste heette en haar te vragen verslag te doen van een benefietfeest dat ze in gedachten had, om geld in te zamelen voor medisch onderzoek naar het fragiele X-syndroom. Gebeurtenissen waar verslag van werd gedaan werden op de society-pagina's kregen altijd de meeste aandacht...

Epiloog

Mijn lieve, lieve Cosima,

Als ik terugdenk aan mijn komst hier, hoe hoopvol ik was en toch slecht voorbereid, hoeveel ik heb geleerd over de waarheid van Gods plan voor mij, bijna het verlies van Zijn missie moest doorstaan, en toch leerde Hem te aanbidden door alles heen, dan kan ik je eerlijk vertellen dat mijn leven nooit rijker en gelukkiger is geweest. Ik heb ware tevredenheid geleerd door anderen te dienen, ook mijn echtgenoot, die op zijn eigen manier dient. Ik ben zonder twijfel een vaag beeld van de Allerhoogste, maar ik geloof dat Hij me zelfs door mijn gebreken onderwijst. Toen ik dacht dat ik de school kon kwijtraken, wist ik dat ik één ding had geleerd: dat de droom die Hij me gaf uit zou komen, ongeacht of Hij mij ervoor gebruikte.

En nu is er nog zo veel meer om naar uit te kijken. We hebben inderdaad een uiterst onconventioneel huwelijk, maar voor mij is het alleen onconventioneel in zijn passie. Simon en ik hebben geleerd aan dezelfde kant te strijden, voornamelijk voor wie minder gelukkig is dan wij.

Een deel van de publiciteit, hoe ongegrond ook, wil maar niet uitsterven. In zijn gretigheid om samen te werken met Simon kwam meneer Truebody op bezoek en stelde voor dat we de naam van de school zouden veranderen. En daarom hebben we een naam gekozen ter ere van de tekening die Katie eens maakte, en die nu vlak bij de ingang hangt, zodat iedereen hem bij binnenkomst als eerste ziet. Het musje, dat God niet vergeet, en liefheeft. Simon en ik zorgen samen voor de mussen, zoals God ons heeft geleid. En nu heten we dus niet langer Escott Manor, maar Mussenheuvel.

We zijn al plannen aan het maken om nog een school te openen, dichter bij Simons huis in Dublin. Er is zo veel nood, en nu de Krankzinnigheidscommissie graag wil helpen, zijn we vol vertrouwen dat mevrouw

Cotgrave en ons personeel Mussenheuvel kunnen verzorgen terwijl wij ons concentreren op een tweede school. Het heeft natuurlijk een voordeel om dichter bij huis te werken. Denk je dat we het parlement kunnen vragen ook hierheen te verhuizen zodat Simon niet zo ver hoeft te reizen? (Ik hoop dat je nu lacht om mijn grapje.)

In elk geval ben ik van plan om van tijd tot tijd met hem mee te reizen naar Londen, zodat jij en ik vaker tijd voor elkaar zullen hebben, als ik eenmaal geleerd heb te vertrouwen dat de school en de nieuwe locatie het zonder mij kunnen stellen. Ik kijk er erg naar uit.

Tot de volgende keer, mijn lieve Cosima. Moge de God Die ons beiden liefheeft ons nooit laten vergeten dat Zijn wegen de beste zijn.

Je liefhebbende schoonzus,
Berrie

*

Lieve Dana,

Gefeliciteerd met de geboorte van je dochter! Ik ontving de fotobijlage van je e-mail zonder problemen, en kleine Riley is een schatje. Jij ziet er ook ongelooflijk goed uit voor iemand die een dag voordat de foto werd gemaakt bevallen is. De fotoserie van toen tot nu laat zien hoe de vreugde in je leven in de afgelopen maand elke dag alleen maar groter is geworden.

Quentin en ik hebben voortdurend gebeden toen de dag van de geboorte van je kind naderde. Het is interessant dat de arts bloed uit de navelstreng kon gebruiken om de fragiele X-status vast te stellen, en we blijven bidden om Zijn wil als Riley opgroeit in de wetenschap dat ze een soortgelijke toekomst als de jouwe tegemoet kan zien. Maar zoals je weet zijn Gods grenzen wijd, en Zijn hulp eindeloos om te bereiken waarvoor Hij ons heeft gemaakt.

In je briefje sprak je je dank uit voor mijn hulp in een moeilijke tijd. Dana, we waren er voor elkaar. Het maakte allemaal deel uit van Gods volmaakte timing, dat we er voor elkaar moesten zijn, en het geloof vast-

hielden als de ander wankelde. Zo werkt het lichaam van Christus.

De datum van mijn huwelijksdag nadert, en zo aan de foto's te zien zul je fit genoeg zijn om hierheen te komen om mijn getrouwde bruidsmeisje te zijn, zoals we maanden geleden hebben afgesproken. Ik stel me voor dat reizen met een baby aan de borst en Padgett en Aidan (sorry, gooi ik hem nou op één hoop met de kinderen?) een uitdaging zal zijn, dus als er iets is wat Quentin of ik kunnen doen om het makkelijker te maken, laat het ons dan weten. We gaan op huwelijksreis naar Griekenland, dus Helen en William Risdon zullen blij zijn met jullie gezelschap hier op de Hall, zo lang als jullie bezoek kan duren, ook voor Natalie en Luke en hun gezin. Je moet hun alle bezienswaardigheden laten zien die jij maar half gezien hebt toen Quentin en ik in de eerste tijd van je zwangerschap probeerden je afleiding te bezorgen.

Het zal fantastisch zijn om je weer te zien, Dana. Als ik over een paar jaar mijn trouwfoto's bekijk, zal ik er altijd aan denken wat onze vriendschap me heeft geleerd. De grootste hoop komt na een overgave, of die hoop nu gedurende ons leven wordt vervuld of niet. Dus bedankt voor de stap in de richting van grotere wijsheid, mijn vriendin!

Tot gauw,
Rebecca